그리움의 공식

배화

배화청소년 06

그리움의 공식

발행 | 2023년 12월 31일
지은이 | 2023년 배화여중 3학년
편집. 디자인 | 강경일 고은서 김가은 김수현 김예원 김희림 나강세린 박예은 박웅비 박하양 안도원 양서운
유수연 이유민 이진 이채원 이하영 이현진 임채령 정위리 차윤주 한서아 홍서연
펴낸이 | 한건희
펴낸곳 | 주식회사 부크크
출판사등록 | 2014..07.15.(제2014-16호)
주소 | 서울특별시 금천구 가산디지털1로 119 SK트윈타워A동 305호
전화 | 1670-8316
이메일 | info@bookk.co.kr

ISBN | 979-11-410-6281-1

www.bookk.co.kr

프롤로그

내가 그리워한 순간들은 그 자체로 빛나는 추억이다. 내가 아무리 살을 덧붙이더라도 아름다운 그 본질만큼은 변하지 않는 법이다. 그러므로 과거에 붙잡히고 얽매이는, 잘못된 그리움의 방식을 택해서는 안 된다. 나 혼자 깨달은 것은 아니다. 새로 맞닥뜨린 사람들과 시간이 도와주었다. - 그리움의 공식

그날은 나를 반겨주는 것과 같은 밝은 노을이 지고 있는 하늘이 있었다. 심지어 평소와 같은 빨리 사라질 것만 같은 붉은 노을도 아니고, 따스한 노란 노을이었다. 매일 아래만 보고 걷다 보니 하늘이 이렇게 변하고 있다는 것도 느끼지 못했다. - 초여름 날 저녁의 밝은 하늘

나는 다른 친구들이 열심히 레일에서 달리고 있을 때 혼자 레일을 벗어나 주변을 둘러보고, 앞만 보고 달리느라 보지 못했던 레일 위 하늘도 보았다. - 삶의 휴식

중학교 2학년인 나에겐 시험을 보는 내가 꼭 메달을 받아야만 한다는 부담감을 가진 운동선수가 된 것만 같은 기분이었다. 그러다보니 함께 놀던 친구들도 이제는 경쟁하는 선수들 같고 선생님들은 나에게 훈련을 가르치는 코치 같았다. - 생일, 그리고 기말고사

그렇지만 그 무렵부터, 나에게 철들었다는 말은 참 어려운 말이 되었다. 이전에는 받으면 좋지만 받지 못해도 별수 없는 금메달이었다면 그 무렵부터는 꼭 받아야만 하는 금메달이 되었다. 나는 철든 아이여야만 했다. - 철들면 무거워요

빗소리와 천둥소리, 그리고 음악 소리가 함께 엮인 소리를 듣고 있으니, 마치 내가 현실 세계에서 벗어나 판타지 세계로 들어와 있는 기분이었다. - 빗소리로 가득찬 어느 오후

물론 사람들은 일방적으로 주는 사랑이 뭐가 좋냐고 말할 수 있다. 하지만 나는 그렇게 생각한다. 내가 일방적으로 주는 사랑이 아니라, 내가 사랑을 주면 아이돌은 나에게 행복을 주고 애정을 나누어준다. - 나에게 아이돌이란

눈물이 날 것 같았다. 내가 힘들 때 엄마가 그런 말을 해줘서였을까, 아니면 뜨거운 붕어빵 때문에 입천장이 까져서였을까. 나는 깨달았다. 사람은 참 단순하다는 걸. 이런 말 한마디가 내 힘들었던 시간을 버티게 해주다니. - 붕어빵

세상이 알아보든 몰라보든 나의 정체성이 담긴 무언가를 밖으로 아무렇지 않게 내놓는 것은 참 용기 있다. 우리 모두가 글씨체뿐만이 아니라 말투, 표정, 습관, 행동, 매너, 자세 하나에 자부심을 가질 수 있었으면 한다. 내가 아닌 무언가로 보이려고, 나를 바꾸려고 끝없이 노력하기엔 너무 피곤하지 않은가. - 손 글씨 바꾸기

시간은 손안의 모래와 같아서 다시 그 시간을 잡고 싶어도 우리가 모래를 손에 쥘 수 없듯이 결국 자신의 손에서 놓칠 수밖에 없다. 그럼에도 소량의 모래 알갱이, 그 알갱이가 우리의 기억에 남아 지금의 우리를 만들어 내고 지탱시켜 준다. - 이야기의 바다

차례.

종이학이 모여 함께하는 '우리'가 모여

벽, 그리고 한 마디

도토리는 도토리처럼 둥글고 매끈해서 예쁜 법

여름 밤의 하얀 점

멸종 위기 인간

철창 속에 갇힌 자유

종이학이 모여

함께하는 '우리'가 모여

하지만 나는 알고 있다. 그 냄새 나는 껍데기 안에 사실은 존
득하면서도 맛있고 영양가가 가득한 보물 같은 알갱이가 숨겨
져 있다는 사실을. 그 냄새 나는 껍데기를 벗겨내야지만 비로
소 그것이 소중한 열매인 것을 알게 된다는 것을……

그리움의 공식

한 번 그리움을 극복한 사람은 그 방법을 안다. 그들에게 과거는 현재를 옭아매는 덫이 아니라 현재를 더 의미있게 살아가도록 하는 거름판이 될 것이다.

.

너무 큰 충격을 받았을 때는 외려 덤덤한 상황이 있다. 누군가가 ′농담이 었어′라고 말하면, 다시 평범하게 돌아갈 수 있을 것 같아서일까? 초등학교가 머지 않아 폐교된다는 소식을 들었을 때 난 꼭 그랬다. 마지막 날까지 그 누구도 눈물을 흘리지 않았던 것으로 미루어 보아 당시에는 다음 날 그 등굣길을 걷는 게 너무나 당연했던 것 같다. 왜 몰랐을까. 그곳을, 그 친구들을 조금 더 볼 기회가 그때 밖에는 없었다는 것을. 한 번만이라도 더 담아두고 기억했어야 했다. 그날은 우리의 마지막 수업 시간이었으며, 또 마지막 하굣길이었다.

어떻게 그립지 않을 수 있을까. 하루가 지나 하나의 순간이 쌓여 갈수록 내 슬픔도 점차 표면을 드러냈다. 그리고 난 그 순간들에서 추억을 보았다. 책을 보면 그 학교에서 함께 했던 연극이 생각났고, 놀이터를 보면 점심시간마다 뛰놀던 운동장이 떠올랐다. 하지만 슬픔도 익숙해진다고 하던가.

학교를 추억하는 것은 내게 너무 당연한 의무가 되었다. 기억이 나지 않으면 죄책감이 느껴지기도 했다. 가장 행복했던 날들을 점점 잊어가는 것이 두려웠을 것이다.

이런 상태로 새 학교에 적응하는 것은 단연코 쉬운 일이 아니었다. 새 친구들에게 말을 걸 자신도, 또 말을 걸어 준다고 활짝 웃어 줄 마음도 없었다. '여기서 평생 적응하지 못해도 돼. 어차피 여긴 내 진짜 초등학교가 아니잖아.' 하고 생각했다. 난 아마 내 마음의 공간을 충분히 깨닫지 못한 성싶다. 그 넓은 공간의 중앙에 예전 학교만이 떡 하니 자리를 잡고 있던 나의 마음. 그러나 지내다 보니 새 학교의 시간은 멋대로 헤집고 들어왔다. 그리고 뻔뻔하게 과거의 날들을 밀치고 자리를 잡았다. 난 어느새 친구들과 웃고 떠들고 즐거워하는 그런 평범한 학생이 되고 만 것이다.

사람들이 내게 '초등학교 어디 나왔니?' 하고 물으면, 난 예전 학교와 전학 간 학교의 이름을 모두 말하곤 했다. 내가 살아온 흔적에서 예전의 학교가 사라지는 게 싫었다. 하지만 지금은 전학 간 학교의 이름만 댄다. 얼마 전, 문이 굳게 닫힌 낡은 폐교에 오랜만에 가서 멀리서 바라보았을 때도 가슴이 특별히 찌르르 하지는 않았다. 그렇다고 더 이상 그리워하지 않는 것은 아니다. 그저 다른 방식으로 그리워할 뿐이다. 내가 그리워한 순간들은 그 자체로 빛나는 추억이다. 내가 아무리 살을 덧붙이더라도 아름다운 그 본질만큼은 변하지 않는 법이다. 그러므로 과거에 붙잡히고 얽매이는, 잘못된 그리움의 방식을 택해서는 안 된다. 나 혼자 깨달은 것은 아니다. 새로 맞닥뜨린 사람들과 시간이 도와주었다.

살다 보니 추억과 돌아가고 싶은 날들은 차곡차곡 쌓이게 되었다. 흘러가는 기억의 자연을 막으려 드는 것은 얼마나 덧없는 것인가. 또한 과거와 현재의 행복을 저울질하며 등급을 매기려 드는 것은 또 얼마나 어리석은 것인가. 아마 지금 내 마음을 들여다보면 예전 학교의 기억은 수많은 기억 중 하나일 뿐일 것이다. 넓은 캔버스를 다양한 색깔로 메우듯 크디큰 내 마음의 공간을 알록달록 칠하는 법을 나는 배웠다. 한 번 그리움을 극복한 사람은 그 방법을 안다. 그들에게 과거는 현재를 옭아매는 덫이 아니라 현재를 더 의미있게 살아가도록 하는 거름판이 될 것이다.

무언가를 그리워한다는 마음과 순간의 소중함 사이의 관계는 간단하다. 그리움을 더할수록 소중함이 커지는 것도 아니고, 곱할수록 배가 되는 것도 아니고, 그저 그 상태로 두었을 때 가장 크다. 그것으로 충분하니까.

GANG

그리움의 공식

경험

별 의미 없이 가볍게 시작했던 경험 하나에서 발표할 때 덜 떨리게 해 준 경험이 되었다.

나는 어렸을 때부터 사람들 앞에서 말하는 것을 좋아했다. 내 이야기를 하든, 어떤 것에 관해서 설명하든 앞에 나가서 이야기하는 것이 즐거웠다. 하지만, 중학교에 들어오고 나서 하게 되는 발표는 수행평가 때문이었다. 내가 하는 발표가 평가에 반영된다고 하니 긴장되어 실수가 잦아졌고, 더 이상 앞에 나가서 이야기하는 것이 즐겁지 않았다.

초등학교 1학년 때, 방과 후로 바이올린을 시작했다. 새로운 경험이 될 것이고, 악기 하나쯤 다루면 도움이 될 것이라는 부모님의 제안이었다. 처음 경험한 바이올린은 손도 아프고 힘들었지만, 선생님도 좋은 분이시고 친구들과 함께 해서 재미있었던 것 같다. 그러다 6학년 때 색다르고 좋은 경험이 될 것 같아 오케스트라에 들어가게 되었다.

매주 토요일에 있는 연습 때는 정말 힘들었지만 일 년의 마지막, 12월에 하는 정기 연주회는 정말 재미있었다. 코로나 때문에 입단한 지 2년 차에 한 정기 연주회는 처음이라 많이 떨기도 했고 실수도 했지만, 이 정도면 만족스러웠다. 오히려 예전처럼 많은 사람들 앞에서 공연한다고 생각하니 신났다.

중학교 3학년, 벌써 입단한 지 4년 차가 되었다. 내년엔 고등학생이 되니 처음이자 마지막이라는 생각으로 오케스트라에서 하는 3박 4일 여름 캠프에 가게 되었다. 3박 4일간의 연습은 상상 이상으로 힘들어서 몸에서 파스 냄새가 진동할 정도로 파스를 붙였다. 하지만 힘든 만큼 실력이 늘고 나름대로 재미도 있었다. 3일 차에는 여름 캠프를 마무리하며 공연을 했다. 지방이라 사람들이 많이 오지 않을 것이라고 생각했지만, 생각보다 관객이 많았다. 이번 공연에는 프랑스 오케스트라에서 계신 분이 함께 했다. 어른과 함께 연주하니 청소년들끼리 하는 것과는 차원이 달랐다. 체력 소모가 그동안 했던 공연의 두 배가 넘었다. 그래도 덕분에 공연에 더 열심히 임한 기회가 된 것 같았다.

공연이 끝나고 그동안 고생했던 게 스쳐 지나가고 희열로 가득찼다. 이제껏 4번 정도 공연했지만 이런 적은 처음이었다. 바이올린을 하기로 선택했던 때부터 여름 캠프에 오기로 선택했을 때까지 새로운 경험을 하는 것이 기대감도 있고 두려움도 있었지만, 새로운 경험을 하기로 선택한 것이 다행이라고 여겨졌다. 오케스트라에서 보낸 4년 동안 총 4번의 공연을 했고 공연하며 잃어가던 발표에 대한 자신감을 얻게 되었다.

별 의미 없이 가볍게 시작했던 경험 하나에서 발표할 때 덜 떨리게 해준 경험이 되었다. 아직도 발표하면 떨리는 것은 마찬가지이지만, 오케스트라를 다니기 전보다는 덜 떨린다. '경험이 깡패다'라는 말이 있는데, 왜 이러한 말이 나오게 된 것인지 이해하게 되었다. 앞으로 살아가는 중에 해보고 싶은 것이나 꼭 해야 하는 것이 있는데 망설여질 때 이 경험을 생각하며 '결국엔 얻을 것이 있겠지'라는 마음으로 도전할 것이다.

연서

생각을 바꿀 계기를 접하는 것

다른 아이들과 비교도 많이 했고 모든 걸 잘하려고 했다. 생각해 보니 내가 다른 일을 할 때도 실망스러운 말을 듣지 않기 위해 애써왔다는 걸 깨달았다.

난 1학기 기말시험을 열심히 준비했다. 중간은 과목이 3개였는데 기말은 과목이 7개였기 때문이다. 그중 기말시험에서 항상 어렵게 나오던 수학을 많은 시간을 들여서 준비했다. 그렇게 시험 첫날이 끝나고 집으로 가 밥을 먹은 후 시험 준비를 하기 시작했다. 두 번째 날에는 수학, 과학을 보는데 둘 다 보충이 있어 저번 시험에서 점수가 덜 나온 과학을 공부하기 시작했다. 문제를 풀고 채점하고를 반복하다가 시계를 보니 오후 3시였다. 나는 보충을 위해 학원으로 가기 시작했다. 나는 가면서 내일 있을 시험에 대해 계속 생각했다. 첫날 시험은 공부한 덕에 어느 정도 점수가 나왔다. 하지만 두 번째 날 과목은 내가 가장 못 하는 과목이라 불안이 가시지 않았다.

오후 3시 30분, 학원에 도착하고 나는 수학 보충을 받기 시작했다. 수학 보충을 받는 곳은 정규수업반이라서 내가 문제를 푸는 동안 다른 아이들은 수업을 받았다. 그중 나와 같은 학교 아이도 있었다. 문제를 풀면서 선생님이 말하는 걸 들어보니 수학을 잘 하는 아이라는 걸 알 수 있었다.

오후 5시, 과학반에 도착하고 문제를 풀기 시작했다. 걱정했던 것과는 다르게 선생님께서 주신 과학 문제들은 가끔 막히는 게 있기는 했지만 술술 풀렸다.

오후7시45분, 수학 보충을 하러 다시 돌아왔다. 이 시간대는 내가 원래 수업을 듣던 반이라 익숙한 얼굴이 보였다. 다만 첫 번째 반과 다른 점은 이 시간대는 시험이 끝난 아이들이 많아서 놀자판이었다는 것이다. 과자를 먹고, 잡담도 하고, 핸드폰 하는 아이들 속에서 나는 문제를 풀고, 채점하고, 풀이를 듣길 반복하다 9시 30분이 되었다. 선생님이 이번에는 조금 어려울 수 있다며 새로운 프린트 주셨다. 나는 프린트를 가지고 가 자리에서 풀기 시작했다. 1번, 2번... 4번을 푸는 도중 4번 문제에서 막혔다. 문제를 풀기 시작한 지 몇 분이나 됐다고 생각한 나는 4번 문제를 건너뛰고 다시 풀기 시작했다. 하지만 5번을 풀고 나자 6번에서 또 막혔다. 6번도 건너뛰자 다시 10번에서 막혔다. 그렇게 문제가 막히길 몇 번 나는 그대로 멈췄다.

눈물이 나올 것 같기도 해 손으로 얼굴을 감싸고 가만히 있었다. 그러고 있는 도중 주변에서는 시험 끝난 아이들의 웃음소리가 계속 들렸다. 얼마나 그러고 있었는지 모르겠지만 선생님께서 다가와 뭐라고 말씀하시는 순간 10시가 되었다는 종소리가 들렸다. 나는 그때까지도 손으로 얼굴을 가리고 가만히 있었다. 아마 내가 그러던 것은 시험 전날인데 선생님이 주신 프린트가 계속 막히고 시간이 되어도 다 풀지 못한 이유였을 것이다. 그렇게 시험 전날에 멘탈이 터져버린 나는 선생님의 "걱정할 필요 없고, 집에 가서 일찍 자라."는 말을 듣고 집으로 돌아왔다. 다른 말을 해 주시기도 했지만, 시험에 대한 불안 때문인지 저 내용밖에 기억에 남지 않았다. 집으로 돌아와서도 내일 있을 시험에 대한 걱정이 멈추지 않은 채 프린트의 틀린 문제를 풀다가 12시가 되자 잠에 들었다. 그리고 다음 날 역대 최악의 수학 시험 점수를 받았다.

시험 보는 두 번째 날 1교시는 최악이었다. 그날, 에어컨이 너무 추워서 몸은 계속 떨리고, 코를 훌쩍거렸다. 엎친 데 덮친 격으로 집중도 잘 안 되고 졸려서 같은 문제를 몇 번이나 반복해서 읽기도 했다. 시간이 지나자 1교시보다 나아져서 2교시는 준비한 만큼 할 수 있었다. 그리고 집에 와서 가채점을 해보니 수학에서 역대 최악의 점수를 받은 것이다. 하지만 충격도 잠시 내일도 시험이 있기 때문에 공부하기 시작했다.

그렇게 시험을 끝내고 일주일 정도가 지나자, 학원시험을 보고 난 후 상담을 받았다. 그때 두 번째로 시험에 대한 위로를 받았다. 선생님께서는 "학원은 배우려고 오는 거지 네가 아는 걸 자랑하려고 오는 곳이 아니야. 부끄러워하지 않아도 돼. 부끄러워할 거면 애초에 학원이 왜 있겠니? 너는 지금도 충분히 잘하고 있고, 다른 사람과 비교할 필요는 없어"라고 하셨다. 그말은 시험 전날에 들었던 위로와 다르게 기억에 오래 남았다.

생각해 보니 그 말이 맞았다. 나는 모르는 문제가 있을 때 혼자서 고민하기만 했다. 다른 아이들과 비교도 많이 했고 모든 걸 잘 하려고 했다. 생각해보니 내가 다른 일을 할 때도 실망스러운 말을 듣지 않기 위해 애써왔다는 걸 깨달았다. 그런 관점으로 생각을 못 해 봤는데 일깨워 주셔서 감사했다. 혹시 혼자 마음고생하는 친구들이 있다면 내가 생각을 바뀔 계기를 접했던 것처럼 그들도 그런 기회가 있었으면 한다.

칼림바

행복 : D

| 모든 사람들의 삶의 궁극적인 목적은 '행복' 일 것이다.

사람들은 항상 행복이라는 감정을 원한다. 이런 생각을 하는 이유는 사람들이 행복이라는 감정을 느끼는 것을 어렵게 생각하기 때문이다. 대부분의 사람들은 여행을 가거나 자신이 하고 싶은 일을 하는 등 일상생활이 아닌 곳에서만이 자신이 행복이라는 감정을 느낄 수 있는 곳이라고 생각하고, 행복이 별로 중요하지 않다고 생각하는 것 같다. 물론 나도 얼마 전까지만 해도 그렇게 생각하는 사람 중 한 명이었다. 하지만 행복한 감정들에 대해 별로 신경 쓰지 않고 산다면 그게 과연 자신이 원하는 삶인지, 앞으로도 행복이라는 감정을 무시한 채 살 것인지 한번 생각해 봐야 할 필요가 있다.

인간을 제외한 다른 동물들에게는 행복에 대한 개념이 없을 것이다. 우리는 생각하는 능력을 가지고 있기 때문에 행복할 수도 있고 그렇지 않을 수도 있는 것이다. 그래서 행복을 어렵게 생각할수록 그에 대한 답은 점점 더 미궁 속으로 빠져들게 되는 것이다. 행복은 한 마디로 정의할 수 없고, 우리가 생각하고 느끼는 것보다 더 많은 의미가 담겨 있다. 하지만 행복을

그리움의 공식

느끼는 건 어려운 일이 아니다. 친구들과 떠들 때, 집에 가면서 내가 좋아하는 노래를 들을 때, 좋아하는 음식을 먹을 때 우리는 모두 행복한 감정을 느끼고 있다.

그리고 나는 행복은 자신의 마음가짐에 달려있다고 생각한다. 자신의 성적이 오르거나 돈이 많아지는 등 주변 환경이 바뀐다고 자신이 행복해질 거라는 착각을 하는 사람들이 있다. 물론 그 주변 환경들이 자신이 행복해지는 것에 도움이 될 수는 있겠지만, 그 자체가 완벽한 방법이라고 할 수는 없다고 생각한다. 하지만 자신이 하고 싶은 일을 조금씩 하며 그 변화를 자신이 스스로 만들어 간다면 그 결과는 바뀔 수 있다. 자신이 좋아하는 일을 하나씩 찾아가 보거나, 자신이 좋아하는 사람들과 만나거나 자신이 좋아하는 일을 주제로 하는 직업을 갖는 등 자신의 일상 생활을 조금씩 바꿔보면 그 사람은 비로소 스스로 행복해질 것이다.

행복의 양에는 제한이 없다. 행복은 자신을 위한 것이기 때문에 경쟁을 하지 않아도 되고 남에게 피해가 가지 않는 선에서 눈치를 볼 필요도 없다. 남을 의식하지 않는다면 자신이 생각하는 부정적인 부분이 더 줄어들 것이다. 이렇게 자신의 인생은 남이 아닌 자신이 창조해 나가는 것이기 때문에, 느낄 수 있는 행복의 양에 제한을 둘 수 없다.

나는 행복도 받아들일 준비가 되어있는 사람들만이 받을 수 있다고 생각한다. 그러기 위해서는 책임감을 갖고 두려움도 마주할 수 있어야 한다. 그 정도의 마음의 준비도 되지 않은 채 자신이 행복해지려고 한다면 그 의지는 얼마 가지 못할 것이다. 또한 행복은 그 사람의 생활 태도와 연관되어 있다. 사물이나 사람을 바라볼 때 긍정적으로 바라보는 사람이 더 큰 행복을 느낄 수 있다는 것이다.

모든 사람들의 삶의 궁극적인 목적은 '행복'일 것이다. 행복한 사람은 행복 안에서의 삶의 의미를 느낀다. 사람들은 자신이 중요하다고 느끼고 싶고 변화를 만들어내고 싶어 한다. 행복에는 사람마다의 목적이 들어가 있기도 하다. 그 목적은 자신에게 의미가 있어야 하고 다른 것들과 조화를 이뤄야 한다.

'행복'이라는 단어가 별거 없어 보일 수도 있지만 어쩌면 인간이 가장 해석하기 어려운 단어일지도 모른다. 사람마다 느낄 수 있는 행복의 최대는 다르고, 방법도 다르다. 그 방법을 찾아가는 게 우리가 살면서 풀어야 할 가장 큰 숙제이자 문제이다. 나는 사람들이 모두 자신에게 있어서 행복의 의미를 찾고 자신에게 의미 있는 목적의식을 갖고 자신의 선에서 느낄 수 있는 최대의 행복을 느낄 수 있다면 좋겠다.

유채연

당신의 공부는, 안녕하십니까?

현재에 충실하고 미래를 설계하며 본인이 지금 하고 있는 것에 대한 의미를 찾기 위해 잠시 시간을 내고 생각해보자.

밤늦게 꺼지지 않는 불빛 사이로 조그만한 아이들이 걸어 나온다. 본인 몸보다도 커다란 가방을 매고 걸어나오는 아이는 키가 내 허리께도 오지 않는 것 같다. 크게 어림잡아도 초등학교 3학년인 것 같은 아이의 얼굴을 보고 나는 놀랐다. 아이의 어린 눈엔 그 나이대 어린아이들의 생기, 희망, 또는 내일에 대한 기대 따윈 없다. 피로, 허무함만이 아이의 퀭한 눈에 담겨 있다. 그 아이를 보는 순간 생각했다. '왜?'

밤 10시, 아이들이 밖으로 걸어나온다. 터벅터벅 걷는 발걸음은 영화 '소울'에 나오는 헤지펀드 매니저를 닮았다. 본인이 무엇을 하고 있는지도 모른 채 틀에 박힌 일을 계속하다 본인의 영혼까지 본인의 의미없는 일에 집착하게 되어 결국 무의식의 세계를 떠돌게 된 헤지펀드 매니저의 모습이 대체 왜 10살짜리 아이들에게서 나타나는 것일까?

아이들의 공부 시간은 나이가 더해질수록 학년이 높아질수록 길어져만

간다. 아주 어린 나이부터 높은 곳을 향해 쉼 없이 달려가고 있는 것이다. 그런데, 어디로 달려가는 걸까? 아이들의 공부의 의미는 '누가 시키니까, 남들이 하라니까'에 한정된다. '나중에 하고 싶은 일이 있어서, 앞으로 내가 하고 싶은 일을 하려면 이 공부가 필요하니까'라는 의미로 공부를 하는 아이들은 몇 되지 않는다. 대부분의 아이들은 전자일 것이라 확신한다. 만일 정말로 본인을 위해서 공부하고 있다면 그런 눈을 할 수는 없으니까.

나는 앞으로 뭘 하고 싶은지 하루에도 여러 번 생각해 본다. 내 꿈을 확정지을 수는 없지만, 확정지을 수 없어서 여러 번 생각할 때마다 지친 마음이 다시 위로 받고, 결국 또 다시 힘을 내서 하던 공부를 이어나간다. 정의내릴 수 없기 때문에 역설적으로 더 많은 '생각할' 기회가 있는 것이다. 이런 과정을 통해 나는 내 공부의 의미를 찾아나가고 있다. 막연하게나마 앞으로를 위해서 나는 공부하고 있다. 이 마음이 오래가지 못한다고 한들 상관없다.

나도 이렇게 생각한 지 얼마되지 않았다. 중학교 2학년 때 너무 공부에 지쳐가던 순간, 생각했었다. '내가 이거 왜 해야 하는데?'라는 생각. 그리고 '공부'라는 단어 자체가 지겨워졌었다. 모두가 나에게 맞춰 놓은 그 틀에서 벗어나고 싶어졌다. 지금은 그 틀에서 벗어나서 살고 있느냐고 묻는다면, 그렇지는 않은 것 같다. 그러나 나는 그 틀의 의미를 찾았다. 그 틀의 존재 이유는, 그리고 내가 공부하고 앞으로도 계속 공부해야 할 이유는 '앞으로를 위해서'이다. 앞으로의 나를 위해, 앞으로의 빛날 내 미래를 위해 말이다.

나는 지금 학원을 다니지 말자고, 선행학습 하지 말자고, 학교에 충실하고, 학교에 갔다 와서 뛰어놀고 밤 9시에 동화책을 읽으면서 잠에 들자고 하는 것이 아니다. 그건 누구에게는 바람직하지만 누구에게는 시간 낭비가 될 수 있는 잘 포장된 쓰레기에 지나지 않는다. 그저 본인이 좋아하는 것을 하고, 본인의 미래를 생각해 보고, 또 하루는 본인의 미래를 위해 내가 싫어하는 것에 시간을 투자해 보기도 하면서 현재에 충실하고 미래를 설계하며 본인이 지금 하고 있는 것에 대한 의미를 찾기 위해 잠시 시간을 내고 생각해보자.

모두에게 공부의 의미는 다를 수 있다. '돈 많이 벌고 싶어서'부터 '하고 싶으니까'까지 이유는 다양하다. 그리고 그 중에 단 하나도 틀린 것이 없다. 본인의 공부의 의미를 찾고 공부하는 모든 시간이 소중해지기를 바란다.

anaid

소소한 행복

우리의 행복의 기준이 낮아진다면 우리가 조금 더 행복해질 수 있지 않을까?

큰 행복과 작은 행복이 만나면 인생에서 다시는 잊을 수 없는 순간을 만들어 주는데 말이다.

4년 전쯤, 내가 사는 아파트는 엘리베이터를 리모델링했다. 엘리베이터를 탈 수 없게 되자 9층인 우리 집까지 걸어가야만 했다. 리모델링하는 데에는 한두 달이라는 꽤 긴 시간이 걸리기 때문에 나는 걸어 올라가는 매일이 예민하고 기분이 좋지 않았다.

하지만 하루하루 계단을 올라가고 내려가는 중, 평소에는 만날 수 없었던 18층에 사시는 할아버지, 5층에 사시는 이모와 같은 이웃들을 많이 만나게 되었다. 처음에는 그냥 지나치기에는 뻘쭘하고 어색하기도 해서 만나는 이웃들마다 꾸벅 인사를 했다. 몇몇 이웃들은 당시 초등학생이던 내가 인사하는 것을 보고 귀엽다고 생각하셨는지 "예의가 참 바르구나.", "너도 좋은 하루 보내렴." 등 좋은 말을 많이 해 주셨다. 이런 말을 듣다 보니 뿌듯한 기분도 들었고 이웃들을 만날 때마다 소소한 행복을 얻게 되었다. 좋지 않았던 마음이 행복한 마음으로 바뀌었기 때문에 매일 이웃들을 만날 날이

기다려졌던 것 같다. 이러한 경험은 나에게 정말 가치 있는 경험이었고 내 삶에 큰 영향을 미쳤다. 또, 큰 행복뿐만 아니라 작은 행복들도 우리에게 큰 즐거움을 줄 수 있다는 사실을 깨달았다.

요즘 우리 사회에서는 큰 행복과 즐거움만 쫓아 살아가는 사람들이 많다. 몇몇 사람들은 대회에서 우승을 하거나 여행을 가는 등 화려한 행복에 정신을 빼앗겨서 작은 행복들을 돌보지 않는 경향이 있다. 하지만 큰 행복만 쫓아가다 보면 작은 행복과 큰 행복 모두 놓칠 수 있다. 큰 행복과 작은 행복이 함께 하면서 인생에서 다시는 잊을 수 없는 순간을 만들어낼 수 있는데 말이다. 우리는 우리의 행복의 기준에 대해서 다시 한번 생각해 봐야 한다.

우리의 행복의 기준이 낮아진다면 우리가 조금 더 행복해질 수 있지 않을까? 물론 큰 행복을 바라고 삶을 살아가는 사람들을 비난하고 싶은 것이 아니다. 그저 작은 감정들도 소중하다는 것을 말해주고 싶은 것이다. 매일이 행복할 수는 없다. 당연히 매일 큰 행복을 얻을 수도 없다. 하지만 작은 행복들을 찾아가다 보면 그 행복들이 차곡차곡 모여서 큰 행복을 만들어 낼 수 있다. 일상에서도 이러한 일을 많이 볼 수 있다.

여러분이 일상 블로그를 보다 보면 어렵지 않게 ′소확행′ 이라는 단어를 찾을 수 있을 것이다. ′소확행′이라는 단어의 뜻은 소소하지만 확실한 행복이라고 한다. 요즘에도 꽤 많은 사람들이 조깅을 하거나 드라이브를 하는 등 일상에서의 소소한 행복을 얻는다. 소확행, 즉 소소한 행복을 찾는 일은 자주 느낄 수 있기 때문에 스트레스를 해소하기에 좋다. 내가 계단을 올라가며 짜증 났던 마음이 풀어졌던 것처럼 말이다. 큰 행복만 추구하던 과거의 나는 지금보다 덜 행복했었던 것 같다. 하지만 변한 나처럼 멍 때리며 카페에 앉아 있어도 행복하다면 정말 즐거운 인생을 살 수 있다.

내 소소한 행복을 찾는 방법은 이웃 주민들에게 인사하는 것이었지만, 여러분의 방법은 각자마다 다르다. 예를 들어 매 주말마다 커피를 마시며 책을 보거나 집 앞 공원을 걷는 것이 여러분의 소확행이 될 수도 있다. 나는 큰 행복도 물론 소중하겠지만 작은 감정과 행복들도 무시하지 말고 찾아달라는 이야기를 하고 싶다. 여러분도 여러분만의 소소한 행복을 찾아보면 어떨까?

CYA

City of Stars

그날의 노래와 뜨거운 눈물은 걱정과 고민을 회피하지 말고 스스로에게 솔직해지자는 가르침을 주었다.

무언가를 뜨겁게 갈망하고 있다. 그러나 무엇을 갈망하고 있는지 모르겠다. 지금 가고 있는 길이 맞는지도 모르겠고, 혹여나 잘못 발을 디뎌 시간을 낭비하고 있지는 않는지 두렵다. 모든 것이 낯설게 느껴지고 무서웠다. 새로운 해가 밝고 중학교 3학년이 된 지 얼마 안 된 2월, 막연히 중3 이라는 타이틀과 함께 원인모를 중압감과 압박감에 스트레스를 받았었다. 아직 꿈도 없고 목표도 없는데 친구들은 하나 하나씩 자기만의 길을 개척해서 나아가는 모습을 바라보기만 하며 홀로 제자리에서 느끼는 외로움은 말로 형용할 수 없다. '나는 어느 고등학교 가지, 뭐하면서 살아야지, 고입을 하면 생기부도 챙겨야 하는데⋯⋯.'

밤만 되면 이러한 고민이 꼬리를 물어 끊이질 않고, 낮에서의 모습과 딴판이 되어 더욱 더 감성적인 사람이 되었다. 그렇게 고민을 하며 지새우는 밤을 여러 번 반복하니, 더 이상 안 되겠다 싶었다. 이러한 답답한 감정을 마음 속에 묵혀만 두면 시간과 장소를 가리지 않고 터져버릴 것만 같아서 무작정 이어폰과 핸드폰을 가지고 아파트 놀이터 앞으로 나왔다. 그러고는 가만히 앉아 2월의 쌀쌀한 바람과 찬란한 도시의 야경을 물끄러미 바라보았다. 뜬금없이 영화 <라라랜드>의 ost 인 ´city of stars´를 듣고 싶어 노래를 틀었다.

city of stars (별들의 도시여)

Are you shining just for me? (당신은 나를 위해서만 빛나는 건가요?)

영화 속 주인공은 성공적인 음악가가 되겠다는 꿈을 가지지만, 이루지 못하고 도시에서 길을 잃은 외로운 감정을 느낀다. 그는 도시가 자신을 위해 빛나기를 바라고 있으며, 자신의 꿈을 따르기 위한 신호를 찾기 위해 고군분투한다. 문득, 짤막한 가사 속에서 내가 처한 상황과 비슷한 것만 같아서 울컥했다. 나도 도시의 별들처럼 빛나고 싶었는데, 그리고 온 세상이 나를 도와주고 지지해주는 줄 알았는데, 나는 지금 당장 도움이 필요한데, 세상은 애써 나를 무시하는 듯 태연하게 돌아가고 있는 것에 이질감이 들었다.

정신을 차려보니까 울고 있었다. 놀랍게도 울고 나니까 내 머릿속 생각들이 하나둘씩 정리되면서 정신이 더 분명해지고 또렷해졌다. ´그래 살다 보면 이런 모습도 보일 수 있지. 이런 모습이 어때서, 다 나인 걸?´ 이런 생각도 들었다. 스스로에 대한 기대감을 낮추고, 나 자신 자체를 하나의 인격체로 수용하고 인정하다 보니 그 누구에게보다도 솔직해질 수 있었다. 여태껏 나는 그 문제 너머의 초라한 나를 당면하고 싶지 않아서, 그런 나의 모습을 인정하고 싶지 않아서 회피했었다. 그러나 그날의 노래와 뜨거운 눈물은 걱정과 고민을 회피하지 말고 스스로에게 솔직해지자는 가르침을 주었다.

그래서 그런지 이날을 기점으로 스스로에게 더 떳떳해지고, 솔직해지며 낙천적으로 변하게 되었다. 그리고 가끔씩 힘들고 지칠 때면 어김없이 그 노래를 듣는다. 그 노래 덕분에 내 자신에 솔직해지면서 나 자신을 돌볼 수 있었기에 지금처럼 건강하고 단단한 사람이 될 수 있었다고 생각한다. 그렇기 때문에 어쩌면 이런 고민으로 스트레스를 받을 지금, 독자들과 친구들에게도 말해주고 싶다. 너의 마음의 소리에 귀를 기울여 보라고. 그때그때 자기감정에 충실하고 스스로에게 솔직해져 보라고 말이다.

캡틴

구슬

수영을 배운 지 벌써 1년이 지났다. 초등학교 때 수영을 다니다가 코로나19 때문에 그만두었는데 작년부터는 코로나가 조금 괜찮아져 다시 수영을 다니기 시작하였다. 한 6개월 전쯤부터 수영에서 배우고 있는 턴이 있는데 바로 '플립턴'이다. 플립턴은 수영 영법으로 가다가 끝지점에 다다를 때, 물속에서 몸을 한 바퀴 돌려 벽을 차고 나가는 기술이다.

플립턴을 성공하기까지는 정말 많은 우여곡절이 있었다. 처음에 플립턴을 배웠을 때는 바로 성공하여 신나서 집에 갔는데 다음날 다시 해 보니까 안 되고 또 다음날 해 봤는데 안 돼서 절망하였다. 플립턴을 연습하다가 수영장 바닥에 머리도 많이 박고 몸이 이상한 방향으로 돌아가서 수영장 물을 먹기도 하였지만 계속해서 연습했다. 그렇게 수많은 실패 끝에 어느 날 갑자기 성공하게 되었다. 아직 완벽하게 하지는 못하지만, 턴을 돌 수 있게 된 것이다. 앞으로도 벽과 거리 조절을 해서 돌고 벽을 차고 나가는 연습을 더 해야겠지만 많은 실패를 거치다 보면 언젠가는 완벽하게 할 수 있는 날이 올 거라고 믿는다.

플립턴을 하면서 실패라는 많은 구슬이 모여 성공이라는 팔찌가 된다고 느꼈다. 비록 팔찌가 끊어진다고 하더라도 구슬들이 없어져 버리는 건 아니기에 다시 차근차근 구슬을 실에 끼우면 된다. 우리가 인생을 살면서 수많은 실패를 경험하지만, 그 실패들이 헛된 것은 아니다. 분명 우리의 인생에 알게 모르게 도움을 줄 것이다. 실패는 부끄러운 것이 아닌 성공으로 가기 위한 과정 중 하나이다.

실패의 사전적 의미는 '목표했던 일을 달성하지 못한 상태'를 말한다. 사람은 살면서 성공도 하지만 수많은 실패를 하면서 시행착오를 겪는다. 어떤 사람들은 실패하고 나서 좌절하며 주저앉지만, 어떤 사람들은 실패를 겪고 교훈을 얻어 스스로를 성장시키는 기회로 삼기도 한다. 이렇게 우리는 실패를 두려워하지 않고 많은 도전을 해 보아야 한다. 처음에 나는 실패를 매우 두려워했고 실패하면 인생이 망할 것 같고 큰일이 날 것 같다고 느꼈다. 하지만 그렇지 않다는 것을 알게 되었다. 오히려 실패가 두려워 도전조차 하지 않고 포기하는 것이 성공으로 가는 길에서 더 멀어진다는 것을 알게 되었다.

에디슨이 한 말 중에 우리가 많이 들어본 '실패는 성공의 어머니'라는 말이 있다. 이 말은 도전하고 난 뒤 실패하더라도 이를 경험 삼아 계속 도전하다 보면 성공하게 된다는 말이다. 에디슨은 "실패한 것이 아니다. 잘 되지 않는 방법 1만 가지를 발견한 것", "나는 실험에 실패할 때마다 성공에 한 발씩 다가가고 있다고 생각했다. 실패 없는 성공이란 없다"는 말을 남겼다. 실패를 겪음으로써 얻은 교훈을 통해 자신이 무엇을 잘못했는지, 어떻게 행동을 바꾸어야 할지 전략을 세우면 목표에 가까워질 수 있으리라 생각한다.

　나는 사람들이 많은 도전을 해 보고 실패를 두려워하지 않았으면 좋겠다고, 그리고 실패는 우리를 더욱 더 강하게 만들어 줄 거라고, 그렇게 실패를 두려워하지 않고 계속 나아가다 보면 목표를 이룰 수 있는 날이 올 거라고 말해주고 싶다.

김채원

흥청망청

이런 습관을 들인 나의 최후는, 매달 보릿고개를 넘기면서 다른 친구들이 신나게 놀러 다니는 걸 구경하는 것이다.

항상 용돈이 부족한 한 아이가 있었다. 용돈이 부족했지만 아이는 놀고 싶었고, 친구들과 약속을 계속 잡았다. 그러다 보니 가성비 있는 놀거리를 찾기 시작했다. 마침내 적은 돈으로 오래 놀 수 있는 것을 찾아내었다. 아이는 금전적인 문제가 해결되어 신이 났다. 그러다 보니 더 자주 놀게 되었고, 끝내 짧은 시간 동안 용돈을 전부 써버렸다. 결국 아이는 용돈을 받는 날까지 놀지 못하게 되었다는 안타까운 이야기이다.

이 이야기의 주인공인 '아이'는 나다. 나는 '아이'와 같은 상황을 겪었다. 용돈은 부족한데 친구들과의 약속은 끝없이 잡히고, 나는 최대한 같이 놀고 싶었다. 그래서 찾은 방법은 바로 '피시방(PC방)'이었다. 피시방은 다른 놀거리보다 훨씬 저렴하고 가성비 있었다. 만화카페를 예시로 들어본다면, 1시간에 3천원, 4천원을 내야 해서 매우 가성비가 떨어지는 반면에, 피시방은 3시간에 3천원이었으니 그야말로 금상첨화였다. 그렇게 한 번 즐기고 나니 피시방은 가성비 놀거리니까 돈을 덜 아껴도 되겠다는 생각을 가지게 되었다. 그 생각을 하지 말았어야 했다. 아무리 가성비가 좋은 것일지라도 과소비는 금물인데 말이다.

일주일에 한 번이 두 번이 되고, 두세 번이 됐다. 피시방이 아니었더라면 일주일에 한 번도 많이 썼다며 돈을 아꼈을 텐데, 조금씩 빠져나가는 돈은 나 자신이 자각하지 못할 정도로 빠르게 공중분해 됐다.

'어?'

이걸 느끼고 나의 잔고를 확인했을 때는 이미 거의 용돈이 바닥나버려서, 고작 피시방을 한 번 가면 끝일 정도로만 남아 있었다. 그리고 그땐 용돈을 받은 지 겨우 2주가 지났을 뿐이었다. 그제야 나는 실감했다. '난 진짜 어리석음의 경지에 서 있구나.'

한 번 자리 잡은 소비 습관은 고치기 어려웠다. 아니, 어렵다. 지금까지도 제대로 용돈 관리를 하지 못하니까 말이다. 최근까지만 해도 용돈을 받은 당일, 용돈의 절반 이상을 사용해 버렸다. 쓰기 전 작은 망설임이 있었지만 이내 접어버리고 결제했다. 그렇게 용돈을 쉽게 써버리는 것이다. 예전이라면 엄두도 내지 못했을 일을, 지금은 '적게 쓰니까 괜찮겠지!'라며 쓸데없는 소비를 해 버리고 만다. 이로써 가장 큰 문제는 용돈을 받을 날이 멀었지만, 부모님께 용돈이 부족하다고 하는 나 자신이다.

이런 습관을 고치기 위해 지난달에는 용돈을 다 쓸 기미가 보이면 약속을 잡지 않았다. 하지만 이 방법은 좋은 방법이 아니었다. 초반에 다 써버리는 것에 도움이 되지 않았기 때문이다. 그 전이 '자주, 조금씩'이라면, 이번엔 '가끔, 많이'였다. 결과적으로 남는 돈은 얼마 되지도 않았고, 습관도 고쳐지기는 커녕 더 악화된 것 같기만 했다. 그래서 다시 전으로 돌아가 버렸고, 또 돈이 새어나갔다.

그렇게 당연하게도 어머니께 잔소리를 들었다.

"내가 용돈을 많이 주지 않는 건 인정해. 그래도 돈을 아껴 쓰는 버릇을 들여야지, 넌 너무 돈을 허튼 데에 많이 써."

정곡을 찔렸다. 매우 맞는 말이었다. 나 자신도 알고 있었지만, 애써 외면해왔는데……. 강제적으로, 타의적으로라도 이 습관을 고칠 때가 왔다. 이 글을 읽는 사람들은 이런 습관은 가지지 말아야겠다고 느꼈을 것이다. 그것이 바로 내가 이 글을 통해 하고 싶은 말이다. 부디 이런 습관을 들이지 않길 바란다. 가지고 있더라면 고쳤으면 한다. 내가 지금 가장 후회하는 일 중 하나이기 때문이다.

이런 습관을 들인 나의 최후는, 매달 보릿고개를 넘기면서 다른 친구들이 신나게 놀러 다니는 걸 구경하는 것이다. '나만 혼자 월말에 궁핍한 것은 매우 고통스럽더라'라는 말을 전해주고 싶다. 나의 경험이자, 당부이다. 싸다고 돈이 아끼어지는 것이 아니다.

무리서

정말 시간이 약일까?

그 상황을 이겨내고 있는 길다면 길고 짧다면 짧은 시간 속에서 위로를 주는 작은 것들이 바로 아픔을 이겨내고 새로운 상황을 맞이할 수 있게 하는 가장 큰 요인이 될 것이다.

중학교에 입학했다. 나는 걱정 반 설렘 반인 마음으로 학교 생활을 시작했고 시간이 지나면 좋은 일들이 생길 것이라는 예상이나 바람과는 다르게 나의 첫 중학교 생활 1년은 정말 힘들었다. 혼란스러운 상황 속에서 적응도 잘 못하던 나는 인간관계나 학업 등 여러가지로 인해 스트레스를 받고 있었다. 그러던 중 나는 중학생이 된 후로 만나지 못했던 소꿉친구와 만나게 되었다.

정말 오랜만에 만났기 때문에 혹시 어색하진 않을까 했던 괜한 걱정은 그 친구의 얼굴을 보자마자 사라졌다. 그 친구는 물론 외적으로는 변했을지 몰라도 나와 지낼 때의 모습과 행동은 어릴 때처럼 여전했고, 난 그런 친구 덕분에 오직 스트레스에 관한 생각으로만 가득 차 있었던 나의 머릿속이 한 번 씻겨 내려가는 듯한 느낌을 받았다. 그 후로도 힘들 때면 나를 좋아해 주는 사람들과 이야기 나누거나 좋아하는 노래로 위로를 받기도 하

그리움의 공식

고, 또 중학교에서도 새로운 친구를 사귀면서 학기 초 나를 힘들게 하던 여러 요인들은 점차 사라지기 시작했다. 이 경험들이 나의 생각을 많이 바꿔주어서 기억에 많이 남는다.

나는 힘들 때 내가 어떤 큰 행동을 하지 않으면 이 상황이 나아지지 않을 거라고 생각했었다. 그렇지만 시간이 지날수록 내 기분과 상태를 나아지게 만들어 주는 것은 오히려 친구를 만나거나 좋아하는 음악을 듣거나, 취미 생활을 하는 등의 일상에서 쉽게 찾을 수 있는 소소한 것들이었다는 사실을 깨달았다. 그 후로 나는 힘든 상황에 대한 두려움을 떨쳐낼 수 있었고 더 빨리 극복할 수 있게 되었다.

최근에 영어 문제를 풀다가 해석이 정말 와닿는 한 지문을 읽게 되었다. 사람들은 무언가 크고 결정적인 일을 해야만 성공을 얻을 수 있다고 생각하지만, 오랜 기간 동안 작고 사소한 일들이 모여 쌓이면 그게 결국 큰 성공의 밑거름이 된다는 내용이었다. 실제로 과거의 나도 같은 생각을 하고 있었기 때문에 글의 문장들 하나하나가 참 인상 깊었다. '큰 행동이 모여야만 큰 성공을 이룰 수 있다', '나의 힘든 상황은 무언가 크고 영향력 있는 행동을 하면서 빨리 이겨내고 다시 일어나야 한다'와 같은 다소 무거운 생각을 가지고 있을 사람들의 마음을 조금이라도 가볍게 바꿔주고 싶다는 생각이 들었다.

세상에는 여러가지 고민을 하는 사람들로 넘쳐나고 또 정말 힘든 상황을 견뎌내고 있는 사람들도 많을 것이다. 내가 힘든 상황을 견뎌낸 방법이 모든 사람들에게 해결책이 되고 도움이 될 수는 없겠지만, 그래도 이 말을 마음 속에 간직해 두었으면 좋겠다. 힘들 때 애써서 그 상황을 바꾸려고 하기 보다는 주변의 나를 바라봐 주는 사람들과 만나거나 내가 좋아하는 행동을 하는 등 일상생활 속에서 쉽게 할 수 있는 일을 찾아보면서, 복잡한 상황은 잠시 잊고 그 행복에 빠져보라고, 그렇게 힘든 상황을 이겨내 보라고.

'시간이 약이다'라는 말이 있다. 그 어떤 상황도 시간이 지나면 언젠가 사라질 것이며 그 기억이 조금씩 희미해져 갈 것이라는 뜻을 가졌다. 하지 만 그 상황을 이겨내고 있는 길다면 길고 짧다면 짧은 시간 속에서 위로를 주는 작은 것들이 바로 아픔을 이겨내고 새로운 상황을 맞이할 수 있게 하는 가장 큰 요인이 될 것이다.

양소윤

휴식이 필요할 때

휴식이 있어야 나를 한 번 더 돌아보고 앞으로 더 나아갈 수 있다고.

나는 발레를 하면서 콩쿠르를 정말 많이 나갔었다. 그리고 올해도 콩쿠르를 여러 번 나갔다. 나갈 때마다 항상 실수 없이 잘 끝내고 내려오고 싶지만 올해는 부담감 때문에 그런지 실수를 많이 했고, 이에 대한 좌절감이 컸다.

나는 원래 발레를 그렇게 잘 하지는 않았다. 하고 싶은 마음도 별로 없었다. 근데 발레를 하면서 나날이 늘어가는 내 모습을 보며 점점 발레에 흥미가 생기고 좋아졌다. 좋아졌다고 항상 연습이 좋고 즐거운 건 아니었다. 하기 어려운 동작들을 연습하고 부들부들 떨면서 발이 까지는 고통을 참으며 연습을 했기에 지금의 내가 있다고 생각한다.

이렇게 노력한 결과, 나는 발레계에서 잘 하는 아이로 어느새 소문이 나 있었다. 그래서 부모님께서도 SNS에 나의 사진이나 영상들을 올렸다. 하지만 잘 하는 영상들만 올리기 때문에 난 사람들이 실제로 날 보면 실망하지 않을까 걱정이 되곤 했다. 이렇게 내가 잘 하게 될수록 부담감이 쌓여 콩쿠르에서도 떨면서 멘탈이 나가 실수를 반복하게 되었다. 실수를 하고 무대에서 내려온 뒤에 부모님도 실망하신 게 보여서 너무 속상했다. 그 후 연습을 반복하고 또 반복했다. 하지만 연습을 반복할수록 부담감이 더 생기고 계속해서 실수를 했다. 남이 보기엔 이 실수가 별 게 아닌 것 같아 보여도 나에겐 큰 실수로 다가왔고 완벽하게 해내지 못 했다는 생각이 머릿속에 맴돌았다.

부모님께서 내게 발레를 가르쳐 주시는데, 전에는 실수를 하면 그래도 잘 했다고 하고 넘어갔었지만 올 해에는 혼을 내셨다. 그런데 나도 혼을 내시는 이유를 알 것 같았다. 엄마, 아빠는 내가 원래 더 잘 할 수 있는데 실수를 자꾸 반복하니까 그러셨을 것이다. 그렇지만 나는 로봇도 아닌데 완벽하게 해내지 못한다고 혼이 나는 게 너무 싫었다. 아빠와의 사이가 안 좋아진 채 며칠을 보내다가, 아침에 크게 혼나고 발레를 그만둘까 하는 생각까지 들기도 했다. 그러나 지금까지 해온 게 너무 아까웠고 하루 중 발레 할 때가 가장 행복했기 때문에 쉽게 포기하기가 싫어서 그 생각은 마음 깊숙이 꾹꾹 눌러 담았다.

그렇게 난 올해 가장 중요한 콩쿠르에 나가 예선을 통과하고 본선에 올라가게 되었다. 본선을 준비하는 기간 동안 많은 생각과 고민 끝에 하루 정도 쉬어가기로 했다. 아빠도 올해 내가 하루도 안 쉬고 연습해 온 걸 알고 계셨기에 조금 쉬라고 하셨다. 나는 아빠와 산에 가서 마음을 조금 비우고 쉬다 왔다. 그리고 중요한 콩쿠르에서 완벽하게는 아니지만 그동안 했던 콩쿠르들 중 가장 최선을 다 했고, 잘 했던 것 같다. 그렇게 난 한 단계 더 성장했고 발전했다.

평소에는 휴식 없이 연습만 하면 다 된다고 생각했었는데 이번 일을 계기로 정말 중요한 것을 깨달았다. 휴식이 있어야 나를 한 번 더 돌아보고 앞으로 더 나아갈 수 있다고.

탕후루후루후루룹

작은 것의 소중함

일상 속의 작은 것들과 소중한 순간들에 감사하며, 안전과 주의를 더 중요시하여 더 발전하는 사람이 되고 싶다.

모든 사람들은 한 번쯤 글루건을 사용해 본 경험이 있을 것이다. 그런데 나는 글루건을 사용하다가 화상을 입은 적이 있다. 몇 년 전으로 돌아가서 그 상황을 기억해 보면, 그때 나는 집에서 글루건을 사용하고 있었다. 당시 DIY를 즐겨하던 나에게 글루건은 매일 사용했던 작업 공구 중 하나였기에 그날에도 평소와 다를 것 없이 글루건을 사용하던 중이었다. 하지만 방심한 나머지 순식간에 뜨거운 접착제가 손가락에 묻었다.

처음에는 큰 문제가 없다고 생각했다. 그러나 시간이 조금 지난 후, 손가락이 뜨거워지고 화상을 입어 아파오기 시작했다. 글루건의 열은 손가락 피부를 녹일 만큼 뜨거웠고, 손가락은 빨간 반점으로 덮여 있었다. 이때 빨리 차가운 물로 처치했어야 했는데 너무 당황한 나머지 아무 것도 하지 못했다. 이 상황을 본 부모님이 나를 급히 병원으로 데려갔다.

병원에서 진료를 받았는데 다행히도 심각한 화상은 아니었다. 하지만 몇

주 동안은 상처로 인해 손가락을 자유롭게 사용하지 못하여 큰 어려움을 겪었다. 이 기간 동안 일상 생활에서의 손의 중요성을 새롭게 깨달았다. 손은 우리 삶에 너무 당연히 여겨지는 존재지만 가끔 손의 가치를 잃어버리곤 한다. 특히 당연시되는 손의 기능들이 화상 때문에 제대로 사용하지 못할 때, 그 가치를 더욱 깨달을 수 있었다.

손은 음식을 먹을 때, 씻을 때, 글을 쓸 때 등 어떤 것이든 할 때 필수적으로 필요한 도구이다. 그렇지만 이렇게 작고 일상적인 동작들이 무의식 중에 일어나기 때문에 종종 그 가치를 간과하게 된다. 그러나 화상을 입은 후 손이 얼마나 중요하고 소중한 도구인지를 느끼게 되었다. 화상으로 인해 나의 손을 이용한 일상 작업이 얼마나 힘들어지고 복구가 오래 걸릴 수 있는지를 체감했다. 이로써 손이라는 작고 간과되는 부분이 얼마나 큰 역할을 하는지 느낄 수 있었다.

뿐만 아니라 이 경험은 작은 노력과 주의가 얼마나 중요한 역할을 하는지 이해하게 해 주었다. 작은 노력이 큰 결과를 가져올 수 있음을 깨달았고, 이것은 미래에 나의 목표를 향해 나아가는 과정에서 큰 의미를 갖게 될 것이다.

마지막으로, 이 경험은 감사함과 안전의 중요성을 느끼게 해주었다. 우리는 종종 일상적인 것들을 무시하거나 당연시하기 쉽다. 하지만 일상의 작은 순간이나 물건들이 우리의 삶을 더 풍요롭게 만든다. 이를 통해 우리는 더 나은 사람이 될 수 있다. 또한 우리가 글루건을 다룰 때뿐만 아니라 다른 도구를 사용할 때, 안전을 우선시하고 예방 조치나 응급 처치를 빨리 취해야 한다는 것을 다시금 느꼈다.

　나는 작은 것들의 큰 의미와 소중함을 깨닫게 되었고, 이를 통해 더 의미 있는 삶을 살아가고자 다짐했다. 일상 속의 작은 것들과 소중한 순간들에 감사하며, 안전과 주의를 더 중요시하여 더 발전하는 사람이 되고 싶다.

ㅇㅁ

비행기

많은 사람들이 비행기를 한 번쯤은 타봤을 것이다. 가족과 가지 않아도 수학 여행 때 가게 되는 경우도 있다. 많은 사람들은 비행기를 타는 것에 대해 크게 생각하지 않는다. 단순히 탈 것의 한 종류이기 때문이다. 비행기는 우리가 일상 생활에서 타는 지하철과 버스와 같지만 나에게는 특별하다.

나는 방학마다 해외, 국내 어딘가로 여행을 가며 비행기를 타는 것을 부러워했다. 친구들이 나에게 물었다. "너 비행기 몇 번 타봤어?" 나는 그럴 때 마다 "당연히 5번 넘게 타봤지!"라고 거짓말을 했다. 나는 모두가 타는 비행기를 나 혼자 타보지 못 했다는 게 너무 부끄러웠다. 우리 집은 비행기를 타지 못 할 정도로 가난하다고 생각했다. 그래서 가난하다는 사실을 들키고 싶지 않아 친구들에게 거짓말을 하게 된 것이다. 여행을 잘 가지 않는 우리 가족이 너무 나도 미웠다.

중학생이 된 나는 예전과 달리 떳떳하지 못 한 내가 한심해졌다. 비행기를 타본 적 있냐고 묻는 친구들에게 타보지 못했다고 대답했다. 아마도 어떤 계기가 있었겠지만 결정적으로는 내가 단단한 마음을 갖게 되었기 때문인 것 같다.

나는 엄마에게 학교에서 수필을 쓰게 되었다며 타 보지 못한 비행기를 소재로 쓴다고 이야기했다. 그리고 나는 그 글을 통해서 어떤 메세지를 전하고 싶은 것일지 생각하고 있었고 엄마와 비행기에 관해 이야기를 나누었다. 그러던 도중 나는 뜻밖의 이야기를 듣게 되었다.

엄마의 고향 길은 비행기 길이 있는 곳이다. 매일 비행기 소리를 들으며 어린 시절을 보냈다고 한다. 공군 비행장이었지만 민간 비행기도 함께 비행장을 사용했다. 서울로 유학을 온 엄마는 가끔 비행기를 타고 서울과 강릉을 오갔다. 그때까지만 해도 엄마는 비행기를 타고 해외 여행도 가고 공부도 하러 갈 수 있다고 생각했다고 한다.

하지만 20대가 끝나갈 무렵 방송국에서 작가로 일하고 영화 시나리오를 쓰고 활발하게 일했던 엄마에게 공황 장애 증상이 찾아왔다. 그때 엄마는 자신의 증상에 대해 자세히 알지 못했고, 점점 몸의 거부 반응이 생기기 시작해 비행기와 엘리베이터에 공포심을 느꼈다고 했다. 정확한 원인은 알 수 없지만 호흡 곤란이 오는 것이다. 지금은 많이 좋아졌지만 여전히 엘리베이터 앞에 서서 망설이게 된다고 한다. 다시 비행기도 탈 수 있지만 그것도 일이 아니면 별로 가고 싶지 않다고 했다.

엄마의 말을 듣고 나는 더욱 더 단단하고 떳떳한 마음이 들었다. 그리고 나는 지난 시간 비행기를 타지 못한 것을 숨긴 내 자신이 부끄러워졌다. 가난해서 비행기를 못 탔다고 생각하던 마음이 가장 부끄러웠다. 가난해서 비행기를 못 타는 것이 부끄러운 일이 전혀 아닌데, 나는 정말 많은 부분을 잘못 생각하고 있었다고 느꼈다.

나는 유행을 따르고 싶었고 따라가지 못하면 뒤쳐진다고 생각했다. 나는 갖지 못한 것을 친구가 갖고 있을 때 자신감을 잃게 된다. 나를 포함해 많은 친구들이 그런 생각을 할 것이다. 우리는 늘 유행을 좇아가고 싶어한다. 남들이 하는 것을 하지 못했다고 부끄러워한다. 나에겐 비행기 타기는 유행 같은 것이었다. 나는 나의 경험을 토대로 이 메시지를 전하고 싶다. 남들이 하는 것을 하지 못했을지라도 그건 잘못이 아니다. 이런 일을 겪어도 부끄러워하지 말고 떳떳하게 생각하며 자기 자신을 사랑스럽고 자랑스럽게 생각했으면 좋겠다.

주시온

초여름 날 저녁의 밝은 하늘

비가 올 것만 같이 선선한 기온과, 사람이 붙을 정도로 꿉꿉하진 않지만 종이가 조금 눅눅해지는 습한 날씨, 이제 추운 겨울과 따뜻한 봄이 지나가고 더운 여름이 오고 있다는 것을 다시 한 번 느끼게 된다.

여느 때와 같이 7시 반, 학원이 끝났다. 비가 올 것만 같이 선선한 기온과, 사람이 붙을 정도로 꿉꿉하진 않지만 종이가 조금 눅눅해지는 습한 날씨. 이제 추운 겨울과 따뜻한 봄이 지나가고 더운 여름이 오고 있다는 것을 다시 한번 느끼게 된다. 학원이 끝나서 평소처럼 빨리 집에 가서 침대에 눕고 싶은 마음으로 걸음을 빨리 재촉하고, 핸드폰으로 친구와 대화를 주고받으며 문자를 하며 걷고 있는데, 갑자기 다채로웠던 핸드폰의 화면이 까맣게 변하며 꺼졌다. 학원에서 집까지 횡단보도와 골목만 지나면 도착하는 그 짧은 거리, 얼마되지 않은 시간이지만 그 시간 동안 친구와 문자하는 내 낙이 사라진 것이다. 그렇게 하는 수 없이 혼자 조용히 외롭게 집에 가야 한다는 생각에 잠기며 주머니에 핸드폰을 고이 넣어두고 하늘을 보았다. 얼마 전과 같이 하늘은 해가 져 검을 것이라고 생각했다.

그곳에는 물감이 섞이려는 것과 같이 형광펜처럼 진하고 밝은 노란색과 그 위는 편안해지는 푸르른 하늘이 있었으며, 그 배경 위에는 솜을 조금씩 길게 뜯어 군데군데 가지런히 놓여 있는 것 같은 구름이 있었다. 얼마 전까지만 해도 학원이 끝나면 이미 칠흑 같은 어둠이 되어 있어 주위만을 비추는 가로등밖에 없었다. 그래서 친구와 오늘 무슨 일이 있었는지에 대해 문자를 하거나, 게임과 SNS를 하며 가로등이 있어도 나무가 그늘을 지고 있어 어두운 골목을 통해서 혼자 집을 갔다. 그러나 그날은 나를 반겨주는 것과 같은 밝은 노을이 지고 있는 하늘이 있었다. 심지어 평소와 같은 빨리 사라질 것만 같은 붉은 노을도 아니고, 따스한 노란 노을이었다. 매일 아래만 보고 걷다 보니 하늘이 이렇게 변하고 있다는 것도 느끼지 못했다.

지금까지 왜 이렇게 아름답고, 매일매일 조금씩 바뀌며 다른 풍경을 보여주는 하늘을 그저 하늘일 뿐이라고, 별 볼 것 없는 것으로 생각하며 내 시간을 빼앗아 가는 그 작은 핸드폰과 보도블록으로 채워진 바닥만 보며 걸었는지 참 웃기는 일이었다. 보도블록은 이미 만들어져 있는 것을 바닥에 채워 움직이지도 남에 의해서 깨지거나 더러워지는 것이 아니라면 변하지도 않는데 그것만 보고 걸었기 때문이다.

나는 그 뒤로 학원이 끝나면 하늘을 보며 걷는다. 이것이 얼마나 오래 갈지는 모르겠어도 적어도 겨울이 오기 전, 여름이 끝날 때까지는 하늘이 밝아 볼 것이 많다는 것을 느꼈으므로 다시 하늘이 어두워지기 전까지는 하늘을 보며 집에 갈 것이다.

潤

삶의 휴식

나는 다른 친구들이 열심히 레일에서 달리고 있을 때 혼자 레일을 벗어나 주변을 둘러보고,
앞만 보고 달리느라 보지 못했던 레일 위 하늘도 보았다.

중학교 2학년이 되기 전 겨울방학, 문득 진로를 찾아야 한다는 생각이 들었다. 오래전부터 미술이 하고 싶었지만 미루고 미루다 중학교 2학년이 되기 전 시작한 것이다. 2학년 학기 중에는 내신을 챙기느라 미술 학원에 많이 가지 못 했었다. 3학년 겨울 방학이 시작하기 바로 전 고등학교 입시를 본격적으로 준비하기 시작했고, 홍대에 있는 미술학원을 알아본 뒤 1월부터 다니기 시작했다. 다른 친구들에 비해 너무 늦게 입시를 시작하여 처음에는 실력 차이도 크게 나고 시험을 봐도 아예 미완성하거나 완성도가 떨어졌었다. 그러다 보니 계속해서 자존감과 자신감은 바닥을 쳤고, 조금씩 실력이 늘긴 했으나 빠르게 늘진 못했다. 결국 그해 8월, 고등학교를 처음 준비하던 학교가 아닌 다른 학교로 하향지원을 결심했다.

2023년 8월15일 미술학원에서 교수 평가를 받는 날이었다. 나는 이날 코로나 확진을 받았다. 실기 시험은 당연히 제대로 보지 못했다. 앞으로 고

　　　　　　　　　　　그리움의 공식

등학교 실기 시험이 2달 밖에 남지 않은 시점이었는데 코로나에 걸려 5일 동안 집에서 쉬게 되었고, 이 글을 쓰고 있는 지금까지도 학원에 못 나가고 있다. 코로나 후유증 때문에 생긴 극심한 두통이 원인이었다. 이 두통은 몇 주간 계속되었고, 종종 미술학원에 가긴 했지만 조금밖에 하지 못하고 도중에 나오곤 했다. 학원 원장 선생님도 입시를 계속할 수 있겠냐고 물었고, 나는 생각이 많아졌다.

이번에 휴식을 취하면서 쉼의 달콤함과 편안함을 느끼게 되었다. 입시 때문에 1월부터 8월 말까지 제대로 늦잠 한 번 자 보지 못했고 휴일은 단 하루도 없었다. 시험을 2달 남겨 놓은 상태였기에 마음 편히 쉬지는 못 했지만, 이 불편한 휴식마저 좋았다. 그래서인지 마음을 다잡지 못하고 슬럼프와 번아웃에 빠져버렸다. 내가 하고 싶었던 미술의 길에 대한 회의를 느끼기 시작했다.

슬럼프란 아무리 노력해도 이해가 안 되고 좌절에 빠져 결국에는 심각한 의욕 상실에 이르게 되는 것이다. 번아웃 증후군이란 의욕적으로 일에 몰두하던 사람이 정신적 피로감을 호소하며 무기력해지는 현상이다. 보통은 이 두 가지가 한꺼번에 찾아오는데 직장인, 스포츠 선수, 입시생, 취준생 등 정해둔 목표를 위해 쫓아가는 사람들에게 나타나는 증상이다. 나는 이 두 가지에 모두 포함된다고 생각했고 어쩌면 이 두통이 머리에 이상이 생겨 나타나는 것이 아니라 마음에 문제가 생겨 나타나는 것이라는 생각이 들었다.

예전에 나는 번아웃과 슬럼프는 마음을 약하게 먹어 생기는 건 줄 알았다. 내가 막상 겪고나니 내 생각은 옳지 않았다. 쉬지 않고 달려온 말이 언제까지 달리기만 하고 지치지 않을 수가 있을까. 번아웃과 슬럼프에 걸리면 자신감을 상실하고 무기력함, 그만두고 싶은 마음, 일에 대한 회의감이 든다고 한다. 나는 이 모든 증상을 겪으며 미술을 포기하고 싶다는 생각이 들었다.

다른 사람들은 슬럼프에 빠졌을 때 그냥 그 시간을 견디고 참으며 다시 일어나라고 말한다. 하지만 나는 이 말에 동의하지 않는다. 내가 막상 슬럼프에 빠지고 번아웃에 걸리고 나니, 나의 자존감과 자신감을 극복할 수 있는 시간이 필요했다. 그래서 나는 사람들이 말한 방법과는 정반대로 행동했다. 그냥 쉬는 것이다. 집에서 늦잠도 자고 학교도 나가면서 급식도 먹고, 핸드폰으로 유튜브도 보고 친구들과도 놀러 다녔다. 입시가 끝나면 사고 싶었던 에어팟도 그냥 지금 사버렸다.

나는 다른 친구들이 열심히 레일에서 달리고 있을 때 혼자 레일을 벗어나 주변을 둘러보고, 앞만 보고 달리느라 보지 못했던 레일 위 하늘도 보았다. 나는 슬럼프에 빠지고 번아웃을 겪고 있으면 가장 좋은 방법이 휴식이라고 생각한다. 흔히 '토끼와 거북이'에서 토끼는 게으르고 나태한 등장인물로 나온다. 하지만 나는 토끼는 지금껏 열심히 다른 동물들보다 빠르게 달려왔고 중간에 지쳐 휴식을 취했을 거라 생각한다. 이렇게 쉬어도 언젠간 다시 일어날 것이고 그러면 다시 달려가도 크게 늦지 않을 것이다. 아직 나는 슬럼프와 번아웃에 빠져있지만 언젠가 마음을 다잡고 일어날 것이다.

남영현

긍정적인 생각으로 시련 안에 숨겨진 보물을 찾는 것이 인생의 묘미

앞으로도 긍정적인 생각을 바탕으로 인생이 주는 수수께끼 안에 숨겨진 보물들을 잘 찾아봐야겠다.

요즘 밖에 나가보면 어느새 가을이 되어서 거리에는 우수수 떨어진 은행 알들이 가득 차 있다. 사람들은 떨어진 은행알을 보면 그 지독한 냄새 때문에 얼굴을 찌푸리며 은행알을 피해가기 바쁘다. 하지만 나는 알고 있다. 그 냄새 나는 껍데기 안에 사실은 쫀득하면서도 맛있고 영양가가 가득한 보물 같은 알갱이가 숨겨져 있다는 사실을, 그 냄새 나는 껍데기를 벗겨내야 만 비로소 그것이 소중한 열매인 것을 알게 된다는 것을…… 어찌 보면 인생도 이러한 은행에 숨겨진 보물 알 찾기 같은 것 같다.

사실 나는 어릴 때부터 아주 아파서 지금까지 참 많은 시련을 겪어왔었다. 그럴 때마다 나는 내 인생이 냄새나는 은행 껍데기같이 힘들고 퍽퍽하게만 느껴졌다. 하지만 인생이 참 쓰라리게 느껴질 때마다 나는 스스로 긍정적으로 상황을 생각하려고 노력했었다. 그러면 정말 신기하게도 지독한 냄새가 나는 은행 껍데기 같았던 인생의 시련들이 나에게 영양가 가득한 보물 같은 알갱이를 보여주었다. 즉 힘든 일 속에서도 긍정적으로 상황을 생각하려고 노력하면 비로소 삶의 시련 속에 숨겨진 보물들을 스스로 찾을 수가 있었다. 이러한 내 생각을 뒷받침해 주는 몇 가지 사건들을 소개해 본다.

어릴 때 나는 아무것이나 잘 먹는 행복한 아이였다. 하지만 초등학교 2학년 때 세균성 장염을 심하게 앓고 난 뒤 갑자기 밀가루를 먹으면 배가 아픈 체질로 바뀌었다. 그전까지는 피자, 스파게티, 빵 등 밀가루 음식을 참 좋아했는데 갑자기 아픈 뒤로는 조금만 밀가루를 먹어도 배가 너무 아파져 왔다. 그 이후로 친구들과 함께 어딘가에 가서 맛있는 것을 마음대로 먹을 수가 없어졌고, 급식도 잘못 먹으면 배가 아파져서 전교에서 유일하게 도시락을 싸 오는 아이가 되어버렸다. 사람들이 맛있게 밀가루 음식을 먹으면 물끄러미 혼자 바라봐야 했고, 맛있지만 먹을 수 없는 음식들을 마주하게 되면 너무나도 슬프고 속상하고 마음이 아팠다.

이것이 내 인생에서 찾아온 첫 번째 시련이었던 것 같다. 먹고 싶은 것을 마음대로 먹을 수 없는 괴로움. 이것은 냄새나는 은행 껍데기처럼 나를 너무 힘들게 하고 속상하게 만드는 일이었다. 하지만 이 순간 내가 가장 존경하던 초등학교 때 담임 선생님이셨던 이보용 선생님께서 항상 강조하시던 긍정적인 생각의 중요성이 떠올랐다. 선생님께서는 내게 어떤 힘든 순간에도 긍정적인 생각을 하면 그 순간을 잘 이겨낼 수 있다고 말씀해 주셨다.

'그래, 이 순간을 긍정적으로 생각해 보자!'라고 마음먹으니 갑자기 냄새나는 은행껍질이 벗겨지고 나에게 마법처럼 맛있는 열매가 모습을 드러냈다. 사실 아프기 전까지 나는 밀가루 음식을 너무 좋아했고 그래서 우리 가족은 나와 함께 피자, 스파게티 등 몸에 좋지 않은 음식을 자주 먹는 편이었다. 하지만 내가 아프고 난 뒤에는 몸에 좋지 않은 서양식의 밀가루 음식들을 끊고, 된장찌개, 두부 요리 등 건강한 한식 중심의 식사를 하게 되었다. 그러자 나뿐만 아니라 엄마, 아빠의 건강까지도 덩달아 좋아졌다. 건강검진을 하면 모든 수치가 좋아졌고 가족 모두 날씬하고 건강한 몸을 갖게 되었다.

이 순간 알게 되었다. 밀가루를 못 먹게 된 것이 꼭 나쁜 것만은 아니었다는 것을, 이것은 사실 우리 가족에게 건강함을 되찾게 해 준 소중한 보물 같은 사건이었다는 것을, 인생의 사건을 겉모습만 보고 판단해서는 안 된다는 것을, 긍정적인 생각을 할 때만 인생의 시련들은 그 어려움 속에 숨겨진 보물을 보여준다는 것을.

긍정적인 생각의 중요성을 보여준 두 번째 사건은 코로나였다. 2020년 갑자기 코로나가 전 세계를 강타하면서 사회적 거리두기로 집에서 자유롭게 나올 수도 없었고 전염병에 대한 두려움으로 모든 생활이 제한되었다. 거리는 사람들이 돌아다니지 않아 을씨년스러웠고 개학도 미루어져서 집에서 대부분의 시간을 두려움에 떨며 보내야만 했다. 너무나도 답답했고 무섭고 두렵다는 생각이 들었다. 그리고 2020년 4월 미뤄지기만 했던 개학이 온라인 수업을 통해 마침내 이루어졌다. 처음에 코로나가 터졌을 때 나는 이 사건이 냄새나는 은행 껍데기처럼 큰 시련인 줄만 알았다. 학교에 갈 수가 없었고 모든 행동에 제한이 따랐으며 어찌 될지 모르는 미래에 두렵기만 했다. 하지만 이 시련 속에서도 긍정적인 생각을 놓지 않으니 다시 은행 껍데기 속에 숨겨진 맛있는 열매가 보이기 시작했다.

온라인 수업은 답답하기는 했지만, 긍정적으로 생각해 보니 어릴 때부터 자주 아팠던 나에게는 체력을 아끼면서 공부를 할 수 있는 절호의 기회이기도 했다. 또한 온라인 수업을 들으면서 책임감을 느끼고 주도적으로 공부했더니 자연스럽게 자기주도 학습을 할 힘을 갖게 되었다. 또한 집에서 가족들과 함께 식사도 많이 하고 대화도 더 자주 하니 가족 관계가 더 좋아지고 친밀해졌다. 시련 속에서도 긍정적인 사고를 놓지 않으니 이 사건도 참 보물 같은 시간으로 다가왔다.

마지막으로 나에게 긍정적인 생각하는 힘을 알려준 시련은 이번에 겪은 허리 통증이었다. 나는 올해 2월부터 이유도 모른 채 심한 허리 통증에 시달려야 했다. 여러 병원에 갔지만 점점 상태는 나빠지기만 했고 잘 걸을 수도 움직일 수도 없었다. 인생에서 최고로 지독한 냄새가 나는 은행 껍데기를 지르밟은 느낌이었다. 너무나도 아프고 고통스러워서 전혀 긍정적인 생각을 할 수가 없었다. 인생이 나락으로 떨어지는 느낌이었고 모든 것이 힘겹기만 했다. 하지만 이보용 선생님이 주저앉아 울고 싶을 때도 긍정적인 생각을 놓지 말라고 하셨다. 그래서 나는 다시 한번 힘을 내서 은행껍질 안에 숨겨진 소중한 열매를 찾으려고 노력했다. 그러자 이 시련이 나에게 준 숨겨진 보물이 보이기 시작했다.

나는 이번에 아프면서 병원에 입원하고, 거기서 나의 주치의 염지성 선생님을 만나게 되었다. 그분은 모든 환자를 진심으로 걱정하고 치료해 주셨으며, 항상 나에게 큰 용기를 주시고 미소지어 주셨다. 어릴 때부터 자주 아파서 의사가 되기를 꿈꾸었던 나는 이번에 입원하면서 염지성 선생님을 통해 진정한 의사의 모습을 구체적으로 그려볼 수 있었다. 나도 그분처럼 따뜻하고 친절하게 환자들을 도울 수 있는 의사가 되어야겠다고 마음먹게 되었다. 또한 그 어느 때보다 많이 아프고 좌절하면서 환자들의 마음을 더 잘 이해하게 되었다. 이 경험은 앞으로 먼 미래에 내가 의사 선생님이 되었을 때 환자들을 진심으로 대하고 도와주는데 큰 밑거름이 될 것이라고 믿는다.

이처럼 나는 지금까지 긍정적인 사고를 통해 냄새나는 은행 껍데기 같은 인생의 커다란 시련 속에서도 좌절하지 않고 맛있는 은행 열매 같은 인생의 숨겨진 보물들을 찾을 수 있었다. 앞으로도 내 인생에 많은 시련들이 다가오겠지만 이제는 두렵지 않다. 왜냐하면 나에게는 긍정적인 생각이라는 엄청난 무기가 있기 때문이다. 앞으로도 긍정적인 생각을 바탕으로 인생이 주는 수수께끼 안에 숨겨진 보물들을 잘 찾아봐야겠다.

김수민

엉망이던 날

우울함을 느끼더라도 다양한 감정을 느낄 수 있는 하루의 존재에 감사하고, 예측할 수 없는 내일을 기대하며 살자.

그날은 유난히 모든 게 내 마음대로 안 되는 이상한 날이었다. 그날, 나는 학원 가는 지하철을 놓쳐 오랜 시간 기다렸어야 했고, 막상 지하철을 탔더니 옆자리에는 이상한 사람이 앉았다. 불미스러운 뉴스를 많이 접해 불안한 상황에서 경찰들까지 지하철에 타 있었고, 막상 도착한 학원에서 치른 시험에서는 좋은 결과를 내지 못했다. '왜 이렇게 오늘따라 뭐가 잘 안 풀리지?' 하는 의문이 들기 시작했다. 모든 게 짜증이 났고 기분 나빴다. 그 기분으로 집에 오는 길, 지하철에 멍하니 앉아있는데, 문득 지하철의 사람들이 내 눈에 밟히기 시작했다. 내 주변으로는 많은 사람이 오갔고, 많은 사람, 특히 사람들의 표정을 마주하니 나만 기분이 이렇게 안 좋은가 싶었다.

사람들의 표정을 자세히 보았더니 모두의 표정이 제각기 달랐다. 피곤한지 눈을 감고 자는 사람도 있었고, 좋은 일이 있었는지 웃는 표정으로 휴대전화를 들여다보는 사람도 있었다. 나처럼 기분이 안 좋았는지 인상을 찌푸리고 있는 사람도 있었고, 무표정으로 피곤한 건지 기분이 좋은 건지 기분이 안 좋은 건지 당최 기분을 가늠할 수 없는 사람들도 있었다. 이 중 무표정인 사람들이 정말 많았다.

무표정인 사람들은 그날 하루 동안 무슨 일을 겪었을까? 그들은 회사에서 늦게까지 일을 마치느라 피곤했을 수도, 학원에서 늦게까지 공부하느라 짜증이 났을 수도, 칭찬받아 기분이 좋았을 수도 있다. 모든 사람의 감정을 내가 맞출 수 있는 것은 아니지만, 분명한 것은 모두 각자의 경험에 기반한 감정으로 하루를 끝마쳤을 것이며, 그 감정은 나처럼 부정적인 감정일 수도, 나와 정반대로 긍정적인 감정일 수도 있으리라는 것이다.

지하철에서 내려 집까지 버스를 타고 가는 시간 동안 나는 내 기분과 타인의 기분을 관련지어 오래 생각하고 고민해 봤다. 그 결과 도출해 낸 결론은, 오늘 내가 마주한 사람의 수와 그들이 오늘 느꼈을 다양한 감정의 수만큼 내가 느끼게 될 감정도 다양하지 않을까 하는 의문이었고, 그 의문은 그다음 날 확신으로 바뀌었다.

모든 사람은 하루를 보내면서 모두 다른 경험을 하게 된다. 그 말은 곧, 하루를 마치며 느끼는 감정이 모두 다르고 다양할 것이라는 것이다. 내가 살아가면서 경험하게 될 것들은 당연히 매일 다를 것이고, 그 말은 즉 내가 느끼게 될 감정도 그만큼 다양할 것이라는 거다.

막상 그렇게 모든 게 안 풀려서 짜증이 났던 날의 다음 날은 모든 게 잘 풀리고 내 마음대로 됐다. 해야 할 숙제의 양이 적어서 빨리 끝낸 뒤 침대에 누워 편히 쉴 수 있었고, 내가 좋아하는 음식도 먹었다. 또 개인적으로 좋은 소식을 듣기도 했다. 너무나 기분이 안 좋았던 그 전날에 비하면 너무나 좋은 일들의 연속이었다. 기분이 쭉 안 좋을 것이란 내 예상은 완전히 빗나갔다. 내가 버스를 타며 했던 생각처럼 단지 그 엉망이었던 날과 그 다음 날의 감정만 두고 보아도 내가 느꼈던 감정은 너무 다양했다. 또 예상도 하지 못했던 감정이었다.

내가 느끼게 될 감정은 수도 없이 다양하고 예측할 수 없다. 당장 내가 생각하기에 우울할 것 같던 다음 날도 예상 외로 모든 게 잘 풀렸고 예상과 정반대의 감정을 느꼈다. 당장의 감정에 갇혀 있지 말고 예상할 수 없는 미래의 기분, 감정을 기대하자. 모든 날이 긍정적일 수는 없기 마련이기에 내일의 내 감정은 더 우울할 수도, 그대로일 수도, 괜찮아졌을 수도, 행복해졌을 수도 있다. 우울함을 느끼더라도 다양한 감정을 느낄 수 있는 하루의 존재에 예측할 수 없는 내일을 기대하며 살자.

염수경

종이학이 모여, 함께하는 ´우리´가 모여

능력과 견해가 각기 다른 사람들이 한데 모여 마음을 맞추는 것, 이러한 경험은 어려운 만큼 우리가 한 인간으로서 성장하는 데 좋은 자양분이 될 거라고.

어느 주말 오후, 책상에 가득 쌓인 숙제를 하고 있었는데 누군가가 우렁 찬 목소리로 나를 불렀다. 그 목소리의 주인공은 다름 아닌 내 동생이었다. 용건은 종이접기 숙제, 그 중에서도 종이학 접는 것을 도와달라는 것. 나는 동생이 쉽게 따라 할 수 있게끔 천천히 방법을 알려주었다. 비록 완성된 종 이학은 살짝 삐뚤빼뚤했지만, 종이접기에 성공해 신난 동생을 보니 나도 모르게 흐뭇한 미소가 지어졌다. 그러다 내 초등학교 2학년 시절, 종이학과 관련된 잊지 못할 추억이 문득 떠올랐다.

당시 우리 반 친구들은 갓 2학년이 되어 한껏 들떠 있었다. 그런 우리에 게 담임 선생님께서는 한 가지 제안을 하셨다. 한 학기 동안 반에서 종이학 을 1,000마리 접으면 피구 시간을 추가로 주겠다고 약속하신 거였다. 피구 라는 보상에 솔깃한 우리는 그 제안을 흔쾌히 수락했고, 그날을 기점으로 너나 할 것 없이 종이접기에 돌입했다.

처음 며칠은 순조로웠다. 나도 손재주가 좋은 편은 아니었지만, 나름 즐겁게 종이학을 몇 개씩 접었다. 그러나 한 사흘 정도가 지났을까, 나는 대여섯 명의 친구들이 말다툼하고 있는 광경을 목격했다. 보아하니 종이접기에 참여하지 않는 친구들과 그 애들까지도 참여시키고 싶은 열정적인 친구들 사이에서 갈등이 생긴 것 같았다. 이러다 더 큰 싸움으로 번질 가능성을 우려한 우리 반은 그날을 기점으로 머리를 맞대고 대안에 관해 이야기했다.

물론 그 친구들이 이대로 참여하지 않게 두는 것도 방법이 될 수 있겠지만, 평소 종이접기를 어려워하고 하기 싫어하던 친구들도 한두 번 해 보니 이에 성취감과 흥미를 느꼈던 바가 있었다. 그러니 그 애들도 한번 시도해 봐도 괜찮지 않을까? 그렇게 서로의 의견이 오가며 내린 결론은 종이접기를 무조건 하라고 강요하는 것이 아닌, 보다 '재밌게' 하는 방안을 만들자는 것이었다. 다양한 크기와 형형색색의 종이를 챙겨와 친구들과 같이 천천히, 그리고 조금씩 종이를 접기로 했다. 이렇게 하면 잘 해야 한다는 부담과 귀찮다는 마음을 약간은 덜 수 있을 테니 좋은 해결책이었다고 생각한다.

결과적으로 이 방법은 매우 효과적이었고, 종이접기에 참여하지 않겠다고 하는 아이들의 수도 점차 줄어들었다. 의무라기보단 친구들과 하는 놀이라고 생각하니 원래 참여하던 아이들도 더욱 즐겁게 임하는 것이 느껴졌다. 그래서인지 예상보다 훨씬 빠르게 목표를 달성할 수 있었다.

종이학 모으는 통에서 우리의 노력이 담긴 종이학을 하나씩 꺼내며 선생님, 친구들과 숫자를 세던 그날이 아직도 잊히질 않는다. 마지막 천 개짜리에서 그 자리에 있던 모두가 환호성을 지르던 순간까지도. 선생님께서는 우리에게 아낌없는 칭찬과 함께 약속하신 피구 시간을 주셨다. 마치 선물 같은 값진 시간이었다.

당시에는 그저 피구하고 싶다는 일념만으로 종이학을 접었지만, 지금 생각해 보면 담임 선생님께서 왜 우리에게 이런 제안을 하셨는지 짐작이 간다. 아마 선생님께서는 우리가 다른 이들과 함께 하는 것에 보다 익숙해지길 바라셨던 게 아닐까. 7년이라는 시간이 흘러 중학교 3학년이 되었지만, 정말 그때처럼 누군가와 힘을 합쳐 목표를 이뤄낸 경험은 그리 많지 않다. 아무래도 요즘은 나같은 사람이 많을 것이다. 조별 과제라는 소리만 들어도 몸을 부르르 떨 정도로 싫어하는 학생들이 늘어난 것만 해도 그렇다. 우리는 아직 같이 하는 것이 어색하다. 누군가와 발맞춰 걸어야 하는 상황이 오면 늦어질 속도에 걱정이 앞선다.

그렇지만 협동에서 오는 신뢰와 타협, 인내와 같은 가치들은 개인이 하는 성취와는 또 다른 보람을 가져다 준다. 물론 협력이 말처럼 쉬운 일이 아닌 걸 잘 안다. 내가 잘 한다고 해서 모든 사람이 다 잘 하는 게 아니고, 남들이 다 잘 한다고 해서 내가 잘 하는 것 또한 아니니까. 그럼 이렇게 생각해 보는 건 어떨까? 능력과 견해가 각기 다른 사람들이 한데 모여 마음을 맞추는 것, 이러한 경험은 어려운 만큼 우리가 한 인간으로서 성장하는 데 좋은 자양분이 될 거라고.

종이학 접기라는 작은 협력과 성취를 통해 내가 느낀 뿌듯함을 다른 이들도 같이 느꼈으면 한다. 나아가, 우리 사회가 서로 손을 잡고 협동할 줄 아는 공동체가 되었으면 한다. 나 혼자 살아가는 것이 아닌 세상에서 우리 각자는 작은 종이학과 같다. 다양한 종이학이 모이고 모여 살아가는 세상 속에서 함께 한다는 것이 어떤 의미인지 한번 고민해 보길 바란다.

이현진

파도가 덮쳐올 때

| 이 파도는 내 키보다 한참 커서 가만히 있다가는 나를 덮쳐버릴 것이다.

　누군가에게 "요즘 어때?"라는 질문을 듣는다면 난 뭐라고 대답할까. 아마 내 어휘력의 한계로 인해 "그냥 그래."라고 대답하게 될 것 같다. 하지만 최근 나는 그냥 그렇다는 대답으로 얼버무릴 수 있는 수준의 상태가 아니라고 느낀다. 작년까지만 해도 안 그랬었는데, 갑자기 여러 곳에서 나에게 스트레스를 주는 것들이 몰아친다. 내가 좋아하는 것과 사람이 늘어날수록 내가 싫어하는 것과 날 싫어하는 사람이 생겨난다. 성격도 많이 바뀌었다. 예전의 나와 지금의 내가 너무 많이 달라져서 나도 내가 익숙하지 않다. 거대한 변화의 파도가 온다. 사실 좀 두려운 일이다.

　나는 익스트림 스포츠를 좋아하는 편이 아니다. 다치는 게 싫어서 위험한 일은 시도도 하지 않는 사람이다. 자전거도 잘 못 타는 사람이 서핑하는 방법을 알 리가 없다. 그렇지만 살기 위해 파도를 타야한다면, 누가 마다하겠는가? 이 파도는 내 키보다 한참 커서 가만히 있다가는 나를 덮쳐 버릴 것이다. 어제는 낮잠만 4시간을 잤고, 저번 주에는 학교에서 한 교시를 내

내 잤다. 작년까지만 해도 잠이 많은 사람을 이해할 수 없었는데, 이젠 내가 그런 사람이 되었다.

아침에 일어나 눈을 뜰 때부터 잠에 들 때까지 자고 싶다고 생각한다. 마지막 남은 양심으로 아직 카페인은 마시지 않지만, 마실 날도 머지않은 것 같다. 원래도 좋지 않았던 체력은 점점 더 나빠지고 있다. 어릴 때부터 밖에 나가 움직이고 뛰기보단 친구들과 얘기하고 집에서 책을 보는 것을 더 좋아했다. 학년이 올라가니 학원이 바빠 운동할 시간은 더 줄었다. 그래서인지 이젠 계단으로 몇 층만 올라도 숨이 차서 현기증이 날 것 같다. 심각하다고? 나도 그렇게 생각한다.

신체적인 것 말고도 정신적으로도 스트레스가 꽤 많다. 작년까지만 해도 난 굉장히 긍정적인 사고방식을 가지고 있었다. 매사에 굳이 연연하지 않았고, 항상 이 정도면 됐다고 생각하면서 살았다. 하지만 중학교 3학년이 되면서 주변 사람들이 하나둘씩 나를 앞서가는 기분이 든다. 차라리 내려놓으면 괜찮을 텐데 계속 욕심이 생겨 스트레스만 쌓인다. 고등학교, 대학교 진학을 비롯한 모든 복잡한 문제들을 다 외면하고 싶다. 하루에도 수십 번씩 기분이 뒤바뀌고, 하늘로 올라갔다가 땅으로 처박힌다. 그러다 보니 당연히 인간관계도 꼬이기 시작했다. 초등학교 때 이후로 누군가에게 말로 상처를 주거나 먼저 잘못하는 일은 없었는데, 요즘 들어 그런 일이 연달아 일어났다. 사과하는 게 익숙하지 않아 고생도 했다. 폭풍같이 몰아치는 일들은 나 자신도 버티기 힘들 정도이다.

누군가는 이게 자연스러운 성장 과정이라고 말할 수도 있겠다. 나도 그 사실은 잘 알고 있다. 그렇기 때문에 이 상태를 나쁘다고 말할 수도, 좋다고 말할 수도 없다. 그저 견디고 기다리면서 언젠간 안정되길 바랄 뿐이다. 비바람이 몰아치는 바닷가에서 위험한 줄도 모르고 산책하는 기분이라고 할까. 나는 내가 아직 마음껏 혼란스러워 해도 되는 나이라서 다행이라고, 이렇게 하다 보면 언젠가 자기 자신을 이해하고 괜찮은 답을 찾을 수 있을 거라고 생각한다.

우리는 누구나 인생에서 커다란 변화를 맞는다. 나는 그 파도 속에서 물고기처럼 헤엄을 치지는 못하더라도, 휩쓸려 정신을 잃고 싶진 않다. 이 글을 읽는 당신도 앞으로 찾아올 파도 속에서 길을 잃지 않길 바란다.

조희연

둔한 돼지의 소신발언

| 모든 일엔 장점이 하나라도 있듯이 둔함에도 장점이 있고 생각한다.

모두가 자기 자신을 표현하고 설명할 때 다양한 표현을 사용한다. 나 또한 그렇다. 돼지띠인 나를 생각하면 가장 먼저 떠오르는 표현 중 하나는 '둔하다'이다. 동작이 느리고 굼뜬 '둔하다'가 아니라 감각이나 느낌이 예리하지 못한 것을 말한다. 이렇게 생각하게 된 데에는 많은 일화가 있다.

모든 세상이 행복하게만 보일 나이인 10살 때, 가장 원하는 것은 선생님들의 칭찬이었다. 선생님들의 칭찬을 고파하던 여느 때처럼 선생님의 심부름을 하고 있었다. 그 나이 때 학교에서 가장 위험할 수 있는 도구인 글루건을 옮기는 것이었는데, 식지 않은 글루건 입구가 글루건 통을 들고 있던 내 팔을 향해 있었나 보다. 그 때에 나는 선생님의 심부름을 끝냈다는 기쁨에만 정신이 팔려 있었다.

학교가 끝나고 미술 학원에 가보니 미술학원 선생님께서 나에게 놀란 표정과 목소리로 내 팔을 보라고 하였다. 선생님의 놀란 목소리에 나도 놀라서 급히 내 팔을 봤는데 글쎄 글루건 입구 모양으로 동그랗게 구멍, 홈이 나 있었다. 이 정도의 상처면 엄청 아팠을 것 같은데 나는 학교 생활을 하면서 몰랐다는 거다. 또 그 상처만 보면 그날의 트라우마로 인해 힘들어 하며 살아야 할 것만 같지만 전혀 그러지 않고 웃긴 이야기로 남아 있다. 그 당시엔 맨날 슬라이딩 해서 무릎 까지고 추리닝 바지에도 구멍 뚫리게 하던 시절이었다. 놀라지 않고 넘어가서 웃긴 이야기로 남아있던 것인데, 이런 비슷한 일이 최근까지도 많이 있었다.

학원 끝나고 가방을 들려고 일어나는 순간 같은 반 남자애가 놀란 목소리로 "야! 너 종아리에 피났어!"라고 하였다. 그 말에 바로 종아리를 보니 종아리에 이차돈의 머리가 날아갈 때 나왔다던 흰 피는 아니었지만, 보기만 해도 식겁하고 시작이 어디고 왜 나는 지를 알 수 없는 피가 흐르고 있었다. 좀 당황스러워했지만 괜찮다고 하고 집에 갔다. 아직까지도 왜 피가 흐르고 있었는지는 모르겠다.

또 같은 버스를 탄 친구가 내 발을 밟았다고 사과해도 정작 나는 몰랐다. 가족 중에 나만 열이 엄청났을 때에는 무척 추운 겨울날이라 이불을 꼭 덮고 자서 열이 떨어지려고 하는데도, 내가 이불을 덮어 열을 더 올려 더 아팠고 열이 나는지 내가 아픈지를 잘 모른다. 같이 걷고 있던 가족이 지나간 사람에 대해 물어보면 나는 기억이 안 나는 건지 못 본 건지 모르겠지만 아무 대답도 할 수 없었다.

이런 나를 키우고 가장 가까이에서 지켜보던 엄마가 언제부턴가 이런 말을 밥 먹듯이 해왔다. "너는 너의 감각을 60% 정도 밖에 안 쓰는 것 같아!"라고 했다. 이 말을 들은 나는 처음에는 아니라고 말하려 했지만 잠시 생각해 보니 정말 그런 것 같았다. 친구들에게도 물어보니 대부분 "오 ㄹ ㅇ 인 듯", "너 진짜 그래ㅋㅋ"라고 하였다. 생각해 보니 내가 둔하게 행동할 때마다 주변 사람들은 "제발 감각 좀 써!"라고 한다. 주변 사람들이 나를 볼 때는 좀 답답한지 입에 달고 사는 말 중 하나이다. 그 사람들이 나를 볼 때 내가 생활할 때 삔 다리로 달리기하듯 불편할 줄 아는데 사실은 정반대이다.

나는 살면서 이런 성향이 한 번도 아픈 손가락이라고 생각이 든 적이 없다. 오히려 이런 성향이어서 이 험난 세상에서 살아가기에 편하다고 생각이 들 때가 더 많다. '이 험난한 세상을 살아나기엔 더 편하지 않을까'라는 생각도 가끔 든다. 그래서 주변 사람들이 나에게 그 성향을 조금만 고치라는 식으로 말하면 '굳이?'라는 반응을 한다. 반응 그대로 태어난 대로 둔하게 살면 되고 이 성향이 편한데 왜 바꿔야 하는지 모르겠다. 모든 일엔 장점이 하나라도 있듯이 둔함에도 장점이 있다고 생각한다.

내 둔함과 동거하며 마냥 편하게 살아가고 있다고 생각하던 날, 어떤 사이트에 둔한 걸 고치고 싶고 어떻게 고칠지 물어보는 사람의 글을 보았다. 그 사람의 글을 읽어보니 이 사람도 나처럼 둔하다는 것에 대해 많이 생각을 한 사람처럼 보였다. 그러나 둔한 것에 대해 생각하는 게 이렇게 다르니 내 생각이 틀렸나 싶고 그렇게 생각할 수도 있겠다고 생각이 들었다. 또한 '억지로 자신의 성향을 바꿔야 할까?'라고도 생각이 들었고 '왜 굳이?'라고도 생각이 들었다. 그러나 오랜 시간 더 고민한 끝에 결론은 '나와 그 사람의 생각이 다른 거지 뭐'였다.

각자 자신의 특징 중 바꾸려고 하는 특징들이 있을 것이다. 물론 남에게 피해를 주는 것이라면 고치려고 노력해야 한다. 그러나 그 외의 성향은 바꾸도록 노력할지 말 지는 자신의 선택에 달린 것이다. 둔한 성향은 내가 살아오면서 태생적으로 생겨났을 텐데 둔한 성향에 대해 좋게 생각하니 인생에서 스트레스를 많이 받지 않고 살아올 수 있었던 것 같다. 둔한 성향을 고치려는 사람이 잘못된 건 아니지만, 꼭 고쳐야 하는지 다시 생각해 보는 시간을 갖는 것도 좋을 것 같다. 나는 앞으로도 계속 둔한 성향을 굳이 바꾸지 않고 '나다움'을 보여주며 살아갈 것이고, 이 글을 읽는 사람들은 이 글이 아까 말했던 고쳐야 하는지에 대해 생각할 수 있는 기회가 되길 바란다.

선우

검은 생각

그날의 대화는 지금껏 내가 알고 있으면서도 모르는 척했던 스스로를 파고드는 깊고 검은 생각들을 내 속으로부터 전부 꺼내주었다.

어느 순간부터 말을 할 때 목이 조이고 목소리가 떨리며 불안정하기 시작했다. 처음에는 금방 괜찮아질 거라고 생각했지만 3주가 지나도 상태는 조금도 나아지지 않았다. 한마디 한마디를 내뱉을 때마다 호흡을 신경 쓰고 발음에 주의해야 했다. 남들은 쉽게 대화하는데, 나 혼자 떨리고 갈라지는 목소리로 대화를 해야만 했다. ′평생 이렇게 살아야 하면 어떡하지?′라는 조그만 생각이 머릿속에서 까맣게 피어올랐다. 한 번 시작한 검은 생각들은 내 머리와 마음 곳곳에 달라붙어 나를 지치게 했다. 마치 내 목에 블랙홀이 생겨 내가 하려는 말들을 전부 삼켜버리는 것 같았다.

동네에 있는 이비인후과를 두 차례 다녀왔으나 원인을 찾지 못했고 그게 날 더 괴롭게 했다. 결국 진료의뢰서를 받아 대학병원에 방문했다. 진료의뢰서를 제출하고 8층까지 올라가서 진료실 앞 두 칸짜리 의자에 앉을 때까지도 시커먼 안개가 머릿속을 채우고 있었다. 아침이었지만 많은 사람들이 나처럼 앉아서 안개 낀 얼굴로 자신의 차례를 기다리는 중이었다. 그 중 나와 비슷한 증상이 있는 사람이 있었으면 좋겠다고 생각했다.

간호사분께서 내 이름을 부르고 진료실에 들어가 앉았다. 의자 등받이에 기대어 떨리는 마음을 가라앉히고 천천히 증상을 말씀드렸다. 말 한번 하기가 얼마나 힘든지, 그리고 불편한 상황이 생길 때마다 얼마나 힘든지를. 목에 스프레이도 뿌려 보고, 카메라로 성대를 찍고, 발성검사까지 했다. 그리고 다시 결과를 기다렸다. 결과를 기다리는 동안에는 아까 뿌렸던 스프레이 탓인지 목이 텁텁하고 뜨거워서 아무 생각도 들지 않았다. 간호사분이 내 이름을 한 번 더 부르시고, 떨리는 마음으로 진료실에 다시 들어갔다. 의사 선생님께서는 발성에 문제가 생겼고, 심리적인 요인과 크게 관련된 것이라고 말씀하셨다. 그 말은 결국 처음에는 큰 문제가 아니었지만 나 혼자서 스스로의 상태를 악화시킨 것이라는 소리였다.

의사 선생님은 내게 이것저것 질문하시곤 본인의 10대 시절 이야기를 해 주시면서 너무 어릴 때부터 강박에 갇히지 말고 너무 완벽하려고 하지 말라고 하셨다. 너무 불행하게 생각하지도, 부정적으로 생각하지도 말라는 말도 하셨다. 진로, 학업 등등 내가 하소연하듯 툭툭 던진 말들에도 하나하나 따뜻한 답변을 해주셨다.

진료가 끝나고 약 처방을 받은 후 버스를 타고 늦은 등교를 하는 동안 아까의 대화를 떠올렸다. 벌써 16살이니까, 이것도 잘하고 저것도 잘하고 전부 완벽하게 해내고 싶은 마음이 아직은 서투른 나를 까맣게 칠하고 있었던 것 같다. 칠하고 칠할 수록 난 아프고, 아플수록 서툴러지는데 서투른 내 모습을 감추기 위해 또 검은 생각들을 내 온몸에 칠한 것이다. 어쩌면 나는 그 사실을 애초에 알고 있었을지도 모른다. 그날의 대화는 지금껏 내가 알고 있으면서도 모르는 척했던 스스로를 파고드는 깊고 검은 생각들을 내 속으로부터 전부 꺼내주었다.

수빈

그리움의 공식

왜 그림을 그리나

> 그림은 자신의 감정을 표현할 수 있는, 온전히 드러낼 수 있는 방법 중 하나이니까 말이다.

나는 어려서부터 그림그리기를 좋아했다. 유치원에서 친구들과 놀다가도 그림이 그리고 싶어지면 크레파스와 사인펜을 들고 와 자리에 앉아 가족들을 그리거나 정체 모를 동물을 그리는 일이 다수. 어쩌면 이때부터 나는 미술로 진로를 정할 운명이었을지도 모른다. 내가 본격적으로 그림을 그리게 되었고 나의 진로를 정한 계기가 있다. 작은 사건이라면 사건이었고 동기라면 동기였다.

솔직히 나는 항상 그림 그리는 게 재밌어서 그릴 뿐, 남을 위한다던가 특별한 사연이 있어서라던가 그런 거창한 이유는 아니었다. 그러다가 초등학교 3학년쯤 막 웹툰이라는 것이 유명해지고 유행이 되기 시작하던 때 웹툰 작가를 꿈꿨다. 하지만 1학년 2학기가 거의 끝나갈 무렵, '유명 웹툰의 웹툰 작가가 과로로 사망했다'라는 글을 읽게 되었다. 나는 나의 미래가 제대로 보장될 거라는 법이 있는지도 모르고, 환경이 좋지도 못한 일을 막연히 좋아한다는 이유로, 그리고 어린 시절의 마음으로 일을 할 수 있을까라는 의문이 들었고, 깊이 고민한 끝에 새로운 진로를 정하기로 했다. 그 결과 나는 내가 좋아하는 것을 할 수 있고 즐길 수 있는 직업인 자동차 디자이너를 목표로 그림을 그린다.

나는 딱히 어떨 때 그림을 그리고, 이럴 때 무슨 방식으로 그린다 하는 건 없지만 기분이 좋지 않아서 그 기분을 풀고 싶을 때 그림을 유독 더 그린다. 눈에 보이는 무엇이든 일단 그림을 그리기 시작하면 안 좋은 기분을 그림을 통해 풀어낼 수 있다. 그렇게 내 감정을 내가 그리고 싶은대로 그리다 보면 어느새 흰 종이가 꽉꽉 나의 감정들로 가득 차게 된다. 그렇게 그린 그림들을 보고 있으면 기분이 나아지는 것을 느낀다.

그래서 내가 그린 그림에는 그때의 감정과 생각이 꽤 많이 들어있다. 예를 들어 내가 기분이 별로인 날의 그림들은 하나같이 선이 날카롭고 색이 강할 때가 있다. 반면 기분이 좋은 날의 그림에는 선이 부드럽고 색도 다양하게 사용한다. 이렇듯 사람이 만드는 작품에는 그 사람의 감정과 생각이 들어있다고 생각한다. 그렇기에 예술은 빛나고 아름다우며 보는 이를 매료시키고 혹은 메시지를 전하기도 한다. 그것이 그림들을 감상하기 위해서 미술관을 찾아가는 이유일 것이다. 물론 나를 포함해서. 어찌 보면 조용한 휴식이라고 볼 수 있는데 꼭 그림을 그리지 않고서도 감정을 풀 수 있다는 것이다.

취미를 직업으로 만드는 것은 대단하다고 생각한다. 아마 요즘의 현대인들은 다들 그런 생각을 할 텐데, 사람마다 다들 다를 것이다. 취미를 직업으로 삼는 순간, 취미를 일로써 한다는 사실에 재미가 없어지고 흥미를 잃는 사람도 있을 것이다. 혹은 취미를 일처럼 매일매일 할 수 있으니 더욱 즐거워지고 행복한 사람도 있을 것이고 말이다. 나는 사람들이 취미를 갖는 것에, 취미를 일로 하는 것에, 새로운 것에 도전하는 모든 것을 두려워하지 않았으면 좋겠다. 취미는 자신이 행복해질 수 있는 것 중 하나이니까.

마지막으로 추천을 하나 하고자 한다. 이 글을 보는 사람들 중 심적으로 많이 힘들고 지친 사람들이 많을텐데, 이런 사람들은 꼭 그림을 한 번쯤 그려봤으면 좋겠다. 자잘한 낙서라도 혹은 그림을 잘 못 그려, 졸라맨을 그린다고 하더라도 거창하게 물감이나 붓, 캔버스 같은 것들 없이도 집에 굴러다니는 연필과 종이를 주워 10분 하다못해 5분이라도 자신이 그리고 싶은 걸 그려봤으면 좋겠다. 만약 정말로 그림을 그리고 싶지 않던가 하는 이유가 있다면, 그림을 그리는 대신 쉬는 날 잠깐이라도 시간을 내어 여럿이라도 좋으니 미술관에 들러 작품들을 감상해 봤으면 한다. 그리지 않아도 느낄 수 있고 풀 수 있다. 그림은 자신의 감정을 표현할 수 있는, 온전히 드러낼 수 있는 방법 중 하나이니까 말이다.

김희림

시작점에서 다시 시작점으로

선생님이 알려주신 대로 라켓을 고쳐잡아 휘두르는 순간 강력한 스매싱 소리와 함께 신비로운 감정이 느껴졌다.

배드민턴은 여러 종류의 스포츠 중 하나이며, 남녀가 같이하는 혼합복식과 1 대 1 단식 경기 등이 있어 누구나 즐겁게 참여할 수 있는 스포츠이다. 내 인생에 빼놓을 수 없는, 거의 같이 성장한 스포츠이기도 하다. 제일 잘하는 것과 제일 좋아하는 것이 겹쳐 누가 어디서 어떻게 물어보든 내가 제일 좋아하는 것은 배드민턴이라고 말할 수 있다.

내가 다니던 초등학교에는 배드민턴 방과후가 존재했는데, 나와 배드민턴의 첫 만남은 여기에서 시작되었다. 초등학교 4학년쯤 친구와 함께 배드민턴 방과후를 신청하였다. 첫 수업 날 난생 처음 배드민턴채를 잡아보고 휘둘러 보았는데 학교나 학원에서는 느껴보지 못한, 펜을 잡을 때와는 다른 감정이 느껴지는 것이었다. 선생님이 알려주신 대로 라켓을 고쳐잡아 휘두르는 순간 강력한 스매싱 소리와 함께 신비로운 감정이 느껴졌다. 비록 선생님의 라켓 소리보다는 약했지만 나는 점차 수업을 들으면 들을수록 빠르게 습득하였다. 펜을 잡고 글을 쓰고 배우는 속도와는 차원이 다른 느낌으로 재미를 느끼면서 내 초등학교 배드민턴 시간을 즐겁게 끝냈다.

한참 태풍 같았던 코로나의 시기를 거치고 거쳐 나는 중학교 2학년 때 다시 배드민턴 동아리와 방과후를 신청하였다. 코로나로 인해 2년이라는 시간 동안 배드민턴을 제대로 치지 못하여 몸이 굳었을 것 같은 느낌보다는 어쩌면 초등학교 때와는 다른 중학교의 동아리로써 더 많이 배우고 뛰어다닐 생각에 설레며 중2 1학기를 시작하였다.

처음 중학교 동아리를 맛봤을 때 나는 초등학교 때와는 남다른 빡센 훈련에 당황했다. 기초체력을 키우려고 선생님께서 한 명씩 돌아가며 코치를 해 주시고, 스매싱과 똑같은 자세를 반복하며 거의 대회를 나갈 법한 느낌으로 활동하였다. 하지만 이건 시작에 불과했다.

방과후에는 나와 같은 학년인 친구가 한 명 있었는데, 1학기 때부터 방과후를 해 온 친구였다. 우리는 급속도로 친해지고 같이 빡센 훈련을 받았다. 동아리보다 더 강하고 힘들며 계속 뛰어야 하는 훈련이 반복되었다. 하지만 그 훈련을 반복할수록 나의 성장 속도는 더욱 빨라졌다. 친구와 같이 숨넘어가게 뛰고 시합하고 땀 흘리며 우리가 먹은 생수병의 수는 셀 수 없이 많을 것이다.

나는 배드민턴을 시작한 이후로 많이 달라졌다. 옛날에도 앉아서 공부나 책을 읽는 것보다 뛰어놀고 몸을 쓰는 운동을 더 많이 하였지만 그건 옛날에 불과했었다. 코로나가 시작하여 밖에 나가지도 못하고 마스크를 쓰고 활동하면 더 빨리 지치고 힘들었기 때문에 운동도 안 하고 집에만 있었다. 하지만 코로나가 끝나고 학교나 방과후에서 배드민턴을 다시 시작하며 운동을 해야 했고, 이를 통해 진로도 차차 정할 수 있었다.

아무리 다른 스포츠를 해도 스스로의 진로까지 그 길로 정할 정도로 큰 감정을 느끼지 못했는데 배드민턴으로 인해 체육 쪽이 나한테는 인생의 길 중 하나의 선택지라는 것을 느끼게 되었다. 물론 예체능이 공부 쪽보다 더 어렵다는 것도 알고 있었지만 배드민턴을 통해 확정할 수 있었다. 앉아서 공부하는 것보다 몸을 움직이며 뛰고 땀을 흘리며 벅찬 감정을 느끼는 것이 나에게는 더 맞는 선택이란 것을.

비록 내 진로가 배드민턴 쪽이 아니라는 것이 함정이지만 골프도 나름 땀을 흘리며 뛴다. 내 친구는 수학 문제를 하나하나 풀며 희열을 느낀다던데 나는 운동을 하면서 그 감정을 느끼는 것 같다. 비록 이제 중학교의 생활이 끝나가고, '골프'라는 진로로 고등학교 생활을 시작할 때가 다가오지만 지금의 중학교 3학년 배드민턴 부장의 생활을 즐기기로 하였다.

내 진로를 확정짓게 해 준 배드민턴이라는 하나의 스포츠에 고마움을 느끼면서 배드민턴 라켓은 잠시 내려 두고 골프채를 휘둘러보려고 한다. 나의 직업이 확정되고 안정을 찾으면 다시 라켓을 잡아보고 싶다. 이 긴 글을 쓰며 제일 하고 싶은 말은 "배드민턴은 재미있다!"이다. 그러니 이 글을 읽은 사람들 모두 한 번씩은 즐겨보면 좋겠다. 혹시 나처럼 누군가의 진로를 선택해 줄지도 모르니.

라소정

선한 영향력

선한 영향력을 위해 실천하는 당신을 통해 당신의 주위는 더 따뜻하게 빛날 것이다.

최근 전쟁, 기후위기, 저출산 등의 사회적 문제들이 심각해지고 있으며, 더불어 학생으로서 가지고 있는 학업, 성적, 시험, 친구관계 등의 문제들로 주변을 둘러보기보다 스스로를 챙기기에 급급한 하루를 보내고 있는 것 같았다. 바쁘게 살아가는 동안 시선은 주변을 살필 겨를도 없이 앞만 보며, 스스로만 생각하며 나아가고 있는 삶. 가끔은 주변도 둘러보고 잠시 멈추어 생각하는 시간도 필요하기에, 이 빠른 삶 속에서 이루어지는 선한 영향력에 대해 생각해 보고자 한다.

올해 5월부터 6월까지 교회에서 진행하는 리더학교에 참여하여 선한 영향력을 미치는 사람, 소중한 우리 등의 주제로 4주간 배우고 활동하였다. 그 중 가장 기억에 남는 이야기는 편안하고 안락한 자신의 고향에서 하나님의 말씀을 전하기 위해 머나먼 타국 땅인 우리나라로 건너와, 하나님에 대해 무지하였던 사람들에게 이름도 빛도 없이 열정적으로 하나님의 사랑과 복음을 나눠주시고, 헌신해 주신 루비 켄드릭, 언더우드 등 선교사님들의 이야기였다.

그분들은 선교사로서 말씀을 전하는 것과 더불어 하나님의 자녀로서 주위의 사람들에게 사랑을 실천하며, 어린 학생들을 위해 학교를 설립하고 가르치는 등의 수많은 사역을 하셨다. 아마 배화여중, 배화여고에 다니는 학생이라면 알 법한 캠벨 선교사님 또한 여성 교육을 위하여 배화학당을 설립하시고 그곳에서 학생들을 가르치셨다. 이토록 항상 최선을 다해 섬기고 이웃을 사랑하며, 성장할 수 있도록 노력하신 선교사님들의 진심은 주위의 사람들에게 선한 영향력을 미쳤고, 우리나라에서 믿음의 자녀들을 세우심과 함께 대중적으로 기독교를 알리는 발판이 된 것 같다.

캠프학교가 끝나고 얼마 지나지 않아 목사님께로부터 캠프학교에서의 느낀 점을 교회지에 실으려 하는데 그 글을 써줄 수 있는지 묻는 전화가 왔다. 시험까지 얼마 남지 않아 바쁜 시기였지만, 수업을 들으며 내가 느낀 감정과 생각 등을 다른 사람들도 작게나마 알고 느낄 수 있었으면 좋겠다는 생각에 글을 쓰기로 하였다. 그 분들의 선한 영향력이 조금이라도 더 잘 전달될 수 있도록 하루하루 고민하며 글을 작성했다.

교회지가 발간되고 몇 주 후 많은 선생님과 어른들로부터 이 캠프에서 학생들이 어떤 자세와 마음가짐으로 참여하고 활동하였는지, 끝나고 나서의 생각과 느낌들까지 학생들 입장에서 바라볼 수 있어서 좋았다는 칭찬을 받았다. 그리고 그 중 가장 감사하고 인상 깊었던 말씀은, 이 글을 통해 자신의 믿음에 대해 다시 되돌아보며 삶의 방향성을 새롭게 잡게 되었다는 것이다.

리더학교와 캠프학교를 통해 느꼈던 일들과 생각을 참여하지 않았던 다른 사람들도 느끼고 생각해볼 수 있다면 좋을 것 같다는 생각으로 쓴 글을 읽고, 내가 생각한 목적을 넘어 자신의 삶을 되돌아 보고, 새로운 삶의 방향성을 가지게 되었다는 글을 통해 선한 영향력을 받았다는 말은 생각지 못했던 부분이었기에 더 뜻깊었다. 이 글을 통해 다른 사람들에게 도움과 힘을 준 것 같아 글을 쓰길 잘 했다는 생각이 들었다.

사람들은 다른 사람의 선한 영향력을 보며 그 사람을 존경하거나, 자신의 롤모델로 삼기도 한다. 또한 이런 선한 영향력은 자신이 받을 수도 있지만, 자신으로 하여금 다른 사람에게 미치게 할 수도 있다. 선한 영향력을 행하는 것은 선교사님들의 이야기처럼 대단하고 거대한 일이 아니라 아주 사소한 일에서도 행해질 수 있으니 작은 일이라도 다른 사람을 위해 사랑으로 행하는 사람이 되는 것은 어떨까? 선한 영향력을 위해 실천하는 당신을 통해 당신의 주위는 더 따뜻하게 빛날 것이다.

박예은

데스노트 아닌 데스노트

일단 마음에 드는 노트와 펜을 사서 가족들이 모두 잠들었을 때 잠시 의자에 앉아 하루를 되돌아보는 거다.

내 일기장은 데스노트다.

그렇다고 해서 죽이고 싶은 사람들이 있다는 건 아니고 노트 커버마저 시커먼 것이, 차마 다른 사람들에게는 보여줄 수 없는 내용들만 담겨 있어서 이렇게밖에 표현을 못 하겠다. 일기장에는 내가 겪은 무수한 파고들이 담겨 있는데, 일전에 쓴 이야기들을 쭉 훑어보면 그렇게까지 생 날것일 수가 없다. 글씨체는 삐뚤빼뚤, 이어지지 않는 어색한 문장들, 낙서 같은 글들로 가득 채워져 있는 데다가 글 속에서 감정이 고스란히 드러나 있다. 기분이 들뜬 날엔 글씨에서 생기가 넘치고, 밑도끝도 없이 우울한 날엔 덕지덕지 고친 부분들에다가 글씨를 도통 알아볼 수가 없을 정도이다. 게다가 지금이라면 하지 않았을 말들을 써 놓기도 했다.

내가 겪은 특별한 경험들, 내 딴에는 임팩트 있었던 날에 항상 일기장을 꺼내곤 한다. 하지만 나의 일기장을 데스노트라고 표현한 만큼 가장 큰 지분을 차지하는 것은 역시 부정적인 감정들이다. 분노, 짜증부터 시작해서 미처 설명할 수 없는 것들로 가득하다. 부정적인 감정의 종류에도 여러 가지가 있지 않는가. 생각지도 못한 일로 인해 생겨난 부정적인 감정들을 두서없이 적어 보게 되더라도 결국엔 객관적인 시점에서의 내가 보이게 된다. 일기를 씀으로써 나의 가치관과 생각, 그리고 성격까지 모든 것을 알아볼 수 있다는 점이 나는 참 좋다.

그런 이로운 점들을 항상 생각하며 일기장을 펼치곤 했는데, 어느 날, 어제오늘내일 가리지 않고 한창 일기를 쓰던 때, 갑자기 가슴에 딱 박혔던 문구 두 개가 있다. 자주 즐겨 보는 TV 프로그램에서 소설가와 법의학자가 말하기를, 글을 쓴다는 건 미래를 생각한다는 것이며, 글을 많이 써 봐야 나의 생각이 얼마나 멍청한지 알게 되기 마련이라고 하는 것이다. 안 그래도 감정이 혼란스러운 시기에 글을 쓰고 있던 나에게, 일기장에 무엇을 기록해 나가고 있는지도 모르고 있었던 나에게는 위로와 비슷한 감정을 느끼게 해주는 문구들이었다. 이래서 사람들이 글 써라 책 많이 읽어라 하는가 보다.

또한 최근 이 수필을 쓰기 위해서 일전에 썼었던 일기들을 모두 다시 읽어 보았다. 그중 기억에 남는 건 내가 2023년도 1월 1일 새해를 맞이하며 썼던 것이었다. 새해라는 이유로 약간 들떠 있었던 감정을 신기하게도 다시 느껴볼 수 있으면서 동시에 조금은 힘을 얻기도 했다.

글 쓰는 건 다 좋다. 다 좋은데, 나에게 문제가 딱 한 가지 있다. 일기장 속에 오만가지 이야기들이 담겨 있다 보니, 가족들은 물론이거니와 아무도 내 일기장을 훔쳐봐선 안 된다는 거다. 우리 가족들은 서로에게 관심이 너무 많아서 일기 쓴다는 사실을 알면 너도나도 들추어 보려고 할 것이 분명하다. 해서 내가 몰래 일기장을 관리하는 방법을 수색해 내었다. 바로 처음 샀을 때의 비닐 포장, 띠지 그대로 보관하는 거다. 이렇게 두면 아직 한 번도 사용하지 않은 노트처럼 보이기 때문에 들킬 염려가 없다. 일기를 자주 들여다볼 수 없다는 게 아쉽긴 하지만 아직까진 별 방도를 찾지 못했다. 이제는 비닐도 너덜너덜거리고 사용감도 많아 보이는데 끝까지 안 들킬 수 있을지 모르겠다. 들키는 날엔, 가족들에게 내 일기를 읽히는 날엔, 진짜 집 나와야 될 수도 있다. 본인의 개인적인 감정에 대해서 샅샅이 꼬치꼬치 캐물어보는 것은 상상만 해도 끔찍하다.

글의 힘은 생각보다 대단하다. 따라서 나는 글쓰기를 굉장히 권유하는 입장이다. 남녀노소, 무슨 이야기든 상관 없다. 처음에는 짧고 간결했던 문장들이 한 줄 두 줄 쌓이면서 점차 길이를 늘려가는 거다. 그렇게 하다 보면 어느 순간 글이 좋아질지도 모른다. 초등학생 때 책 읽으라는 소리를 귀에 딱지 앉도록 들어왔는데, 이제서야 내가 뭘 읽어야 재밌어 하고 좋아하는지 보이기 시작하는 지금의 나처럼 말이다.

처음에 노트 펼치는 게 어렵지 펜을 들고 직접 쓰는 건 전혀 어렵지 않다. 일단 마음에 드는 노트와 펜을 사서 가족들이 모두 잠들었을 때 잠시 의자에 앉아 하루를 되돌아보는 거다. 중3들은 이제 고등 학생이 되기까지 3~4개월 남짓 정도밖에 남지 않았다. 더 바빠지기 전에 나만의 기록을 적어보는 게 어떨까? 고등학생이 되어 있을 때, 성인이 되어 있을 때, 분명 어느샌가 본인에게 의미 있는 순간들이 쌓여 있을 것이다.

유수연

정체성

어렸을 때 느꼈던 그런 낯설고 부끄러운 감정들은 내가 지금, 그리고 앞으로의 인생을 살아갈 때에 큰 힘이 되었다는 것을, 그런 생각과 감정을 경험했기 때문에 나는 더 강하고 용기 있는 사람으로 살아갈 수 있었다는 것을 나는 그제야 깨달았다.

초등학교 1학년 여름방학을 코앞에 두고 난 한국을 떠난다는 사실을 알게 되었다. 학교 마지막 날에는 반 친구들과의 마지막 사진을 찍고 친구들이 날 위해 썼던 편지들을 받았다. 그렇게 나는 한국에서의 삶을 마치고 미국으로 떠나게 되었다. 미국에 도착했을 때 낯설지만 기분 좋은 공기가 나를 반겨주었다. 택시를 타고 우리 집으로 가는 길에 엄마, 아빠는 모두 피곤해서 자고 있었지만 나는 초롱초롱한 눈으로 내가 앞으로 살게 될 곳을 조심스럽게 구경했다.

그렇게 시간이 지나고 드디어 처음으로 미국 학교를 가는 날이 다가왔다. 엄마가 싸 준 도시락을 들고 난 학교 정문 앞으로 걸어갔다. 수많은 차들이 정문 앞에 기다리고 있었다. 한 차의 문이 열리고 나와 너무나도 다르게 생긴 아이가 나와 너무나도 다른 밝은 목소리로 부모님께 인사를 하고 학교 안으로 들어갔다. 기분이 이상했다. 하지만 어떤 감정을 느끼기도 전에 엄마가 그 아이를 따라가라고 했다. 학교에 들어가자마자 나는 혼란스러움에 휩싸였다. 내 교실이 어디인지도 모르겠고 내가 잘 이해할 수 없는 언어로 사람들이 시끄럽게 대화하는 것도, 처음 보는 낯선 선생님들의 반겨주는 말들과 이상하게 무서웠던 미소들도 다 너무 혼란스러웠다. 다행히 나는 한 선생님의 도움을 받아 내 교실에 잘 도착할 수 있었다. 같은 반 친구들은 생각보다 더 착했고 선생님도 좋으셨다.

그렇게 많은 시간이 흘러갔다. 나는 한국인 친구도 사귀었고 나름 잘 적응하고 있었다. 근데 언제부턴가 거울을 볼 때마다 나를 미국인 친구들과 비교하는 모습을 발견했다. 그 아이들의 크고 바다처럼 푸른 눈, 오똑한 코, 디즈니 영화에 나올 듯한 찰랑찰랑한 금발 머리를 보면, 내 자신이 너무나도 못생겨 보이기 시작했다. 거울만 보면 그 아이들이 보여서 거울조차 보는 것이 힘들었다. 내가 부러웠던 것은 그들의 외모 뿐만이 아니었다.

급식시간에 나는 엄마가 싸 준 밥과 반찬을 먹고 있었다. 그러자 어떤 남자 아이가 내 반찬 통에 들어 있는 멸치볶음을 보고 처음 보는 경악하는 표정을 지으며 내 음식이 냄새나고 역겹다고 말했다. 그날 난 집에 가서 엄마에게 앞으로는 점심으로 한국 음식을 절대로 싸 주지 말라고 부탁했다. 시간이 지날수록 이 감정은 점점 더 악화되었다. 학교에 가면 나는 그 아이들과 똑같은 음식을 먹었고 똑같은 음악을 들었고 모든 것을 똑같이 하려고 노력하였다. 누가 내 도시락을 보고 역겹다고 해도 나도 역겹다고 웃고 우리 엄마가 열심히 만들어 주신 음식을 비난했다. 그래 놓고 집에 가면 억지로 참아서 안 먹었던 내 도시락을 허겁지겁 먹었다.

　나는 점점 내 문화, 내 정체성이 부끄러워졌다. 그리고 잠에 들기 전에는 내가 지금 한국인이 아닌 미국인의 모습으로 내 인생을 살아가는 모습을 상상했다. 내가 미국인으로 태어났다면 어떤 삶을 살았을까? 내가 미국인으로 태어났다면 사람들에게서 더 좋은 대접을 받았을까? 너무 싫었다. 이런 생각이 드는 것도, 내가 한국인인 것도, 내가 한국인처럼 생긴 것도 다 너무 너무 싫었다. 나는 이렇게 내 초등학교 생활을, 한국인의 모습을 부끄러워하며 내 정체성을 잃으며 보냈다. 초등학교를 졸업한 후 나는 중학교를 입학하고 중학교를 입학한 지 얼마 안 지나서 나는 다시 한국으로 돌아왔다.

　언제부터였는지는 모르지만 나는 더 이상 그런 생각이 들지 않기 시작했다. 자연스럽게 나는 내 외모에 다시 만족하였고 내가 한국인이라는 것이 더 이상 부끄럽지 않았다. 오히려 나는 내가 한국인이라는 것이 자랑스러웠고, 오히려 나는 더 자신감이 생기기 시작했다. 그리고 지금 나는 그런 생각이 왜 들었을까 싶을 정도로 내 삶, 내 정체성에 만족하며 살아가고 있다.

　최근에 나는 내 미국 친구들과 오랜만에 연락하였다. 마지막으로 같이 얘기한 지 엄청 오랜 시간이 지났지만 언제 그랬냐 싶듯이 시간이 지나는지도 모르게 많은 이야기를 나누었다. 얘기를 하면서 자연스럽게 우리가 어렸을 때에 대한 이야기가 나왔다. 그리고 놀랍게도 내 친구들도 나와 똑같은 생각과 감정으로 어린 시절을 보냈다고 했다. 내 친구들은 누구보다 더 한국인 같았고 누구보다 더 한국을 좋아하던 사람들이었기에 그들도 나와 같은 생각을 했다는 것이 나에겐 너무 충격적이었다. 우리는 아주 긴 시간 동안 우리의 어린 시절에 대해 얘기를 했다. 재밌었던 추억들도, 서로 말하지 못한 아픈 기억들까지 우린 모든 것을 나누었다.

오랜 얘기 끝에 난 깨달았다. 어렸을 때 느꼈던 그런 낯설고 부끄러운 감정들은 내가 지금, 그리고 앞으로의 인생을 살아갈 때에 큰 힘이 되었다는 것을, 그런 생각과 감정을 경험했기 때문에 나는 더 강하고 용기 있는 사람으로 살아갈 수 있었다는 것을 나는 그제야 알게 되었다.

앞으로 내가 어떤 인생을 살아가게 될지 모르지만, 나는 어떤 상황을 마주치게 되어도 내 자신을 누구보다 소중하게 여길 수 있고, 어떤 말을 들어도 난 절대로 내 자신이 부끄러워질 일은 없다는 것은 자신있게 말할 수 있다.

이정진

생일, 그리고 기말고사

중2의 나에겐 시험을 보는 내가 꼭 메달을 받아야만 한다는 부담감을 가진 운동선수가 된 것 같은 기분이었다.

대부분의 사람들은 생일이라는 날에 대해 떠올려 보면 행복한 기념일을 떠올린다. 나도 또한 내 생일을 떠올리면 항상 친구들과 놀고 맛있는 걸 먹으며 지냈던 기억뿐이다. 그러나 중학교 2학년 생일 때 나의 생일에 대한 인식이 바뀌었다. 바로 중학교 2학년에 들어서면서 시험을 보기 시작해 내 생일이 1학기 기말고사와 겹치기 시작했기 때문이다.

'나는 왜 시험기간에 태어났을까?'라는 생각이 점점 머릿속을 채워가기 시작했다. 생일 바로 다음 날이 첫 기말고사였기 때문에 생일임에도 불구하고 행복하고 즐겁다는 생각보다는 처음으로 보는 기말고사에 대한 부담감과 걱정이 더 앞섰다. 중학교 2학년인 나에겐 시험을 보는 내가 꼭 메달을 받아야만 한다는 부담감을 가진 운동 선수가 된 것만 같은 기분이었다. 그러다 보니 함께 놀던 친구들도 이제는 경쟁하는 선수들 같고 선생님들은 나에게 훈련을 가르치는 코치 같았다. 친구들과 놀고먹으며 놀았던 생일에 다음 날인 시험을 위해 집에서 혼자 밤 늦게까지 공부를 하고 있으니, 우울해지고 원래도 하기 싫었던 시험 공부가 더더욱 하기 싫어졌다.

그렇지만 한편으로는 내가 시험 직전 날인 내 생일에도 열심히 공부한다면 내가 받을 성적이 내가 지금까지 다른 사람에게 받은 생일 선물과는 다르게 처음으로 나 자신에게 주는 그 무엇보다 값진 생일 선물이 될 수 있을 것이라는 생각이 들었다. 이렇게 부정적인 부분만 생각하기보다는 긍정적으로 생각하니 어쩌면 내 생일이 시험기간과 겹쳤기 때문에 나에게 가장 값진 생일 선물을 줄 수 있는 기회가 생긴 것이고, 이 기회를 잡기 위해 더욱 더 열심히 공부해야겠다는 의지가 생겼다.

나의 부정적이었던 인식을 바꿔준 또 다른 요인은 바로 내 친구들이다. 친구들은 나처럼 다음 날에 시험임에도 불구하고 내 생일을 잊지 않고 축하해 주었다. 그 친구들이 나에게 보내준 생일축하 메시지는 나에게 다른 어느 생일 때보다 감동적이었다. 생일 같지 않던 내 생일에 축하 메시지를 받고 나니 비록 놀지는 못하더라도 내가 생일이라는 것을 실감할 수 있어 행복했다.

그렇게 열심히 공부하며 생일이 지나고, 시험이 끝나고 나서 나에게 나온 성적표를 보니 물론 완벽한 성적은 아니었지만 열심히 공부했던 만큼 성적이 나온 것 같아 나름 만족했다. 그 후에 시험도 끝났고, 1학기도 거의 끝나갔기에 친구들과 놀러 갔다. 이젠 시험이 얼마 남지 않았다는 불안감과 시험을 잘 봐야 한다는 부담감도 사라졌고 내가 열심히 공부한 만큼 만족스러운 결과를 받았기 때문에 기분이 매우 홀가분했다. 친구들과 놀고 나니 이렇게 시험이 끝나고 즐기는 생일파티기에 생일 당일에는 매우 힘들었지만 지금까지 보냈던 어떤 생일보다 더 값지고 행복했다.

나는 중학교 2학년 때의 생일, 그리고 기말고사를 겪으며 한 가지 느낀 것이 있다. 친구는 내가 의지할 수 있는 존재이자 나에게 없어선 안 될 존재이다. 또한, 긍정적인 생각을 하며 살아가는 것은 다른 누구보다 나 자신에게 큰 도움이 된다. 긍정적인 생각을 하며 산다는 말이 어쩌면 다른 누군가에겐 항상 자기합리화를 하며 살아가는 사람처럼 보일 수도 있을 것이다. 그러나 만약 친구들이 없었다면, 내가 계속 부정적인 생각만 했다면, '나는 어떤 생일을 보냈을까?' '매년 1학기 기말고사를 준비할 때 마다 내 생일은 왜 지금이지?', '왜 나는 생일임에도 불구하고 공부를 해야하지?'라는 생각이 항상 내 머릿속에 틀어박혀 있었을 것이다. 그러나 친구들, 그리고 긍정적인 생각 덕분에 내 생일에 대한 부정적인 생각이 많이 줄어들었다.

물론 부정적인 측면에 있는 생각이 완벽하게 없어졌다고 하면 거짓말이지만 긍정적으로 생각하고, 친구들이 나에게 축하해 준 때를 생각하니 언젠가 또 다시 생일과 시험이 겹치는 날이 오더라도 극복하고 열심히 공부할 수 있을 것 같다는 생각이 들었다. 앞으로 나에게 올 생일이 행복한 순간만은 아니겠지만 나는 긍정적인 측면을 찾아 나 자신을 가꿔 가야겠다.

유민

플레이어

CD플레이어는 나에게 그런 존재이다. 곁에 있어도, 곁에 없어도 함께한 기억만으로 충분히 힘이 되는 존재.

CD플레이어와 관해 떠올릴 수 있는 가장 오래된 기억은 어릴 적 영어 공부를 하기 위해 아동용 애니메이션을 봤을 때이다. 어렸을 때는 집에 있던 전자기기 중 하나였는데 커갈수록 CD플레이어와 함께 하는 시간이 늘어났다. 잠들기 전에 라디오를 틀어 두고 같이 잠들기도 했고 학원을 마치고 저녁에 돌아와 제일 좋아하는 CD를 들으며 쉬기도 했다. 공부할 때, 쉴 때, 그리고 힘들 때도 항상 노래를 들으며 힘을 냈고 위로를 받았다. 거의 모든 순간을 CD플레이어와 함께 했다.

나는 이 CD플레이어와 함께 어린 시절을 보냈고 몇 년 전까지만 해도 계속 잘 사용해 왔다. 그런데 CD플레이어가 망가졌다. 곧 망가질 거라는 생각은 했었다. 연결이 느려지고, 음질이 안 좋아지고. 쓰면서도 불편하다고 느꼈다. 그래도 막상 망가져서 쓸 수 없게 되니 아쉬웠다. 물론 금방 새로운 CD플레이어를 샀지만 CD플레이어를 쓰지 못 하는 그 짧은 시간이 허전하게 느껴졌다.

며칠이 지나서 우리 집에 도착한 새로운 CD플레이어는 조금 낯설었다. 본체 아래쪽에 붙어 있던 카세트테이프 플레이어 대신 생긴 블루투스 기능, 지지직거리는 잡음이 사라진 새 스피커. 외형은 예전의 것과 비슷했지만 그 기능은 꽤나 달랐다. 새로운 CD플레이어를 살펴보며 문득 나와 비슷한 구석이 많다는 생각이 들었다.

나의 첫 CD플레이어가 망가졌을 때쯤 나는 중학교를 올라오며 여러 고민이 있었고, 6학년 때 심했던 코로나로 인해 밖에 나가지 못했던 탓인지 새해마다 겪는 우울감이 유독 심해져서 중학교의 첫 학기가 시작하기 직전까지 무거운 시간을 보냈다. 그 시간 동안은 버거울 만큼 많은 생각을 했고 이런 고민들을 내가 해결하고 전처럼 살아갈 수 있을까 걱정도 됐다. 그래도 시간은 흘러갔고, 그제야 나는 내 고민들의 대부분은 바로 해결될 수 없고 결국에는 이 시간이 지나가야 해결될 것이라는 것을, 그래서 지금 힘들어 해 봤자 소용이 없다는 걸 알았다. 힘들었던 것만큼 나는 발전했고 많은 것을 얻었다. 물론 그렇다고 해서 내가 완전히 다른 사람은 아니다. 예전의 나도 지금의 나도 비슷하지만 좋은 쪽으로 조금 나아갔을 뿐이다. 마치 CD플레이어처럼.

CD플레이어를 바꾼 지도 벌써 3년이 다 되어간다. 나는 새로 생긴 블루투스 기능을 자주 사용하고 깨끗해진 음질도 마음에 든다. 그래도 여전히 전에 있던 카세트 플레이어와 배경음처럼 깔려 있던 노이즈가 그립다. 내 모습 역시도 지금의 생각이 많고 조금 더 차분해진 면이 마음에 들지만 가끔은 이제 찾을 수 없는 순수하고 마냥 해맑을 수 있었던 어린 나의 모습이 그립다.

　나는 아직도 CD플레이어와 많은 시간을 보낸다. 공부할 때, 쉴 때, 그리고 힘들 때. 나는 아직도 항상 노래를 듣고 또 그로 인해서 힘을 내어 새로운 것들을 해내고 위로 받으며 울기도 한다. 나를 무조건적으로 지지해 주는 존재가 있다는 사실은 생각보다 든든하다. CD플레이어는 나에게 그런 존재이다. 곁에 있어도, 곁에 없어도 함께한 기억 만으로 충분히 힘이 되는 존재. 과거의 나에게도, 현재의 나에게도, 미래의 나에게도 CD플레이어는 항상 함께할 것이다.

　가끔씩 내가 어른이 되어도 계속 CD플레이어를 곁에 둘 수 있을까 궁금해지고는 한다. 어른이 되어 더 이상 CD를 들으며 즐거워하지 않고 위로를 얻을 수 없게 된다 해도, 지금의 기억들이 나만의 CD플레이어가 되고 CD가 되어 내 곁에 남아있을 것이다.

JYH 엔터테인먼트 대표이사

딸기 밀크티 만드는 법

비 오는 날의 풀냄새 같은 카모마일, 꽃향기를 잔뜩 머금은 다즐링, 가을 날의 햇살 같은 데이지. 차들은 미묘하지만 저마다의 확고한 특색을 지닌다. 충분히 고민한 뒤, 티백 하나를 집어들고 물을 끓이기 시작한다. 수증기가 쇠에 닿아 달그락거리는 소리가 오늘은 싫지 않다. 물이 끓는 동안 차가운 우유를 꺼내고 딸기를 잘 씻는다. 물이 다 끓었다 싶으면 차의 포장지를 뜯어낸 뒤 잔에 조심스럽게 걸어둔다. 물이 찻잎 하나하나에 닿으며 방 안이 차향으로 가득 채워진다. 이대로 먹어도 충분할 한 잔에 우유와 딸기 몇 알, 꿀을 넣고 잘 섞는다. 오늘치 행복을 즐길 준비를 마쳤다.

최근 기사를 읽다 보면 행복할 자격을 갖는다는 게 참 어려운 것 같다. 누구는 외제차가 있어야 행복할 수 있다고 말하고, 누구는 강남에 아파트가 있어야 행복하다고 말한다. 또 누군가는 인형 같은 얼굴이 있어야 행복할 수 있다고, 좋은 대학에 들어가야 행복할 수 있다고 말한다. 몇 년 새에 빠르게 활성화된 소셜미디어는 경험을 공유하는 플랫폼에서 그저 개인을 과시하고 과장하는 곳으로 전락한 것만 같다. 소셜미디어와 대중매체는 빛나고 자극적인 소재를 비춰주며 개인의 행복을 너무 높은 허들에 걸어놓는다. 물론 SNS 자체가 나쁘다는 의미는 아니다. 나도 때때로는 현실인지 환상일지 모르는 그들의 빛나는 삶을 따라해 보고, 비교하고, 갈망하는 게 꽤 재미있기 때문이다.

보이는 행복들은 충분히 부러워할 만한 것들을 품고 있지만 그 행복의 어디까지가 허상인지는 알 수 없다. 설령 알 수 있다고 하더라도 그 행복의 크기를 알 수는 없다. 타인의 감정만을 좇다 보면 어느새 내가 정말 원했던 것이 무엇인지조차 모호해지기 마련이다. 나의 행복을 찾지 못한 채로 타인의 행복을 따라 하는 것에는 분명한 한계가 있다.

행복은 특별할 필요도, 새로울 필요도 없다. 그저 발견하고 배우면 되는 것이다. 우리의 기억을 되돌아 보면 행복했던 순간들은 꼭 특별한 날의 특별한 기억만은 아니다. 행복을 사전에서 찾아보면 ′사람이 생활 속에서 기쁘고 즐겁고 만족을 느끼는 상태에 있는 것′이라고 말한다. 우리는 생활 속에서 찾으면 되는 행복을 너무 먼 곳에서 찾고 있었을지도 모른다. 외제차를 갖고 싶던 사람이 지하철에서 책을 읽는 것에 기쁨을 느끼고, 인형 같은 외모를 갖고 싶던 사람이 반짝이는 귀걸이를 하는 것에서 즐거움을 찾을지도 모른다. 학교 동아리에서 우연히 만난 인연으로 생각지도 못한 꿈을 만나게 될 수도 있다.

행복한 사람은 행복을 발견할 줄 아는 사람이고, 행복을 즐길 준비가 된 사람이다. 행복은 지극히도 개인적이고 주관적인 감정이다. 처음 만나는 도전에서 행복을 찾는 사람도 있으며, 아무 일 없는 하루를 잘 보낸 것에 행복을 느끼는 사람도 있다. 행복의 형태는 상상할 수 없을 정도로 다양할 것이다. 누군가는 이름 모를 꽃의 사진을 찍는 것에서 기쁨을 느끼고, 누군가는 무대 위 가수의 공연을 관람하며 기쁨을 느낄 것이다. 우리는 타인의 행복에 대한 기준을 세울 수 없다. 그 누구도 나의 행복에 대한 기준을 세워주지 못하기에 우리는 스스로 건강한 행복을 찾아나가는 법을 배울 필요가 있지 않을까.

풀냄새, 꽃향기, 햇살을 가득 머금은 차 한잔처럼, 당신도 그저 평범한 삶의 한 순간을 행복이라는 이름으로 붙잡아 둘 수 있는 자신만의 방법을 찾았으면 좋겠다.

하영

내가 하고 싶은 것

나 또한 지금 해야 하는 걸 하지 않고 자신이 원하는 것만 하길 바란다면 그 사람이 바라는 멋진 미래는 없을 것이라고 생각한다.

한 달 전, 우연히 알고리즘에 뜬 일렉기타 영상의 썸네일을 봤다. 수많은 영상들 사이 그날따라 일렉기타 영상이 유독 눈에 들어왔다. 호기심인지 도전정신인지 모를 이끌림에 영상에 들어가게 된 나는 어느새 입문자용 일렉기타를 알아보고 있었다. 그 후로도 시간만 나면 내가 좋아하는 노래를 커버한 일렉 영상을 찾아보았고, 일렉기타 크리에이터들을 찾아서 팔로우하기도 했다. 관련 컨텐츠를 접하며 점점 '아 내가 이렇게 칠 수 있으면 좋겠다'라는 생각이 들었다.

엄마보다 비교적 관대하신 아빠에게 일렉기타를 치고 싶다고 말씀드렸다. 아빠께서는 일렉기타가 너무 멋지다고 하셨고, 네가 그걸 친다면 정말 멋질 것 같다며 흔쾌히 허락하셨다. 난 자신감이 붙어 엄마에게도 말씀드렸다. 하지만 엄마께서는 아직 사는 건 이르다며 먼저 대여를 해서 너에게 잘 맞는지, 흥미가 떨어지진 않는지 알아보자고 하셨다. 나는 기타 관련 오픈채팅에 들어가서 질문도 해 보고 초록창의 지식인에 질문도 남겨 보고 여러 방법을 동원해 기타를 대여할 방법을 찾으려 애썼다. 그러나 대부분 그 기간 동안 대여를 할 바에는 차라리 입문자용 기타를 하나 사는 게 가격도 저렴하고 여러모로 낫다는 의견이 많았다.

조심스레 엄마에게 검색한 내용을 말씀드렸지만 엄마는 아랑곳하지 않으셨다. 그렇다고 이제와 대여를 하기도 쉽지 않아 보였다. 몇날며칠을 꼬박 새워 찾아본 결과가 고작 이거라니 속상해서 기타 얘기를 더 꺼내지 않게 되었다.

그런데 며칠 후, 아빠께서 잠깐 거실로 와 보라며 방에만 박혀 있던 나를 부르셨다. 성적 얘기를 꺼내시려나 생각하며 마지못해 거실로 나갔다. 아빠는 네가 사고 싶은 기타가 뭐냐고, 더 필요한 건 없냐고 물어봐주셨다. 나는 결국 엄마 몰래 기타를 샀고, 그 날 밤 들켜서 아빠와 나 둘 다 엄마에게 죽도록 혼났다. 그 이후로도 앰프를 잘 못 사서 돈을 날린다거나, 3개월간의 용돈을 포기하고 잘못 산 앰프를 중고로 판 돈과 합쳐서 새로운 앰프를 중고 거래하러 한 시간가량 걸리는 곳에 지하철을 타고 가는 등 별별 짓을 다 했다. 그렇게 앰프, 일렉기타 본체, 연결선 등 기타를 치는데 기본적으로 필요한 것들을 다 구비했다.

처음에는 기타 줄을 만지는 것만으로도 생소해 곡은 어떻게 연주해야 할지 감도 잡히지 않았지만, 아빠께서 기타 학원 등록비를 주셔서 곧바로 동네에 기타 학원을 알아봤고 등록을 했다. 나는 기타를 치기 시작한 지 한 달이 조금 넘은 지금까지 학원에 다니고 있다.

누군가 나를 본다면 '전공도 아닌 취미에 왜 저렇게까지 매달리지?'라고 생각할 수도 있을 것이다. 하지만 난 아직 꿈이 없기에 취미 말고는 하루하루를 보내는 데에 뚜렷한 목표가 없다. 취미생활을 할 시간에 공부나 하라고 말 하는 어른들도 있겠지만, 사실 나는 기타를 치는 대신 3학년 마지막 기말고사 평균 80을 넘기기로 약속하였다. 나 또한 지금 해야 하는 걸 하지 않고 자신이 원하는 것만 하길 바란다면, 그 사람이 바라는 멋진 미래는 없을 것이라고 생각한다. 내가 취미에 이렇게까지 열중할 수 있던 이유도 어쩌면 우리 아빠께서도 같은 생각을 갖고 계셔서라고 생각한다. 이 글을 읽는 사람들도 본인이 하고 싶은 것에 진심을 다해 매달려 봤으면 좋겠다. 물론 지금 해야 할 일에 충실하면서!

포근이

그리움의 공식

철들면 무거워요

그 부담감이 심장을 짓누르는 바위였던 것도 같다. 금메달이 돌덩이로 추락하는 순간이었다.

'철 좀 들어라'와 '철들었다'. 유치원생 때부터 나는 후자의 말을 더 많이 듣는 아이였다. 내 자랑은 아니지만, 난 어릴 때부터 독서를 좋아했고 나를 정말 사랑해 주는 화목한 가정에서 자랐기에 마음이 따뜻한 어린이였다. 책에서 접하는 이야기들과 가정에서 나눈 대화들은 나를 생각 깊은 어린이로 자라게 도와주었다. 그런 내 모습을 본 주변 어른들은 나에게 성숙하다고 많이 말씀하셨었고, 철들었다는 말도 종종 하셨었다. 그때의 나에게 철들었다는 말은 다른 아이들과는 다르다는 말로 들렸기에, 그런 말을 들을 때마다 나는 모종의 우월감을 느꼈었다. 나에게 그 말은 형태 없는 금메달 같기도 했었다.

그 생각이 바뀌게 된 것은 초등학교 3학년이었다. 화목한 가정이었던 우리 집은 분열되었고, 나는 엄마와 단둘이 살게 되었다. 눈물은 나오지 않았다. 지금 생각해 보면, 그건 어쩌면 울면 안 된다는 강박이었을지도 모르겠다. 나는 철든 아이고 엄마는 나에게 꽤 의지하고 있으니까. 나는 그렇게 애처럼 울면 안 되는 거니까. 하지만 난 어느 순간부터 종종 숨을 들이마시고 내쉬는 것이 힘들다고 느끼게 되었다. 무거운 바위 같은 것이 심장을 짓누르고 있는 것만 같았다. 병이 생긴 것은 아니었다. 그냥, 조금 힘들었다.

부모님이 이혼하신 뒤로 나는 철들었다는 말을 더 자주 듣게 되었다. 학교에서는 공부 잘 하는 부회장이었고 집에서는 부족한 환경에서도 결핍 없이 자란, 기특한 딸이었다. 철들었다는 말을 듣는 것도 당연하였으리라. 그렇지만 그 무렵부터, 나에게 철들었다는 말은 참 어려운 말이 되었다. 이전에는 받으면 좋지만 받지 못 해도 별수 없는 금메달이었다면, 그 무렵부터는 꼭 받아야만 하는 금메달이 되었다. 나는 철든 아이여야만 했다. 아무도 나에게 강요하지 않았지만, 모두가 강요하는 것만 같았다. 그 부담감이 심장을 짓누르는 바위였던 것도 같다. 금메달이 돌덩이로 추락하는 순간이었다.

초등학교 5학년, 아빠를 만났다. 2년 만의 만남이었다. 2년 동안 만남을 피해왔었다. 아빠는 나에게 "하기 싫어도 해야만 하는 일이 있는 거야." 라고 말했다. 그렇게 우리의 만남을 정의했다. 나는 셋이 사는 게 참 행복했었는데, 내가 셋이 다시 살고 싶다고 몇 번을 말했음에도 그렇게 되지 못했는데, 나에게 최초의 포기를 가르쳐줬던 사람은 뻔뻔하게도 그런 말을 했다. 몇 번 만난 후에 난 다시 만남을 거부했다. 심장의 바위가 점점 커지는 것 같았기에, 상황을 회피하는 것처럼 보이지만 어쩔 수 없는 선택이었다.

나는 이 이후로, 지금까지 아빠를 만나지 않고 있다. 그리고 이 사건은 내가 철들지 않기로 결심한 계기가 되었다. 나는 철들지 않은, 어쩌면 미숙한 선택을 했고 결과는 나쁘지 않았다. 지금까지 난 단 한 번도 이 선택을 후회한 적 없다.

이 사건 이후로 나는 어찌보면 어리석고, 철들지 않았으며 비이성적이기도 한 여러 선택을 했다. 숙제를 미루고 친구를 만났다. 음식을 먹고 바로 설거지를 하지 않았다. 학원을 그만두고 혼자 공부하기를 선택했다. 어찌보면 내 나이에 이미 한 번은 했어야 맞는 선택들이었다. 모범적이라고 볼 수 없고, 바른 행동이라고 볼 수 없지만 한 번은 할 법한 선택들. 그 선택을 내리면서 나는 조금은 더 나다워질 수 있었고, 조금 더 솔직할 수 있었다.

우리나라의 많은 어른들은 아이들에게 철 좀 들라고 말한다. 철든 아이가 좋은 아이라고 생각하기도 하는 것도 같다. 하지만, 나는 아이들은 철들 필요가 없다고 생각한다. 이기적이고, 멍청하고, 비효율적인 선택을 내려도 된다고 생각한다. 당연히 너무 지나치면 안 되겠지만, 조금은 그래도 괜찮다고 생각한다.

몇 년 전, 인스타그램에서 '철들면 무거워요'라는 문장을 읽은 적 있다. 단순한 언어유희일지도 모르지만, 나는 그 말이 정말 맞다고 생각한다. 일찍 철들면 무거울 뿐이다. 짓눌리던 내 심장처럼. 조금은 가볍게 살아도 괜찮다고 생각한다. 우리 모두가, 조금은 천천히 철들면 좋겠다. 나는 그 말이 정말 맞다고 생각한다. 일찍 철들면 무거울 뿐이다. 짓눌리던 내 심장처럼. 조금은 가볍게 살아도 괜찮다고 생각한다. 우리 모두가, 조금은 천천히 철들면 좋겠다.

피어

익숙함에 가려진

평소에는 아빠의 표현이 서투르고 투박해서 제대로 느끼지
못했지만, 새삼스레 나를 향한 아빠의 사랑과 배려가 느껴지
는, 빗소리로 가득 찬 오후였다.

장난

다시 한번 내게 할아버지를 만날 기회가 생긴다면, 꼭 안아드리고 인사도 하고 싶다. 나는 오늘도 할아버지의 영원한 사랑을 받고 싶다.

명절이나 가족 모임으로 할머니 할아버지 댁에 가려고 차에 타면, 나는 언제나 신이 나곤 했다. 해가 들어오지 않는, 넓고 편한 자리에 오빠와 나 중 누가 앉을까 실랑이 하거나 작았던 내 몸에는 맞지 않는, 큰 안전벨트에 목이 졸려 답답해도 나는 그저 들떠 있었다. 나를 이렇게 들뜨게 만드는 것은 할아버지를 만난다는 것에 대한 기대감이었다. 당시, 난 할아버지와 노는 게 너무 좋았다. 도로를 달리며 할아버지와 무얼 하고 놀지 생각하다 보면 평소엔 길게만 느껴지던 1시간이 훌쩍 지나가 버렸다.

기다리고 기다리던 할머니 할아버지댁에 도착하면 차에서 서둘러 내리고 곧장 폴짝폴짝 뛰며 할아버지께 단숨에 달려갔다. "할아버지!" 있는 힘껏 할아버지를 부르면 할아버지께서는 "강아지 왔나?" 하시며 두 팔을 넓게 벌리시고는 포근하게 안아주셨다. 나는 그 따뜻한 품이 너무 좋았다. 하지만 이렇게 날 반겨주시는 것보다 내가 더 좋아하는 게 있었다. 바로 할아버지의 주름진 손을 약하게 꼬집으며 놀았던 것. 할아버지와 그렇게 놀 때면 웃음이 끊이질 않았다. 할머니 할아버지 댁에 놀러 가면 항상 하는 장난이었고, 어느덧 그 장난은 할아버지와 나의 인사와도 같았다.

몇 년 뒤, 나는 초등학교를 졸업하고 어엿한 중학생이 되었다. 중학생이 된 나는 가족보다 친구가 더 좋았고, 가족 모임에 가지 않는 것이 잦아졌다. 어쩌다 명절에 할머니 할아버지 댁에 가게 되면 반가운 할머니와 할아버지를 봬도 어색하게 굴기 일쑤였고, 어색해진 기류가 불편해져 어른들이 없는 방에 가서 혼자 놀곤 했다. 자연스레 할아버지와의 거리가 멀어졌고 인사와도 같았던 그 장난은 그저 어릴 적 추억이 되었다.

1년이 지나, 그 상태로 중학교 2학년이 되었다. 나는 전보다 할머니 할아버지 댁에 가기를 꺼렸고 가끔 안부 인사를 나누는 전화가 오면 피하기 바빴다. 시간이 조금 더 지나 여름방학이 되었다. 행복한 방학을 보내던 중 할아버지께서 아주 편찮으시다는 말을 듣게 되었다. 그리고 그로부터 하루 뒤, 할아버지는 돌아가셨다.

그 소식을 듣고, 나는 아무 말도 할 수 없었다. 곧 할아버지와의 추억이 주마등처럼 스쳐 지나갔다. 할아버지의 품, 둘만의 장난. 그때야 아차 싶었다. 더 이상 하지 못하는 그 장난은 내 기억 속에만 존재하는, 할아버지와의 소중한 기억이 되었다. 그 후엔 후회의 연속이었다. '친구와의 약속 때문에 가족 모임을 빠지지만 않았더라면 할아버지께서 참 좋아하셨을 텐데, 먼저 안부 전화도 드리고 먼저 안아드리고 단 한 번이라도 먼저 다가갔어야 했는데……' 하면서 말이다.

그날 이후로 많은 것을 느꼈다. 이 세상에 영원한 것은 없고, 후회해 봤자 바뀌는 건 없다. 그저 후회하기 전에 후회할 일을 만들지 않아야 한다. 나는 아직 할아버지가 너무 보고 싶다. 다시 한번 내게 할아버지를 만날 기회가 생긴다면, 꼭 안아드리고 인사도 하고 싶다. 나는 오늘도 할아버지의 영원한 사랑을 받고 싶다.

주오남

그리움의 공식

나의 영원한 목욕탕 메이트

| 우리 모두가 서로의 소중함을 알고 사랑받고 사랑해 주는 사람이 되었으면 좋겠다.

나는 어렸을 때부터 어린이집을 다니기 시작했다. 나는 그때 고작 8개월 이었는데, 그 당시 엄마가 너무 바빠서 어린 나를 두고 회사를 다녔다. 다행히도 외할머니께서 가까이 사셔서 어린 나를 돌봐주셨다. 가족들에게 물어보니 이모와 할머니가 나를 전담하여 키웠다고 한다. 근데 6살 때부터는 엄마가 잠시 회사를 쉬면서 할머니와 자연스럽게 멀어지게 되었다. 나는 성격이 무뚝뚝한 편이라 애교를 잘 부리지도 못하고 항상 어른스러운 척했다. 그래서인지 나에게 할머니는 가까우면서도 먼, 조금 어색한 사이라고 느껴졌다.

그러던 어느 날 성당을 가던 중이었다. 할머니께서 응급실에 실려갔다는 전화가 왔다. 할머니께서는 평소에 아프셔도 잘 이야기하지 않으시고 참는 무뚝뚝한 성격이었기에 그 소식은 우리 가족에게 더욱 더 갑작스럽게 느껴졌다. 의사는 지금 할머니께서는 신장이 안 좋아, 온몸에 독소가 빠져나가지 못하여 패혈증이 와서 열이 40도가 넘는 상황이고, 중환자실에 입원하실 만큼 꽤나 심각한 상황이라고 진지하게 말했다.

온 가족이 멘붕에 빠졌다. 누군가의 다가오는 죽음, 입원할 정도로 심각한 아픔은 처음 겪어보는 일이었다. 엄마도 아빠도 부모님이 다 살아계셔서 그런지 처음 겪는 일에 당황하여 우왕좌왕 하고, 침착한 아빠조차 충격이 가시지 않는 모습이었다. 외가에서 처음 느껴보는 차갑고 어두운 분위기 때문에 어린 나는 너무 무서웠다. 그때 엄마는 내가 태어나서 처음 보는 활기차지 않으신 모습이셨고, 무기력해 보이셨다. 조금 더 신경을 쓰지 못했다고 자책하던 엄마와 이모의 모습이 아직도 눈에 선하다. 그 당시 나는 어린 나이에 방에 들어가 혼자 울기도 하고, 기도하기도 했다. 그 후 엄마와 이모는 번갈아가며 할머니를 지극 정성으로 간호하고, 서로 의지하며 할머니의 병원생활을 도왔다. 그 덕분일까? 그 후 할머니께서는 병원에서 열심히 치료받으셔서 금방 회복하셨고, 일상으로 다시 돌아오실 수 있게 되었다.

그 사건 이후 할머니의 생신이 다가왔다. 우리 가족은 늘 누군가의 생일이면 그 주 주말에 다 함께 모여서 저녁 외식을 하며 축하해 주는데, 나는 학원 끝나고 바로 식당으로 가던 중이었다. 편지를 그날 오전에 까먹고 안 쓰는 바람에 주변 문구점에서 편지지를 사서 학원에서 집 가는 길에 의무적으로 쓰기 시작했다. 생신 저녁 외식 전에 써야 해서 진심 반 급함 반으로 썼던 기억이 있다. 식당에 도착해서 맛있게 저녁과 케이크를 먹고 선물을 나눠주는 시간이 되었다. 5학년이었던 나는 선물을 준비하지 못하여 편지를 읽어드리려고 했다. 그런데, 편지를 읽기 시작하는 순간, 울음이 터졌다. 그때 첫마디에 할머니를 울린 것도 아니고 내가 울었다.

"나의 영원한 목욕탕 메이트 할머니에게"

할머니께서 편찮으신 뒤로 한 번도 함께 목욕탕에 간 적이 없어서인지, 여태 할머니와 함께 해 왔던 추억이 하나하나 떠오른 건지 복합적인 감정에 울음이 터졌다. 어릴 적 매주 주말마다 나를 목욕탕으로 데려가 주시며 정성스레 때를 밀어주시고 요거트 팩을 해 주시면 피부가 보들보들해졌던 그때의 그 추억……. 아직까지도 목욕탕만 가면 할머니와의 추억이 가장 먼저 떠오르곤 한다. 무뚝뚝한 성격의 할머니였고 무뚝뚝한 성격의 나였어서 서로에게 애정표현을 한 적이 없었는데, 할머니의 품이 너무 따뜻했던 기억이 난다. 오랜만에 느꼈던 할머니의 사랑이었다. 그때 이후로 나는 할머니를 만나 뵐 때마다 항상 사랑한다고 말씀드리고, 음식을 해 주시면 맛있다고 표현하며 할머니와 더 나은 관계로 발전했다.

가족이라는 건 세상에서 가장 가까우면서도 서로의 소중함을 잊고 살다 보면 또 먼 관계가 되기도 한다. 그냥 가족이라서 내 마음 알아주겠지 당연하게 생각하는 것만큼 서로 멀어지는 길은 없다고 생각한다. 하지만 말을 하지 않으면 모른다. 그래서 요즘 우리 가족은 매일매일 서로 안아주며 사랑한다고 말해주기를 실천하고 있다. 가끔 까먹기도 하지만 의무적으로든 강제적으로든 사랑한다고 말하니 사이가 더 돈독해지는 것 같다. 우리 모두가 서로의 소중함을 알고 사랑받고 사랑해 주는 사람이 되었으면 좋겠다.

올챙이

우리 할머니와의 추억

| 지금도 나는 할머니가 엄마보다 좋다.

우리 할머니는 진짜 좋은 사람이다. 요리도 잘 하시고 모든 일에 진심이신 분이다. 항상 용돈도 주시고, 맨날 교회에 가셔서 우리 가족을 위해 열심히 기도해 주신다. 지금까지 있었던 좋은 일들은 할머니가 기도해 주셔서 있었던 것 같다. 옛날에는 엄마랑 아빠께서 일을 나가셔서, 할머니께서 어렸을 때 항상 돌봐주셨는데 할머니가 너무 좋아서 엄마가 와서 돌아갈 때 내가 가지 말라고 울어서 할머니께서 나를 재워주고 가셨던 기억이 있다.

항상 유치원이 끝날 시간이 되면 할머니께서 마중을 나와 계셨었다. 그런데 어느 날, 할머니께서 마중을 안 나와 계셨다. 나는 심장이 철렁했다. 3분을 기다려도 오지 않아 선생님과 다시 유치원 버스를 타고 유치원에 돌아갔다. 몇 분이 지난 후에 할머니께서 오셨다. 깜빡 잠이 들어서 마중을 못 나왔다고 하셨다. 나는 할머니 손을 잡고 집에 가는 길에 호떡을 먹어서 금방 기분이 풀렸다. 할머니께서 항상 마중을 나오셨던 것 외에도, 할머니와 나는 항상 유치원이 끝나고 공덕 쪽에 있는 '마포 족발'을 먹으러 갔다. 지금 생각해 보면 소소하지만 할머니랑 제일 좋은 기억은 족발을 먹은 기억인 것 같다.

어느 날, 할머니와 여느 때와 같이 자판기에서 율무차를 먹으면서 언니 학원에 마중을 같이 갔다가 오늘 길이었다. 공덕에 있는 육교를 지나오는 길에 언니랑 뛰면서 놀다가 육교 계단에서 발을 헛디뎌서 처음부터 끝까지 가로로 굴러떨어졌다. 그때 나는 눈과 눈썹 사이에 살이 찢겨져서 피가 너무 많이 났다. 지나가는 사람들이 주는 휴지로 피를 닦았다.

그때 아직도 생각나는 게, 나는 할머니의 그런 모습을 처음 봤었다. 할머니는 항상 강하고 웃는 줄만 알았는데, 그때 할머니께서 나를 안고 피를 닦으면서 울먹이셨다. 그러나 지혈이 안 되어서, 결국 구급차를 타고 병원에 가서 8바늘을 꿰맸다. 할머니는 치료받는 나를 보고 엄청 속상해 하셨다. 그때 엄청 큰 밴드를 붙이고 있었는데 엄마가 퇴근하고 와서 엄청 놀라셨다. 그날의 흉터는 아직도 선명하게 남아있다.

할머니랑 식자재 마트를 가서 장을 보는데 할머니께서 야채를 고르고 계실 때, 직원 아저씨께서 짐을 나르면서 쭈그려 앉아있던 할머니 엉덩이를 발끝으로 툭툭 쳐서 할머니와 아저씨가 싸움이 난 적이 있다. 나는 그때 너무 놀라서 울음을 터트렸다. 몇 년이 지난 지금도 생생하게 생각난다.

내가 초등학생 때 남자애들이랑 싸우고 오면 할머니께서 항상 발로 차버리라고 하셨다. 그러고는 나한테 태권도를 배우자고 하셨다. 할머니는 내가 항상 다치고 오거나 싸우고 와서 화날 때 맛있는 걸 만들어 주셔서 기분을 풀어주시고 나를 항상 기분 좋게 만들어 주시는 분이시다.

내가 언제 한번 1달 용돈이 7만원일 때, 용돈을 모아서 할머니 생신 때 9만 원을 드린 적이 있다. 내가 그때 "10만 원 맞춰서 드리려고 했는데..."라고 했을 때 할머니가 괜찮다고 너 용돈 모아서 준 것만으로도 너무 고맙다고 하셨다. 나는 그때 할머니랑 할아버지께서 감동 받으셔서 눈가가 붉어진 것을 봤다. 그래서 할머니께서 나에게 항상 용돈을 주실 때면 이 추억이 생각난다. 내가 나중에 성인이 되면 돈을 많이 벌어서 할머니 용돈을 엄청 많이 드릴 것이다 할머니께서 돈을 막 쓰셔도 돈이 많이 남도록 엄청 드릴 것이다.

　중학생 때 할머니께서 나에게 반지를 사주신다고 하며, 그 다음 주에 망원동에 있는 금은방에 가서 언니와 나에게 로즈 골드 반지를 하나씩 맞춰주셨다. 이 반지는 내가 제일 아끼는 것이 되어서 지금까지도 항상 빼지 않고 몇 년째 끼고 있는 중이다. 내가 중학교에 올라왔을 때도 1학년 때는 할머니 집에 자주 갔다. 그런데 2, 3학년 때는 시험도 보고 학원도 다니며 바빠져서 할머니를 자주 뵙지는 못 하였다. 그래도 적어도 한 달에 한 번은 꼭 간다.

　나는 할머니랑 오래오래 살고 싶다. 할머니께서 항상 내 곁에 계시면 좋겠다. 만약 할머니가 없으면, 김장은 누가 해 주고, 내 기분은 누가 풀어주나 걱정이 된다. 할머니는 언제나 내 편이다. 나는 옛날에 할머니가 나를 키워주셔서 내가 엄마보다 할머니를 좋아하는 건가 싶었는데 아니었다. 몇 년이 지난 지금도 나는 할머니가 엄마보다 좋다.

이똥

빗소리로 가득 찬 어느 오후

> 평소에는 아빠의 표현이 서투르고 투박해서 제대로 느끼지 못했지만 새삼스레 나를 향한
> 아빠의 사랑과 배려가 느껴지는, 빗소리로 가득 찬 오후였다.

토요일 오후 수학학원이 끝난 후 학원 건물을 나오니 바로 앞에 아빠의 차가 보였다. 햇빛에 은은하게 비쳐 평소보다 더 반짝거리는 것 같았다. 내가 차 앞으로 다가가자, 아빠는 창문을 내리고 "딸, 끝났어? 얼른 차 타!"라고 하곤 치아를 드러내며 나를 향해 활짝 웃었다. 그 웃음에 나도 보답하며 빙긋 웃고는 차에 탔다.

보통은 걸어서 데리러 오는데 그날은 유난히 날씨가 더워 차로 데리러 왔다고 하셨다. 차에 타니 시원한 에어컨 바람이 솔솔 나와 집에 가는 동안 쾌적한 기분으로 갈 수 있었다. 집에 가는 길에 비가 몇 방울 떨어져서 먹구름이 많아도 금방 그치는 비인가보다 했는데 점점 빗줄기가 거세지더니 소나기가 오며 거센 빗줄기가 차창을 사정 없이 때렸다. 5분 정도의 가까운 거리라서 집에는 금방 도착했지만, 막상 주차장에 도착하니 집에 들어가기가 싫었다. 그래서 아빠에게 집에 들어가기가 싫다고 말했더니 아빠가 그

럼 인왕산 뒤쪽으로 드라이브를 가자고 했다. 인왕산은 집에서 금방이어서 가끔 드라이브하고 싶을 때 차로 크게 한 바퀴를 돌고 오곤 한다.

아빠는 멈췄던 시동을 다시 켜고 거센 소나기 속으로 차를 몰았다. 막상 주차장 밖으로 나오자, 비가 너무 많이 내려 산 길을 차로 가기에 아빠가 운전하기 너무 힘들 것 같아 미안했다. 아빠한테 비가 너무 많이 오는데 힘들지 않겠냐고 물어보니 아빠는 다시 활짝 웃으면서 "비 오는 날 드라이브는 완전 좋지! 그리고 아빠는 딸이랑 간만에 둘이 드라이브 나와서 너무 좋은걸? 아빠는 딸이랑 데이트하는 거 좋아해"라고 대답했다. 아빠의 대답을 듣고 다시 생각해 보니 아빠와 둘이서만 무언가를 하며 함께 마지막으로 시간을 보낸 것이 정말 오래 전인 것 같았다. 아빠가 나와 단둘이 시간을 보내는 것을 이렇게까지 좋아하셨나라는 생각도 들었다. 나도 어렸을 때 아빠와 함께 했던 기억을 다시 떠올려 보니 행복하고 즐거운 감정만 남아있었다. 그리고 지금, 진짜 행복해 보이는 아빠의 표정을 보니 나도 덩달아 기분이 한결 편해지고 즐거워졌다.

차로 막 산길에 들어가려는 찰나 소나기가 마구 쏟아지는 와중에 밖에서 무언가가 번쩍거리더니, 곧이어 거대한 동물의 울음소리 같은 거칠고 큰 소리가 들렸다. 번개와 천둥이 친 것이었다. 아빠는 번개와 천둥이 친 것을 알고 뛸 듯이 신나하셨다. 아빠는 나를 보며 자신이 천둥소리를 들으니 듣고 싶은 노래가 생겼다면서 나도 한 번 들어보라고 노래를 하나 틀어주었다. <The thunder>라는 미국 노래인데, 천둥 소리가 배경인 노래였다. 이 노래를 트니 빗소리가 가득했던 차 안이 천둥소리가 담긴 노래로 가득 메워졌다. 아빠는 자신이 정말 좋아하는 노래라며 노래에 맞춰 흥얼거리며 리듬을 탔다.

평소에 차를 타면 보통은 내가 좋아하는 노래를 들어서 아빠가 이런 노래도 좋아하는지 몰랐었는데 아빠께서 좋아하시는 음악을 함께 들으니, 아빠의 음악적 취향을 온전히 느낄 수 있었다. 그리고 그동안 나를 위해 아빠께서 좋아하시는 노래보다는 주로 내가 좋아하는 음악을 많이 틀어주었다는 것을 깨달았고 그동안의 나를 위한 아빠의 진심 어린 배려가 느껴졌다.

빗소리와 천둥소리, 그리고 음악 소리가 함께 엮인 소리를 듣고 있으니, 마치 내가 현실 세계에서 벗어나 판타지 세계로 들어와 있는 기분이었다. 드라이브하는 잠깐의 시간 동안 나는 현실의 찌든 피곤함과 스트레스에서 완전히 벗어나 기분 좋은 편안함을 느끼고 아빠와의 특별한 추억을 만들 수 있었다. 나에게는 일종의 휴식 같고 소중한 시간이었다.

평소에는 아빠의 표현이 서투르고 투박해서 제대로 느끼지 못했지만, 새삼스레 나를 향한 아빠의 사랑과 배려가 느껴지는, 빗소리로 가득 찬 오후였다.

김수아

익숙함에 가려진

> 형제 자매는 무언가를 하지 않아도, 곁에 존재하는 것만으로도 사랑하기에 충분하다.

    형제 또는 자매를 둔 사람 중 단 한 번도 갈등을 겪어보지 못한 경우는 없을 것이다. 하지만 이처럼 가장 가까우면서도 원수 같은 형제자매의 관계를 표면적으로 보이는 것만을 바탕으로 해석해 성급한 판단을 내려서는 안된다. 조금만 더 깊이 생각해 보면 형제 또는 자매가 본인에게 좋은 의도로해 주었던 일들이 적어도 하나 이상은 떠오를 것이 분명하기 때문이다. 그러나 실제로 일상 속에서는 형제자매의 존재가 너무나 익숙한 나머지 그소중함을 망각하게 되는 경향이 있다. 어떤 중요한 것들은 알아차리는 데오랜 시간이 걸리거나, 특정 사건이 계기가 되지 않는 이상 깨닫기 어렵다.그 대표적인 예가 바로 형제자매의 소중함이라는 생각이 든다

    2020년 8월 말, 끝나가는 여름 방학의 그날은 여느 때와 다를 게 없었다. 적어도 에어컨 전선이 합선되기 전까지는……. 늘 그랬듯 집에 있던 엄마, 언니, 그리고 나는 시원한 에어컨 바람 속에서 각자의 할 일을 하고 있었는데 언니가 갑자기 말을 걸어 왔다.

"어디서 이상한 냄새 나지 않아? 나만 그런가?"

"그런 것 같기도……."

언니는 후각이 매우 예민한 편이다. 수상하고 낯선 냄새를 먼저 알아챈 언니는 엄마와 나에게 여러 차례 말했지만, 그 냄새에 대한 우리의 반응은 무덤덤했다. 그런데 냄새가 빠져나갈 수 있도록 창문을 열고 기다리면 기다릴수록 냄새는 더욱 심해졌고, 우린 그제야 불길한 예감에 휩싸였다. 냄새의 원인을 찾고자 온 집안의 전기제품을 샅샅이 뒤졌고, 우리는 곧 에어컨 뒤쪽 전선에 문제가 발생한 것을 발견했다. 어떻게 해야 할 지를 몰라 에어컨 앞에서 발만 동동 구르다 몇 분이 흘러갔고 연기가 점점 눈에 보이더니 금세 거실에 가득 차는 것이었다. 더는 에어컨 앞에 있을 수가 없었다. 엄마는 아빠에게 전화했고 소화기를 찾으러 갔다. 상황의 심각성을 파악한 나는 겁이 나 패닉 상태에 빠지기 직전이었다.

"여기서 이러지 말고 우린 일단 놀이터로 나가자."

언니가 나를 재촉했다.

"그럼, 엄마는 어떡해?"

나는 금방이라도 울 것 같은 목소리로 말했다.

"엄마는 괜찮으니까 어서 언니 따라 나가."

나는 밀려오는 걱정에 엄마도 같이 나오면 안 되냐고 고집을 부렸지만, 엄마는 너무나도 단호하게 집을 지키기로 결심한 듯 말했고, 결국 언니와 나 둘만 자욱한 연기 속에서 벗어나 1층으로 내려갔다.

언니는 침착함을 유지한 채로 119에 신고하며 동시에 초조한 내 마음을 달래주느라 바빴다. 우리는 엄마가 무사하길 백번도 넘게 기도했고 실제로 약 10분 만에 도착한 119는 언제 오는지 체감상 1시간은 걸리는 것처럼 느껴질 정도였다. 그리고 몇십 분 뒤 소방관에게서 상황이 무사히 종료되었으며 누구도 다치지 않았다는 소식을 전해 듣고 크게 안도했다.

　그때 만약 언니가 없었더라면 어땠을까? 상상조차 할 수 없을 정도로 그 당시 언니는 나에게 상당히 큰 위안이 되어 주었다. 언니도 돌발적인 상황 속에서 무척 당황스럽고 무서웠을 텐데 티를 안 내려 애쓰면서 나를 챙겨준 것이었다. 언니같이 믿고 기댈 수 있는 사람이 바로 옆에 있다는 점에서 문득 정말 축복받았다는 생각이 들었다. 한편으로는 '이렇게 언니가 내게 고마운 존재인데, 나는 언니에게 무엇을 해 줬지?'하는 질문을 던지게 되었다. 그리고 여러 고민 끝에 이런 결론이 나왔다.

　형제자매는 서로 대가를 바라고 좋은 일을 해 주는 관계가 아니다. 형제자매는 무언가를 하지 않아도, 곁에 존재하는 것만으로도 사랑하기에 충분하다. 따라서 나는 언니에게 상처를 주지 않도록 노력할 것이고 짐보다는 힘이 되는 동생이 될 것이다.

박까망

사랑하는 나의 달에게

내가 이토록 그 애를 아끼는 이유는 그 애가 내 밤하늘의 달이기 때문이다.

내가 지금 쓰고 있는, 네가 지금 읽고 있는 이 글은 오직 단 한 사람만을 위한 글이다. 내 달을 위한 글. 달은 검게 물든 밤하늘의 가장 큰 빛이다. 별은 수없이 많고 작지만 달은 유일무이하며 밤하늘에서 가장 큰 존재이다. 그게 별과 달의 차이다. 내가 그 애를 달이라 칭한 것도 그 이유다.

달, 그 애는 마치 환상 속에서만 존재할 것 같다. 나는 태어나서 그 애처럼 순수한 애를 본 적이 없다. 내가 지금 말하고 있는 순수란 악의가 전혀 없다는 것이다. 새하얀 깃털처럼 검게 물들여진 구석이 한 군데도 없다. 오히려 너무 새하얘서 걱정될 수준이니 말이다.

그 애는 나를 위해서라면 뭐든지 할 수 있다고 말해 주었다. 말만이라도 고맙다. 나도 그 애를 위해서라면 뭐든지 해 주고 싶다. 비록 내가 정말 밤하늘의 별을 따다 줄 수는 없을지라도 마음만큼은 별 몇천 개도 부족할 만큼 더 따다 주고 싶다. 아니, 달마저도 따다 주고 싶다. 내가 이토록 그 애를 아끼는 이유는 그 애가 내 밤하늘의 달이기 때문이다. 빛 한줄기 없던 검게 물든 내 밤하늘의 빛을 비춰준 유일한 달이기 때문이다. 아무리 수많은 별이 내 밤하늘을 비춰준대도 결국 별빛들은 달빛에 미치지 못한다. 그래서 그 애가 더 소중하게 느껴지나 보다.

사람은 언젠가 지친다. 우리에겐 '희망', '성공', '행복'의 길만이 주어진 게 아니다. '좌절', '실패', '고난'의 길 또한 섞여 있다. 그래서 우리는 항상 앞으로 나아가지만은 못한다. 가다가 주저앉고 미끄러지고, 때로는 다치기도 한다. 계속 넘어지고, 떨어지고, 결국 내 몸은 상처투성이었다. 그렇게 나는 결국 가던 길을 멈추고 그 자리에 주저앉았다. 그 순간 내 주변이 다 검게 물들었다. 앞이 보이지조차 않았다. 나는 모든 걸 포기하려고 했다. 다 끝이라고 생각했다. 그런데 그 순간 어디선가 빛 한 줄기가 내게로 내려왔다.

나는 그 순간 세상에서 가장 밝은 빛을 보았다. '햇빛인가?'라고 생각했지만 내 주변은 어두웠다. 밤인 것이다. 밤하늘에 태양의 정체가 뭔지 생각해 보았다. 바로 달이다. 그 빛은 달빛이었다. 그 달빛을 보고나니 주변의 별들도 보이기 시작했다. 그제야 나는 별들의 존재를 깨달았다. 달이 내게 별들의 존재를 알려준 것일까 내 밤하늘은 더 이상 어둡지 않았다. 아침이다. 내게 다시 아침이 찾아왔다. 이제 다시 새 하루를 시작해야겠다.

달, 달은 그저 지구 주변을 맴돌기만 하는 위성일까. 누군가에게는 '달'이라는 한 글자가 큰 의미로 다가왔을 수도 있다. 어떤 글자이든 내가 그 글자에 더 깊은 의미를 부여하면 나에겐 그 단어가 더 와닿을 수 있다. 나는 그 '달'이라는 한 글자에 위성이라는 뜻만 아니라 '그 어두운 밤을 밝혀주는 유일무이한 빛, 즉 내 어두컴컴한 마음을 밝혀준 유일한 사람'이라는 또 다른 하나의 의미를 부여했다. 내겐 '달'이라는 단어가 너무나도 특별했다. 그만큼 그 애의 존재가 내겐 과분했다. 난 네가 존재해 준다는 사실이 고맙다.

그 애의 단점, 단점을 굳이 써야 할까 싶다. 단점을 쓴다 한들 결과는 어차피 똑같다. 내겐 변하지 않을, 평생 대체되지 못할 소중한 존재라는 것이다. 또한 난 그 애한테 장점만 써 주고 싶다. 사람은 완벽할 수 없다. 그러나 그 애는 나에게 있어 완벽에 가깝다. 단점도 실수도 다 이해하고, 이해해 주고 싶다. '너는 좋은 사람이다'라고 말해주고 싶다. 그리고 그 애가 본인이 좋은 사람이라는 걸 깨달았으면 좋겠다. 내가 이 글을 쓰는 이유는 내 마음을 네게 전하는 동시에 널 웃게 만들고 싶어서이다.

별은 작고도 수많다. 달은 크고도 유일무이하다. 그게 별과 달의 차이다. 어두컴컴한 밤하늘에 빛을 비추는 달, 어두컴컴한 내 마음에 빛을 비추는 너. 너는 내 밤하늘의 달이다. 수많은 작은 별들이 아무리 밤하늘을 비춰도 단 하나의 큰 달이 비추는 빛이 내게는 더 와닿는다. 너는 내게 그런 존재다. 너는 내 어둠 속의 빛이다. 나도 너에게로 가서 네 어두운 밤하늘을 비추는 달이 되고 싶다.

오주원

사진앨범

사진을 보다 보니 지금 내가 입고 있는 옷을 입은 엄마가 보인다. 아가씨 같고 예쁘다.

왜인지 눈물이 날 것 같았다.

엄마가 옷을 정리하고 있다. 수북이 쌓인 먼지들 사이로 '이제는 맞지 않는 옷'이라는 메모가 보인다. 총 두 개의 박스로 하나는 상의 다른 하나는 하의로 정리되어 있다. 호기심이 생긴 나는 박스 위 먼지를 털어내고 하나둘 옷을 입어본다. 정말 맞춤이라고 해도 믿을 정도로 허리는 딱 맞았다. 이제야 키가 비슷해진 둘은 옷을 같이 입는다. 엄마는 나와 눈높이가 맞고 같은 사이즈의 옷을 입을 만큼 내가 큰 것이 정말 신기하고 예전부터 꿈꾸던 순간이라고 한다.

옷은 예전에 엄마가 이 옷을 입었다는 것이 믿기지 않을 정도로 나한테도 작았다. 내가 믿을 수 없다는 표정을 지은 채 다른 옷들을 살펴보니 자신의 앨범을 보여주겠다고 한다. 엄마의 20대 추억이 담긴 사진 앨범이다. 처음 앨범을 열어본 순간 수십장의 폴라로이드가 쏟아진다. 주섬주섬 사진들을 정리하고 찬찬히 살펴본다. 지금과는 또 다른 모습의 엄마가 남아 있다. 친구들과의 스키장, 파자마 파티, 초등학교 동창회 등 여느 20대같이 활짝 웃고 있는 사진들 뿐이다. 내가 엄마 곁에 없었던 활기차고 당당한 시절의 엄마를 만날 수 있었다. 웃으며 나에게 사진을 보여준다. 추억을 떠올리며 행복해 하는 엄마를 보니 나도 기분이 좋아졌다. 사진을 보다 보니 지금 내가 입고 있는 옷을 입은 엄마가 보인다. 아가씨 같고 예쁘다. 왜인지 눈물이 날 것 같았다.

엄마가 되기 위해서는 희생이 필요하다. 아이를 낳기 위해서는 자기 살이 늘어나고 터지는 것을 감수해야 하고 출산에는 말로 형용할 수 없을 만큼의 큰 고통이 뒤따른다. 육아하기 위해서는 굉장한 인내심과 많은 집중력이 필요하다. 이처럼 자신을 버리고 내 자식을 위해 한 몸 바쳐 살아가야 한다. 이러한 과정들을 다 겪었을 엄마를 생각하니 내가 아가씨 같은 모습과 청춘을 빼앗은 것 같았다. 나는 하지 못할 일 같다. 내 몸이 낡아 망가지고 부서진다. 그런데 어찌 아이를 키우며 살아갈 수 있겠는가? 나 혼자 살아가기도 벅찬 이 세상에서 또 다른 생명을 책임지고 살아간다는 것은 대단한 일이다. 세상의 모든 부모님은 해내셨다.

찰나의 순간이었지만 많은 생각이 오갔다. 엄마의 20대 중반부터 30대 중반까지 10년 가까이 되는 시간의 사진들을 눈에 담았다. 예전에 엄마가 나를 키우다가 문득 할머니를 보았는데 너무 많은 세월이 지나 늙은 자신의 엄마의 모습이 너무 가슴 아팠다고 이야기해 준 적이 있었다. 이처럼 점점 살이 붙고 키가 커지며 성장해 가는 나 뒤로 미세하게 팔자주름이 깊어지고 눈가에 주름이 생긴 엄마가 보였다. 다시 한 번 더 눈물이 흐를 것 같았지만 쑥스러운 마음에 눈을 꾹 감고 마음을 추슬렀다. 괜히 엄마를 보며 살이 쪘다고 장난도 쳐 본다. 뇌에서 그러면 안 된다는 시그널을 계속해서 보내고 있지만 진심으로 미안한 내 마음이 전달되지 않았는지 입이 멈추질 않는다. 차라리 어색하게 웃는 편이 나았을 지도 모르겠다.

엄마는 사진에서조차도 꿀이 떨어질 정도로 나에게 흘러넘치는 사랑을 주고 계셨다. 그런데 '나는 왜 애정 표현도 쑥스러워하는 걸까', '가족 간의 사랑한다고 말해본 지가 얼마나 되었지'와 같은 의문이 들기 시작했다. 이번에는 뇌에서 아무 필터링을 거치지 않고 나도 모르는 사이에 말이 나와 버렸다. "엄마, 감사해요." 내가 내뱉은 말임에도 불구하고 귀가 토마토색처럼 빨개졌다. 그리고 오늘이 아니면 다시 용기 내기 어려울 것 같은 말도 해버렸다. "그리고 사랑해요." 아까보다 훨씬 농도가 짙은 빨간색으로 귀가 달아오르기 시작했다.

오늘은 사진 앨범을 본 사소한 경험으로 엄마와 한 발짝 더 가까워진 날이다. 앞으로 이런 날이 차곡차곡 쌓인다면 누구도 부럽지 않은 진한 애정으로 매듭지어진 모녀 관계가 될 수 있다고 생각한다. 누구든지 최소한 나라도 부모님의 사랑의 크기가 얼마나 크고 자신을 생각하는 마음이 얼마나 깊은지 되돌아 보고 항상 마음에 지니며 살아갔으면 한다.

이수안

금은방

나에 대한 모든 사소한 행동 하나하나에 배려가 담겨있었지만, 난 사춘기라는 것을 핑계로 짜증만 내고 있었다. 얼굴이 홧홧해졌다.

어쩌다 그 이야기가 나왔는지는 모르겠다. 사춘기가 찾아온 후 자주 겸상하지 않았던 가족들과 오랜만에 둥그런 식탁에 빙 둘러앉아 함께 했던 저녁 식사. 우리 사이를 둥둥 떠다니던 이야기 중에 갑자기 떠오른 주제가 있었다. 바로 금은방.

내 송곳니가 아직 유치였던 시절, 오빠와 같은 초등학교에 다니던 시절. 엄마는 회사원, 아빠는 직업군인. 부모님보다 할머니와 함께 하는 시간이 더 많았던 나의 어린 시절에 갑작스레 들려온 것은 엄마가 회사를 그만두고 출판사를 세우셨다는 소식이었다. 나는 마냥 기뻤던 것 같다. 할머니와 같이 살지 못하는 것은 아쉽지만, 엄마가 퇴근하기를 기다리다 지쳐 잠드는 일은 이제 없을 테니까. 엄마가 집에 있는 시간이 많아졌다는 것과, 같이 서점에 가는 일이 많아졌다는 것 외에는 달라진 것이 없었다. 아니, 어린 시절의 나는 그렇게 생각했다.

엄마가 하루 종일 집에 있는 주말. 주말이 올 때면 나와 오빠, 엄마는 신촌으로 향했다. 백화점 식품관에 들러 저녁거리를 사고, 가끔은 영화도 보고. 그 나들이는 엄마가 출판사를 차리고 나서도 계속되었다. 그런데 그날은 달랐다. 평소에 가던 명물 거리가 아닌 백화점의 뒤쪽, 번화하지 않은 거리. 그 거리를 엄마의 손을 잡고 걷다 물었다.

"우리 어디 가?"

"금은방에 가."

금은방. 가본 적은 없어도 들어보지 못한 단어는 아니었다. 나와 맞잡은 손의 반대쪽에 들려있던 조그마한 주머니. 그 안에 들어있던 것은 금으로 된 결혼반지였다. 직업 특성상 타이핑을 많이 해야 하는 엄마가 화장대에 고이 빼두었던 결혼 반지. 가끔 휴가를 나올 때마다 보는 아빠의 왼손 약지에 끼워져 있던 결혼 반지. 두 개의 반지 중 작은 쪽을 엄마는 금은방에 팔았다. 여전히 사이가 좋고 이혼도 하지 않은 우리 부모님이 왜 결혼 반지를 팔았을까. 이내 잊힌 의문은 어쩌다가 그 이야기가 다시 수면 위로 올라왔을 때 해소되었다.

우리 사이의 대화 주제가 '금은방에 간 날'이 되었을 때 다시금 궁금해진 나는 엄마에게 물었다. 그때 왜 반지를 팔았느냐고. 엄마의 대답은 나로선 예상하지 못한 것이었다. 아니, 전후 상황을 생각해 보았다면 충분히 예상할 수 있는 답이긴 했다. 그 답인즉슨 그때 당시 우리 집은 외갓집이 지원을 해줘야 할 정도로 어려웠고, 그럼에도 부족하자 결혼반지를 팔았다는 것. 1인 출판사로 성공하기란 쉽지 않고, 그것은 우리 엄마에게도 해당하였다. 갚

아야 할 사업자 대출금, 잘 나오지 않는 수입, 나와 오빠의 학비. 그 어려운 상황 속에서도 엄마는 나와 오빠에게 ′어려운 집안 사정′에 대한 이야기를 일절 하지 않았다. 그렇기에 내가 전혀 예상하지 못 했던 것이다. 그때의 엄마는 여전히 우리와 함께 백화점에서 맛있는 저녁거리를 사고, 예쁜 옷을 사 주고, 원하는 취미생활을 하게 해 주었으니까.

엄마는 집안의 재정이 안정되었을 때야 그때의 이야기를 꺼내었다. 왜 말하지 않았냐는 물음에는 어린 아이가 걱정하지 않아도 될 문제였다고 답했다. 나는 말을 잇지 못했다. 한창 사춘기를 보내고 있었던 그때의 나는 부모님의 사랑에 대해 제대로 체감하지 못했다. 그러다 문득 부끄러워진 것이다. 보답 받지 못하고 있는 사랑을 하는 부모님, 그런 부모님의 사랑을 체감조차 하지 못하고 있었다는 것이. 그날 밤에는 잠이 오지 않았다. 그 대신 최근의 날 되돌아 보았다.

6시에 학원을 가는 나를 위해 5시 반 전에 저녁밥을 차려주는 부모님. 시험 기간이면 더 자주 동생을 데리고 밖에 나가는 부모님. 항상 먹고 싶은 것이 있냐 물어봐 주고, 요구하지 않아도 선뜻 학교에 데려다 주시는 부모님. 나에 대한 모든 사소한 행동 하나하나에 배려가 담겨 있었지만, 난 사춘기라는 것을 핑계로 짜증만 내고 있었다. 얼굴이 화끈해졌다. 모두 앞에서 말실수했을 때보다 부끄러웠다. 다음 날 아침, 피곤한 몸을 이끌고 아침밥을 준비하는 엄마와 아빠에게 어색하게 말을 건넸다. 잘 잤느냐고, 좋은 꿈 꿨느냐고. 약간 놀란 듯 보이던 부모님은 이내 내게 웃어주셨다.

한서아

추억이 담긴 요거트

| 그때의 추억을 떠올리고 나니 내 마음은 다양한 감정들로 채워졌다.

내가 학원에 가기 전에 할머니 댁에서 간식을 먹기 시작한 것은 6살 때였다. 학교가 끝나고 피아노 학원에 가기 전 늘 할머니 댁으로 향하곤 했다. 두근두근한 마음을 가지고 할머니 댁에 가면 할머니와 할아버지께서는 미소 지으며 나에게 인사를 건네주셨다. 인사를 하고 방에 들어와 텔레비전을 보고 있는 나의 모습을 보신 할머니께서 잠시 부엌으로 가셨다. 몇 분 뒤, 방문이 열리고 나는 방으로 들어오시는 할머니를 봤다. 할머니께서는 쟁반 위에 요거트를 담은 컵을 올려 가져오셨다. 나는 평소대로 간식을 주시는구나 하고 컵을 들었다.

할머니께 "잘 먹겠습니다."라고 인사를 드린 뒤 요거트를 숟가락으로 한 입 크게 떠먹었다. 나는 깜짝 놀랐다. 평소에 나는 요거트 먹는 것을 좋아해 마트나 편의점에서 자주 사 먹었다. 그러나 할머니께서 주신 요거트의 맛은 시중에 파는 요거트와는 전혀 다른 맛이었다. 훨씬 진하고 덜 달았다. 나는 놀란 표정을 하며 할머니께 "이 요거트 직접 만드신 거예요?"라고 여쭈어보았다. 할머니께서는 직접 만들었다고 하시며 맛있냐고 하셨다. 그러자 나는 고개를 끄덕이며 너무너무 맛있어서 다음에도 또 먹고 싶다고 말씀 드렸다. 그 뒤로 나는 요거트를 아주 맛있게 먹었다. 요거트로 가득 차 있던 컵은 내가 싹싹 긁어 먹어 깨끗해져 있었다. 할머니께서는 그것을 보시며 뿌듯한 미소를 지으셨다.

내가 한 말 때문인지 할머니께서 내가 할머니 댁에 갈 때마다 요거트를 간식으로 많이 주시곤 하셨다. 나는 보통 같은 음식을 자주 먹으면 질려하는 특징을 가지고 있었다. 그러나 요거트를 먹으면 먹을수록, 할머니께서 만들어 주신 요거트는 질리지 않는다는 깨닫게 되었다. 이런 음식이 처음이어서 신기하기도 하고 '역시 우리 할머니의 요리 솜씨는 훌륭하시지! 우리 할머니 짱!'이라고 생각하였다.

어렸을 때 나는 할머니 댁에서 굉장히 가까운 거리에서 살았었다. 그래서 자주 갈 수 있었고 맛있는 간식도 먹을 수 있었다. 그러나 지금은 아니다. 나는 중학교 2학년 때 이사를 와서 할머니 댁과 거리가 멀어졌다. 그래서인지 할머니 댁에 가는 횟수는 급격하게 줄어들었다.

16살이 된 지금 나는 학교와 학원을 반복해서 다니며 하루하루를 살아가고 있다. 그러다 어느 날, 학원이 끝나 집에 오니 어머니께서 그릭 요거트를 만들어 놓으셨다고 하셨다. 식탁 위에 놓여 있는 그릭 요거트를 보자마자 나는 떠오르는 것이 있었다. 바로 내가 어렸을 적 할머니 댁에서 먹었던 요거트였다. 나는 식탁에 앉아 요거트를 먹기 시작했다.

요거트를 먹다 보니 내 머릿속은 나의 어렸을 때 모습으로 가득 차기 시작했다. 요거트를 먹으면 먹을수록 어렸을 때 할머니 댁에 가면 할머니와 할아버지께서 나를 보시고는 활짝 웃어주시던 모습이 떠올랐다. 그때의 추억을 떠올리고 나니 내 마음은 다양한 감정들로 채워졌다. 할머니, 할아버지와 함께 했던 추억을 생각하면 기분이 좋아지기도 하고 그때로 돌아가고 싶다는 생각이 들기도 했다. 그리고 나에게 좋은 추억을 선물해 주신 할머니, 할아버지께 감사하다고 말씀드리고 싶다.

오연서

파스와 아버지

당신의 아버지는 나의 아버지와 같이 파스를 몸에 달고 살지 않는 분일 수도 있다. 하지만 겉으로 드러나지 않는 곳에 파스가 필요한 분일 수도 있다.

5~6년 전 나의 아버지는 파스와 결혼했다고 말할 수 있을 정도로 파스를 많이 붙이고 다니셨다. 한때 어머니와 내가 별명을 '파스맨'이라고 붙일 정도였다. 직업상 아버지는 8~9시간 정도를 앉아서만 일을 하셔야 했는데, 이는 허리와 꼬리뼈에 무리를 줄 수밖에 없었다. 게다가 그 시기에는 일도 많았으니 더욱 많은 부담을 주었을 것이다. 파스는 보통 어머니가 붙여주셨는데, 아무래도 어머니가 하루 종일 아버지와 함께 계실 수가 없으니, 어머니가 옆에 계시지 않을 때는 내가 직접 붙여드렸다. 아버지께는 죄송하지만, 솔직히 말하자면 그 일은 귀찮았다. 움직이는 걸 싫어하는 나였기에 아버지께 직접 가 붙여드려야 하는 게 귀찮은 건 어쩔 수 없었다. 더군다나 그때마다 파스의 싸한 냄새 또한 맡았어야 했다.

위에 말했듯 아버지는 파스를 많이 붙이고 다니셨기에 아버지를 안을 때마다 아버지에게서는 파스 냄새가 났다. 그 당시에는 파스 냄새가 그다지 달갑지 않았기에 아버지를 안은 다음에는 인상을 찌푸리게 되었다. 이러한 이유로 나는 어려서부터 파스를 별로 좋아하지 않았다. 아버지가 파스를 안 붙이면 좋겠다는 생각도 많이 했었다. 하지만 시간이 지나면서 그냥 아버지가 얼른 나았으면 좋겠다는 생각밖에 안 하게 되었다. 파스 냄새가 나도 아버지가 정말 아프시구나, 같은 생각만 하게 되었다.

이런 생각을 하고 나니 아버지가 예전에 하셨던 말씀이 기억났다. 예전에 아버지에게 왜 그렇게 파스를 많이 붙이시냐고 여쭈어 본 적이 있다. 위에서 말했듯 어릴 적 기억 때문에 아버지 몸에서 파스 냄새가 나는 걸 좋아하지 않기도 했고, 그냥 순수하게 궁금하기도 했기 때문이었다. 그러면 아버지는 너무 아프니까, 라고 하셨다. 하지만 그때의 아버지는 너무 많은 파스를 붙이셨다.

생각을 해 보면, 아무리 제대로 앉거나 조심한다 한들 일을 꾸준히 하려면 아버지는 몸을 혹사할 수밖에 없었다. 아버지가 일을 안 하고 잠깐 쉬면 거래처에서 일을 보내지 않을 수도 있었기에, 아버지는 아파도 일을 하셔야 했다. 이러한 상황에서 아버지는 본인의 몸을 위해 몇몇 거래처를 포기하고 일을 이어가셨어도 됐었다. 하지만 아버지는 그렇게 하시지 않으셨다. 아마 아버지라는 가장의 무게 때문에 그러셨던 것 같다. 가장으로서 돈을 벌어야 하셨기 때문이다. 본인이 쉬면 일이 끊기게 되고, 그러면 돈을 많이 벌지 못할 것이니, 본인의 몸을 혹사하면서까지 열심히 일을 하셨던 것이다.

혹시 이 글을 읽으며 아프면 파스를 붙이는 게 아니라 병원에 가야 한다고 하는 사람이 있을 것 같아 말하자면, 아버지는 병원도 다니셨고 물리치

그리움의 공식

료도 받으셨다. 하지만 효과는 없었다. 거기다 병원을 매번 가기에는 돈도 들고 시간도 드니, 그저 파스로만 버티셨던 것이다. 아마 아버지께 파스의 정의는 남들과 달랐을 것 같다. 아버지에게 파스가 없었다면 아버지는 버티지 못하셨을 것이다. 여기까지 생각하고 나니 아버지에 대한 존경심이 들었다. 이 힘든 일을 아버지는 30년이 다 되어갈 정도로 오래하고 계시다. 이 정도로 오랜 시간은 아무리 치료해 나아진다고 해도 다시 안 좋아질 시간이다. 그럼에도 아버지는 꾹 참고 오늘도 일을 해내고 계신다.

난 본인의 몸이 아파도 열심히 돈을 벌어오는 아버지의 모습을 보고 고마움을 느꼈고, 아버지의 몸에 한가득 있는 파스를 보고 소중함을 느꼈다. 아버지의 직업은 의자에 오래 앉아 일을 하면서 손을 많이 쓰는, 그러니까 그렇게 흔한 직업은 아니다. 당신의 아버지는 나의 아버지와 같이 파스를 몸에 달고 살지 않는 분일 수도 있다. 하지만 겉으로 드러나지 않는 곳에 파스가 필요한 분일 수도 있다. 그러니 이 글을 읽고 당신의 아버지에 관한 생각에 고마움이라는 키워드가 추가되었으면 한다.

라이언

사춘기와 엄마의 위로

그리고 사람이 힘든 일이 있으면 위로를 받아야 한다는 것을.

　나에게 그것이 오고야 말았다. 나를 굉장히 힘들게 하고, 주변 사람들까지 힘들게 하는 것. 고쳐지는 약도 없는 바로 그것, 사! 춘! 기! 내겐 초등학교 5학년 초반, 조금 이른 나이에 사춘기가 찾아왔다. 처음엔 모든 일에 다 짜증이 나고, 아무것도 하기 싫은 상태가 지속되는 게 사춘기 때문이라는 걸 인지하지 못했다. 단순히 피곤해서 그런 줄 알고 이를 대수롭지 않게 여긴 채, 매일 같이 예민함과 불안함을 안고 살아갔다.

　그러던 어느 날, 친구와 갈등이 생겨 서로 싸우게 되었다. 이로 인해 나는 기분이 영 좋지 않았다. 원래도 예민했는데, 그날따라 더욱 신경이 날카로워지고 짜증이 몰려왔다. 끝내 이러한 상태는 나아지지 않았고, 나는 그대로 집으로 향했다. 집에 도착하자 나를 반갑게 맞이해 주시는 엄마가 있었다. 그런데 그날 유독 엄마가 나를 반겨주는 것이 탐탁지 않았다.

　나는 기분이 나쁜 상태인데, 엄마는 기분이 좋아 보이는 이 상황이 못마땅했다. 그래서 나는 날이 선 말투로 엄마를 대했다. 그럼에도 엄마는 오히려 무슨 일 있었냐며 나를 걱정해 주셨다. 하지만 나는 혼자 있고 싶었는데, 엄마가 계속 나한테 말을 거시는 게 마음에 들지 않았다. 결국 나는 엄마한테 신경 쓰지 말라며 성질을 냈다. 그러자 엄마도 나한테 화를 냈다. 그렇게 높아진 언성은 싸움으로 번지게 되었다.

그 뒤로 며칠간 엄마와 대화하지 않았다. 처음에는 엄마가 차려주던 밥 대신 내가 먹고 싶은 걸 먹을 수 있어 좋았고, 내가 원하는 대로 지내는 생활이 만족스럽기까지 했다. 그러나 이러한 생활이 닷새 정도 이어지자, 엄마의 빈자리가 느껴지기 시작했다. 내가 직접 밥을 만들어 먹는 일이 귀찮아지고, 내가 하고 싶은 것들만 하다 보니 시간을 낭비하게 되어 정신을 차리면 어느새 저녁이 되어 있었다. 게다가 평소 나는 걱정거리가 있을 때마다 엄마에게 내 고민을 털어놓고, 함께 풀어 나갔었다. 그렇지만 이젠 내 이야기를 들어줄 사람이 없으니 답답했다. 이러한 불편함은 자연스레 그동안의 내 태도를 되돌아 보는 계기가 되었다.

나는 맨날 별것도 아닌 일로 성을 내고, 엄마가 나를 걱정해 주는 것을 잔소리로 치부하곤 불만을 표해 엄마에게 상처를 주었다. 너무나도 죄송했다. '내가 왜 그런 말을 해서 엄마의 마음을 아프게 했을까?'라는 생각으로 후회와 반성도 많이 했다. 그래서 나는 엄마에게 진심 어린 사과의 말을 전했다.

"요즘 내가 계속 우울하고, 툭하면 짜증이 나. 그래서 엄마한테 상처를 줬어. 미안해."

엄마는 내 사과를 받아 주었고, 내게 이런 말을 건네셨다.

"네가 지금 겪고 있는 건 사춘기야. 사춘기는 네가 어른이 되어가는 과정이지. 아주 힘들고 속상한 거 엄마도 다 알아. 엄마도 다 겪어 봤으니까. 괜찮아. 이제부턴 힘든 일 있으면 엄마한테 말해. 엄마가 도와줄게."

"괜찮아."라는 말을 듣자 눈물이 났다. 나는 사춘기가 온 후부터 하루하루가 벅찼다. 누군가가 내게 당장 듣고 싶은 말을 묻는다면, 망설임 없이 괜찮다는 말이 필요하다고 대답할 정도로. 그런 시기에 엄마가 괜찮다며 나를 다독여 주시니 남몰래 담아둔 아픔들이 사라지는 것 같았다.

그 후로 나는 사춘기를 극복하기 위해 참는 연습을 했다. 사소한 것에 과하게 반응하지 않고, 언짢은 일이 있어도 다른 사람한테 화풀이하지 않도록 말이다. 이러한 노력과 함께 나는 사춘기가 온 지 1년이 채 안 되어서 이 혼란스러운 상황을 극복할 수 있었다. 솔직히 그때 했던 행동들이 지금은 정말 후회된다. 동시에, 나는 다시 한 번 깨달았다. 엄마는 나에게 있어 없으면 안 되는 존재라는 것을. 그리고 사람이 힘든 일이 있으면 위로를 받아야 한다는 것을.

Luna

후회할 바엔 노력하자

가족들과의 어색함은 내가 그만큼 가족들과 대화를 안 해서 그렇게 느끼는 거지, 실제로의 가족 간 어색함이 아니라고 생각했다.

요즘 많은 학생들이 사춘기로 인해 가족들과 멀어지고 있다. 나도 요새 아이들처럼 게임, SNS 등과 사춘기로 인해 가족과 함께하는 시간이 줄어들고 있다. 특히, 시간이 지날수록 아빠와 점점 더 멀어지고 있다는 것을 체감한다. 엄마는 재택근무를 하셔서 대화할 시간이 충분히 있다. 하지만 아빠는 아침 일찍 회사에 가셨다가 늦게 돌아오셔서 같이 보낼 시간이 주말 외에는 거의 없다. 심지어 나 혹은 아빠가 혼자나 친구들과 시간을 보내게 되면 주말조차 시간이 없는 것이다. 그럼에도 불구하고, 나는 거의 대부분의 시간을 혼자 혹은 친구들과 보내고 있다. 이런 생활이 반복되다 보니 가족들과 어색해지는 것은 당연한 결과였다.

방구석에서 항상 핸드폰만 하는 나는 최근 아빠의 제안으로 단둘이 대학로에 갔다. 대학로에 도착하자마자 연극표를 예매하고, 시간이 남아서 공차에 갔다. 평소에 친구들이랑만 가던 공차를 아빠랑 가보니 기분이 묘하고 조금 불편하기도 했다. 음료를 마시는 동안 아빠와 나 사이에 차가운 기류가 흘렀지만, 아빠와 조금씩 대화를 하다 보니 분위기도 풀어지고 아빠에 대한 불편함이 점점 사라지는 것 같았다.

공차에서 음료를 마시고 난 후, 아빠와 나는 소극장에 가서 연극을 봤다. 연극의 제목은 <옥탑방 고양이>로, 굉장히 발랄하고 경쾌한 분위기의 연극이었다. 연극을 보는 동안은 행복하고 좋았지만, 동시에 많은 생각이 들었다. 일단 아빠와 단둘이 놀러 온 것도 기억이 안 날 정도로 오랜만이었다. 게다가 평소에 함께 할 시간도 없이 바쁘셨을 텐데 나를 위해서, 쉴 수 있는 주말에 대학로까지 와 주셨다는 생각에 너무 죄송하고 감사했다. 나는 늘 나를 위한 나만의 시간이 최우선이었는데, 아빠는 그렇지 않다는 생각에 너무 감사했다. 창피하지만, 솔직히 연극을 보는 동안 어느 순간부터 나도 모르게 눈물이 나왔다.

최근에도 아빠가 "적어도 주말에는 가족 4명이 모두 같이 밥을 먹으면서 대화하자."라고 하셨던 적이 있다. 이 말을 듣는 순간, '아빠도 우리 가족의 관계가 멀어지고, 어색해지고 있다는 것을 알고 있으셨구나.'라는 생각이 들었다. 동시에, 정말 많은 감정이 스쳤던 것 같다. 가족에 대한 죄책감이 들기도 했고, 엄마 아빠는 나를 위해 이렇게 노력해 주시는데 왜 나는 그 기대에 부응하지 못하는지 속상하기도 했다.

저번 주말에는 가족과 함께 걸어서 경복궁에 갔다. 경복궁에 행사가 있길래 보러 갈 겸, 오랜만에 외식도 했다. 가족과 함께 보내면서 어색하긴 했지만, 은근히 편하고 따뜻한 느낌이었다. 가족과 돌아다니면서 이러한 가족 간 사이에 대해 계속 생각해 보았다. 나는 가족과 어색하다는 것은 말이 안 된다고 생각한다. 가족들과의 어색함은 내가 그만큼 가족들과 대화를 안 해서 그렇게 느끼는 거다. 앞으로는 아무리 힘들고 귀찮아도 가족과 대화하려고 노력해야겠다. 글을 쓰면서 왜 사람들이 '있을 때 잘 하자'라는 말을 했는지 이제야 이해한 것 같다. 이해하고 난 뒤로, 이렇게 짧은 문구가 가지고 있는 무게감이 크다는 것을 알게 되었다. 이 말을 떠올리면 그동안의 나 자신이 너무 후회된다. 앞으로는 가족과 최대한 시간을 내서 대화를 더 많이 하려고 꼭 노력할 것이다.

이영욱

어쩌면 당신에게 도움이 될 만한 이야기

종착역에 도착해 더 이상 앞으로 나아가지 않는다 해도, 예상치 못한 사고가 발생해 잠시 운행을 지연하거나 중지한다고 해도, 다음 날 혹은 다음 운행 시간이 되면 늘 멈추던 그 자리에서 잠시 멈추었다가 계속해서 달린다.

"나는 어떤 죽음을 맞이하게 될까?"

아빠께서 친할아버지 기일 예배 설교 중 하신 말씀이다. 그 말을 듣는 순간 나도 모르게 눈물이 핑 돌았다. 가볍게 들을 수도 있었던 그 얘기를 들으며 내 눈에 눈물이 핑 돌았던 이유는 무엇이었을까?

며칠 전, 잘 준비를 마치고 핸드폰으로 인스타그램 릴스를 보고 있었다. 그러던 중, '인생 살면서 후회하지 않는 꿀팁'이라는 영상을 보게 되었다. 처음엔 웃긴 영상인 줄 알고 아무런 생각 없이 보고 있었는데, 영상의 내용은 내가 생각했던 것과는 전혀 다른 내용이었다.

가족과 함께, 정말 사소하고 일상적인 영상이어도 상관없으니, 영상을 찍어 놓으라는 내용의 게시글을 보여준 뒤, "아버지가 사고로 돌아가시기 전에 이 영상을 보고 동영상을 찍었었는데, 정말 꿀팁이었다. 동영상을 찍는 내내 아버지의 수줍어 하셨던 모습이 사소하지만 정말 진짜 같다. 게시글을 올리신 분에게 너무 감사하다."라는 내용의 답글이 달리는 것을 보여주는 영상이었다. 그 영상을 보고 나니, 그동안 가족의 소중함을 잊고 있었던 것 같아 미안하고 후회되는 나머지 영상의 내용을 잊을 수가 없었다. 그렇게 부모님의 말씀을 듣지 않았던 것, 동생과 싸웠던 것, 가족과 함께 밥을 먹으면서 핸드폰만 했던 것 등을 생각하며 후회하고 있던 찰나, 친할아버지의 추모 예배 중 아빠께서 자신이 어떤 죽음을 맞이하게 될 지에 관한 이야기를 하신 것이다.

중학교에 입학한 이후로 학교에 있는 시간이 늘어나게 되고, 시험 공부를 하느라 그리고 친구들과 노느라 정작 태어날 때부터 모든 순간을 함께 했던 가족들과 보내는 시간이 줄어들게 됐다. 몇 주 전까지만 해도 이에 대해 별 생각이 들지 않았는데, 최근에는 가족들과 추억을 쌓아야겠다는 생각이 들었다. 그래서 나는 부모님께 가족 여행을 가자고 졸라보기도 하고, 인생네컷을 찍자며 이야기도 해보았다.

이런 추억을 쌓는 노력 뿐만 아니라, 부모님과 대화하며 엄마 아빠의 학창 시절은 어땠는지, 그때 두 분의 성격은 어땠는지, 엄마는 나를 낳을 때 얼마나 힘들었는지, 그때 무슨 일이 있었는지 등을 물어보며 서로 대화하기 위해 먼저 주제를 던지고 질문하기도 했다. 그렇게 부모님과 여러 가지 주제로 대화하고 나니 즐거웠고, 마음이 평온해졌다.

이러한 노력에도 불구하고, 내 할 일을 조금씩 미룬다거나, 부모님께 말도 없이 친구들과 약속을 잡는 등의 행동으로 인해 여전히 크고 작은 갈등은 생기게 될 수밖에 없었다. 예전에는 이러한 갈등이 싫고, 미래에 후회하게 될까 봐 심하게 자책하며 부모님께서 내 마음도 몰라주신다고 생각했다. 하지만 이제는 좀 다르게 생각하려고 한다.

누구나 지하철을 놓친 적은 한 번씩 있을 것이다. 나 또한 그렇다. 허나, 지하철은 정해진 시간이 되면 늘 그 자리에 다시 돌아온다. 종착역에 도착해 더 이상 앞으로 나아가지 않는다 해도, 예상치 못한 사고가 발생해 잠시 운행을 지연하거나 중지한다고 해도, 다음 날 혹은 다음 운행 시간이 되면 늘 멈추던 그 자리에서 잠시 멈추었다가 계속해서 달린다. 어쩌면 인생도 같을지 모른다. 목표가 있어 같은 행동을 반복하고, 때로는 같은 실수를 반복하기도 한다. 하지만 그런 실수 때문에 심적으로, 육체적으로 고통스러울 때 우리를 정해진 시간에 다시 역으로 갈 수 있게 해주는 힘의 근원은 가족이라고 생각한다.

지하철 간의 사고가 일어날 수 있듯, 가족끼리도 예기치 못한 일로 서로 간의 갈등처럼 부정적인 일이 생길 수 있다. 그러나 서로의 소중함을 다시 깨닫게 되면, 서로에게 금방 사과하고 화해하며 더욱 돈독해진다. 이렇게 소중한 가족들이 너무 익숙해진 나머지 그 소중함을 느끼지 못하고 있었다면, 이 글을 읽고 나서 가족들의 소중함을 되새기는 시간을 가졌으면 좋겠다.

이진

소중함

말에도 기한이 있다고 한다. 그 날짜가 지나서 말하지 못해 후회하지 말고 지금 말해 보는 게 좋겠다. 오늘은 엄마한테 가서 "사랑해"라는 이 한마디를 해보는 것이 어떨까?

여느 때와 같이 평범하게 학교가 끝나 지하철을 타고 집으로 돌아가는 길이었다. 하늘은 몽글몽글한 구름으로 가득 차 있었고 날은 한없이 따스했다. 이런 좋은 날은 나가 놀아야 하지만, 이젠 노는 것도 귀찮아 할 지경이었다. 집에 들어가니 엄마가 방에 누워 있었다. 나도 방으로 들어가 뒹굴뒹굴 누워서 휴대폰을 보기 바빴다. 휴대폰을 보면 시간은 정말 순식간에 지나간다.

저녁 시간이 되었다. 그런 날이 있지 않은가? 엄마가 예민한 날. 우리집엔 귀여운 동생이 있다. 동생은 나와 띠동갑에, 아주 말도 안 듣는 개구쟁이이다. 엄마는 이런 동생을 돌보며 일하느라 산후우울증도 모자라서 일에 대한 스트레스까지 더해져 극강으로 예민하다. 오늘이 그런 날이었다.

엄마가 극강으로 예민한 날에, 하필이면 내가 엄마 옷을 입고 나갔다 온 것이다. 원래라면 엄마는 아무 말 안 했겠지만, 오늘은 달랐다. 잔소리 폭탄이 날아왔다. 왜 자기 옷을 입고 갔느냐부터 시작해서 공부는 안 하냐, 방

좀 치워라, 언제까지 뭉그적거릴 거냐까지 수많은 폭탄 발언이 날아와 내 귀에 박혔다. 물론 내 잘못으로 인해 벌어진 일이었지만, 이런 잔소리는 엄마가 극강으로 예민했기에 날아온 것이었다. 결국 나도 지지 않고 한마디 했다.

"아 좀 그만해, 왜 자꾸 잔소리야. 엄마 또 나한테 화풀이하지?"

엄마는 기가 찼는지 대답이 없었다. 난 엄마한테 '왜 나한테 화풀이야?'라는 말을 자주 쓴다. 엄마에게 잘못을 떠넘기려고 하는 말도 맞지만, 가끔은 정말 엄마가 나에게 화풀이하는 것도 맞다.

사실은 엄마도 내게 화내고 싶지 않을 거다. 누가 소중한 딸한테 그러고 싶겠는가? 더 좋은 것, 좋은 말만 해 주고 싶은 거, 나도 잘 안다. 하지만 그런 화풀이 같은 말을 들으면 나도 모르게 화가 난다. 그래서 무심코 엄마에게 모진 말을 할 때가 많다. 하고 나면 '아차!' 싶기도 하다가, 그 상황이 되풀이되면 또 다시 실수를 한다. 이런 일이 비일비재하게 일어난다. 어느 날은 엄마에게 "이럴 거면 왜 낳았어?"라고 한 적도 있다. 이 말은 아직도 엄마에게 너무 미안하다.

엄마랑 자주 옥신각신하며 느낀 건, 싸우면서 더욱 돈독해진다는 것이었다. 주변 친구들이 나와 엄마는 꼭 친구 같다고 그런다. 그 말이 맞는 것 같다. 엄마와 난 항상 싸우지만, 그걸로 계속 뚱해 있지는 않다. 그리고 밖에서 겪은 섭섭하고 힘든 일은 서로에게 다 이야기한다. 이럴 때마다 '우리 엄마도 기댈 곳이 필요했나 보다, 힘들었던 일을 들어줄 사람이 필요했나 보다.'라는 생각이 들어 울컥한다.

그리움의 공식

나에겐 엄마가 너무 소중하다. 맨날 싸우고 다퉈도 엄마는 엄마다. 이걸 읽는 사람에게 엄마라는 존재가 어떤 의미일진 모르겠지만, 엄마에게 너무 모질게 하진 않았으면 한다. 엄마는 그 누구보다 날 아끼고 사랑하며 걱정한다. 그러니 이 글을 읽는 누군가가 혹시라도 엄마와 싸우게 된다면, 오랫동안 미워하지 말고 엄마를 좀 더 이해하고 사랑했으면 좋겠다. 엄마도 사람이다. 엄마도 실수를 한다. 실수하고 나면 누구보다 미안해할 것이다. 말은 안 해도 많이 미안해하고 있다. 그러니 자식인 우리가 조금 더 부모님의 마음을 이해하려고 노력한다면, 엄마와는 더욱 돈독해질 것이다. 나중에 늙어서 엄마와 시간을 보낼 날이 얼마 남지 않았을 때 깨닫는 것보다는 시간이 많이 남은 지금, 좀 더 표현하고 사랑하는 게 낫지 않을까.

말에도 기한이 있다고 한다. 그 날짜가 지나서 말하지 못해 후회하지 말고 지금 말해 보는 게 좋겠다. 오늘은 엄마한테 가서 "사랑해"라는 이 한마디를 해보는 것이 어떨까? 엄마는 겉으론 왜 저러냐는 듯한 표정으로 우릴 바라볼 수도 있겠지만, 속으론 아주 좋아할 거다. 엄마를 조금 더 소중하게 생각했으면 좋겠다.

홍시은

붕어빵

내가 힘들 때 엄마가 그런 말을 해줘서였을까, 아니면 뜨거운 붕어빵 때문에 입천장이 까져서였을까.

2022년 12월, 중2 때의 나와 내 친구들은 곧 있을 기말고사를 위해 공부하고 있었다. 항상 그랬듯, 세상에서 제일 하기 싫은 표정으로 책상에 앉아 그나마 쉬워 보이는 자습서부터 펼쳤다. 중학교에 올라온 뒤, 처음으로 많은 양의 공부를 하게 되었기에 어디서부터 시작해야 할지 몰라 혼자 고민이 많았다. 하지만 자습서를 편 지 일분 만에 공부하기 전에는 먼저 의지가 있어야 한다는 생각이 들었다. 나는 누워서 친한 친구와 왜 시험을 봐야 하는지에 대해 한참을 얘기하다가 또 다른 주제에 대해서도 수다를 떨었다. 수다가 끝난 뒤, 책상에 앉아서 공부하기 위해 의자를 당겼다. 하지만 내 눈은 이미 핸드폰으로 향하고 있었다. 나는 또다시 자신에게 30분의 휴식 시간을 허용했다. 그 30분이 1시간, 1시간이 2시간이 되고도 한참이 지났다.

시험이 2주밖에 남지 않아서인지 다른 친구들은 평소 공부량의 2~3배를 하고 있었지만, 나는 아직 제자리였다. 그제야 심각성을 느끼고 책상에 앉아 공부하기 시작했다. 날씨가 별로여서였는지, 오늘 먹은 점심이 별로여서였는지 내 눈은 책을 보고 있었지만, 내 정신은 이미 책을 떠난 지 오래였다. 그렇게 몇 시간이 지나고 공부한 것은 많이 없었지만, 너무 피곤해서 잠에 들었다.

다음 날도 내 핸드폰의 디데이 앱을 보고 놀란 마음을 달랜 뒤, 다시 공부를 시작했다. 오늘은 공부하기 좋은 날씨여서 짐을 싸고 스터디 카페에 갔다. 과학 자습서를 봤는데, 내가 배우지 않은 것 같은 내용이 있어서 매우 당황스러웠다. ′과학은 나중에 하자.′라는 마음으로 역사 자습서를 폈지만 똑같았다. 내가 배우지 않았다고 생각하는 내용들이 너무 많았다. ′포기할까?′도 생각해 보았고, ′처음부터 다시 해야 하나?′라는 생각도 했다. 하지만 답은 내가 이미 알고 있었다. 나는 저장했던 인터넷 강의를 1.5배속으로 들으면서 시험공부를 다시 시작했다.

시험 이틀 전, 나는 내가 시험을 잘 볼 수 있을지에 대해 너무 많은 걱정을 하고 있었다. 그걸 본 엄마는 내가 안쓰러웠는지 날도 좋은데 잠깐 나가서 걷다 오자고 했다. 나와 엄마는 바빠서 그동안 못 봤던 영화를 보고, 맛있는 점심도 먹었다. 집에 들어가기 전에는 마지막으로 공원을 걸었다. 마침 붕어빵 파는 아저씨가 계셔서 엄마와 붕어빵도 먹었다.

엄마랑 둘이 붕어빵을 먹으면서 길을 걷는데, 한숨이 나왔다. 집에 가면 다시 공부해야 한다는 생각이 머릿속을 스쳤기 때문이다. 엄마는 나의 이런 모습을 봤는지 내 팔짱을 끼면서 말했다.

″인생은 길고, 너는 지금 인생을 살아가다 한 가지의 시련을 겪는 것뿐이

야. 그러니까 엄마는 네가 잘 했든 못 했든 너 스스로를 원망하지 않았으면 좋겠어."

눈물이 날 것 같았다. 내가 힘들 때 엄마가 그런 말을 해줘서였을까, 아니면 뜨거운 붕어빵 때문에 입천장이 까져서였을까. 나는 깨달았다. 사람은 참 단순하다는 걸. 이런 말 한마디가 내 힘들었던 시간을 버티게 해 주다니.

메추리

부모님의 진심

감동을 주거나 추억이 깃든 물건들은 비싼 것보단 비싸지 않은 게 더 많은 것 같다.

대부분의 사람들은 어린 시절의 기억들에 영향을 받으며 미래를 살아간다. 그것이 좋은 기억이든 안 좋은 기억이든, 그리운 추억 내지 괴로운 추억이 된다. 어릴 땐 엄마 아빠의 희생과 노력이 당연한 건 줄 알았는데, 티브이를 틀면 쏟아져 나오는 아동학대 뉴스를 보고 '엄마 아빠가 날 정말 잘 키워준 거구나.'라는 생각이 자꾸 든다. 고맙고 미안한 감정들이 뒤섞여서 부모님을 생각할 때마다 눈가에 눈물이 맺힌다.

어렸을 적의 나는 자면서 부모님이 돌아가시는 꿈을 자주 꿨다. 그럴 때마다 엄마는 자다가도 벌떡 깨서 나를 꼭 안아주면서 달래주셨다. 그러면 불안했던 마음이 평온해지고, 행복하게 잠에 들 수 있었다. 요즘은 힘들 때마다 '걱정도 없고 편하게 살던 그 시절로 돌아가고 싶다.'라는 생각이 자꾸 든다.

나는 태어났을 때부터 엄마, 아빠, 할머니, 할아버지와 같이 살았다. 할아버지는 무뚝뚝하셔도 할아버지만의 사랑을 듬뿍 주셨다. 할머니는 특유의 말투 때문에 다른 사람들이 보면 화내시는 것처럼 보이지만, 진정으로 나를 위한 말씀을 해 주셨다. 이렇게 사람마다 사랑을 전하는 방법은 모두 다르다는 걸 꽤 이른 나이에 알았기에, 어릴 때부터 남들보다 가족을 향한 불만은 많이 없었던 것 같다. 하지만 초등학교 저학년 때는 가족들한테 애교도 많이 부리고 애정 표현도 많이 했는데, 고학년이 되자 점점 짜증을 더 많이 내고 마음 표현도 많이 줄었다. 항상 잘해 주시기만 하는 부모님께 죄송한 게 많다. 물론 지금 후회해도 소용없다는 걸 잘 안다.

하루는 할머니가 시장에서 장을 보고 무거운 짐을 들고 가는 걸 친구들과 함께 있을 때 봤다. 하지만 친구들이랑 계속 놀고 싶기도 하고, 귀찮기도 해서 할머니를 모른 척하고 말았다. 심지어 친구가 이런 말을 했는데도 말이다.

"저기 너희 할머니 아니야?"

"그런가? 난 잘 못 봤는데."

나는 할머니를 애써 모른척했다. 그깟 친구랑 한번 노는 게 뭐라고. 그로부터 몇 년이 지났지만, 이 일은 자꾸 생각나서 나를 힘들게 한다. 잘못한 건 난데.

이제라도 내 진심을 표현하고 싶은데, 지금은 내 마음을 표현하는 게 너무 부끄럽다. 언제는 엄마가 폴라로이드 카메라로 찍은 엄마 아빠의 어린 시절 사진을 보여줬다. '엄마 아빠도 나처럼 어린 시절이 있었구나…….'라는 생각이 들면서 머리가 복잡해지고, 묘한 기분이 나를 감쌌다. 그대로 방으로 달려가서 꾹 참고 있던 눈물을 쏟아냈다. 어쩌면 내가 몰래 운 걸 엄마는 눈치챘을지도 모른다.

아빠 차를 탈 때마다 아빠가 틀어주던 노래가 있었는데, 차 뒷자리에 누워서 듣던 그 노래는 왠지 나를 슬프게 만들었다. 유재하의 <우리들의 사랑>이라는 노래였다. 동생은 다른 노래를 틀어달라고 했지만, 나는 그 노래가 좋았다. 이런 옛날 노래만 들으면 왜 아빠가 생각나는 건지.

물론 나 또한 중학교 2학년 때 흔히들 말하는 질풍노도의 시기를 심하게 겪기도 했다. 그래도 지금은 꽤 괜찮은 딸의 역할을 하는 것 같다. 언제는 친구랑 놀다가 엄마 아빠 생각이 나서 조그마한 꽃다발과 몇 줄 안 되는 편지를 선물했다. 화려하지도 않고 비싸지도 않은 하찮은 꽃다발이었지만, 엄마 아빠는 정말 좋아했다. 이런 사소한 선물에도 좋아해 주는 엄마 아빠를 보며 뿌듯하면서도 한편으로는 마음이 짠했다.

나도 2살 때 엄마 아빠가 처음으로 사준 인형이 있다. 당시 기억은 잘 나지 않지만, 인형을 처음 받았을 때부터 지금까지 쭉 애착 인형으로 가지고 있다. 감동을 주거나 추억이 깃든 물건들은 비싼 것보단 비싸지 않은 게 더 많은 것 같다.

국어책

주머니에서 꺼낸 유선 이어폰처럼

많은 사람들은 자신이 슬플 때 끝까지 참고 고민을 털어놓는다.

어떤 사람은 숨어서 다른 사람 눈치를 보지 않고 그동안의 참

아온 눈물을 터트린다. 인생을 살면서 힘든 순간은 누구에게나

한 번쯤은 오게 되어 있다.

사랑의 끝은

사랑의 끝은 항상 이별이지만 그 이별도 나 자신을 한 단계 성장시킬 수 있는 계단이라고 생각한다.

과거, 나에게는 4년 지기 남사친 한 명이 있었다. 초등학교 때부터 친했던 친구라, 이 친구와 연애를 시작하게 될 거라곤 상상도 못 했었다. 언젠가부터 그 친구는 나에게 하루에 한 번씩은 꼭 연락을 했고, 나도 점점 그 친구에게 마음이 갔다. 나는 정도 많고, 사람을 좋아하는 성격이라 그 친구가 나에게 관심을 주니 나도 그 친구에게 관심을 두게 되었다. 그 친구와 연락을 약 2주 동안 이어가며, 우리는 말하지 않아도 서로의 마음을 잘 알게 되었다.

그날 밤, 나는 알지만 모르는 척 그 친구에게 "너 나 좋아해?"라고 물어봤다. 너무 떨려서 침대 위에 혼자 팔딱팔딱 뛰는 내 모습은 마치 생선 같았다. 돌아오는 그 친구의 답변은 "응, 좋아해"였다. 나는 너무 행복해서 미쳐버릴 것만 같았다. 그 친구의 답변을 예상하고 있긴 했지만 막상 들으니 실감이 나질 않았다. 또 평생 친구 사이라고 생각했던 친구와 연애를 한다는 것도 믿기지 않았다. 그렇게 그 친구와 말로만 듣던 ′오늘부터 1일′이 시작되었다.

그 친구랑 사귀고 나서 처음으로 전화를 하게 됐다. 일주일 정도 지나고 처음으로 데이트라는 것을 하게 되었다. 데이트를 하면 어색할 줄 알았는데, 생각보다 괜찮았다. 다음 번에도 약속을 잡고, 학원 끝나고 잠깐 만나고, 그렇게 우리의 추억이 점점 쌓여갔다. 하지만 70일째 되던 날에 권태기가 왔다. 서로 처음보다 관심이 사라지고, 서로에게 익숙해지다 보니 그랬던 것 같다. 그 시기를 견뎌내면 더욱 가까워진다는 것을 알고 나는 꾹 참고 견뎌냈다. 정말 신기하게 며칠 뒤에 극복이 됐다.

그렇게 그 친구와 100일, 200일, 300일... 1주년을 넘겼다. 하지만 그 무렵, 그 친구가 다른 여자 아이와 연락하고 있다는 것을 듣게 되었다. 나는 그 순간 그 친구에 대한 배신감과 속상함이 치밀어 올랐다. 나는 연애할 때 이성과 연락을 안 하는 것이 서로에 대한 배려라고 생각한다. 그래서 혼자 끙끙 앓다가, 내 생각을 말하는 것이 좋겠다고 생각하여 그 친구에게 말했다.

그 친구는 알겠다고, 앞으로는 안 하겠다고 나와 약속을 했다. 하지만 그 후에도 4번, 5번... 주위에서 많은 얘기가 들려왔다. 결국, 나는 그 친구에게 헤어지자고 말했고 그 친구는 나를 붙잡았다. 사실 나는 그 친구가 싫어진 게 아니라, 그 친구가 하는 행동이 싫어서 헤어지자고 말한 것이었기에, 그 친구가 날 붙잡으니 마음이 쉽게 풀렸다. 400일, 500일까지 가서 나는 그 친구와 똑같은 이유로 여러 번 헤어질 뻔했다. 그래서인지 이젠 헤어짐에 대해 무뎌졌다.

사람들은 익숙함에 속아 소중함을 잃지 말라고 말하곤 한다. 나는 신중하게 생각했고 또 생각했다. 그 결과, 나는 그 친구와 헤어지기로 다짐을 했다. 헤어지자고 말할 자신이 나지 않았지만, 이번이 아니면 난 분명 또 후회할 것이 분명하기 때문에, 그 어느 때보다 마음을 단단히 먹었다. 나는 그 친구에게 정말 마지막으로 장문의 이별 통보를 했다. 그 친구도 나의 진심이 전해졌는지 나를 어느 때보다 더욱 붙잡았다. 난 절대 흔들리지 않았다.

　그 이후로 그 친구는 내 집 앞에 찾아와서 울며 나를 붙잡았고 계속 연락을 해왔다. 처음엔 나도 그 친구가 나와 연락을 안 하면 너무 힘들다고 해서 받아줬다. 그러다 보니 점점 내가 지치고 힘들어졌다. 헤어지고 나서는 정리를 깔끔히 해야 하는데, 그렇지 못하고 있다는 것에 현타도 왔다. 난 결국 그 친구에게 연락하지 말라고 단호하게 말했다. 그렇게 우리의 연애는 끝났다.

　길다면 길고 짧다면 짧은 시간이었다. 난 절대 그 친구와 사귀었던 것을 후회하지 않고, 헤어진 것도 후회하지 않는다. 연애를 할 때는 자신을 먼저 사랑하는 것이 중요하다. 내가 나를 더 잘 알고 사랑할 줄 알아야 건강한 연애를 할 수 있다. 사랑의 끝은 항상 이별이지만 그 이별도 나 자신을 한 단계 성장시킬 수 있는 계단이라고 생각한다. 만약 이별 때문에 힘들어 하는 사람이 있다면, 이 글을 읽고 조금이나마 괜찮아졌으면 좋겠다. 언제 어디서나 나 자신이 제일 중요하다는 것을 잊지 말아야 한다.

김모미

슬픔은 나누면 두배

이 글을 보는 당신에게, 기운 내고 앞을 보고 뛰길 바란다

많은 사람들은 자신이 슬플 때 끝까지 참고 고민을 털어놓는다. 어떤 사람은 숨어서 다른 사람 눈치를 보지 않고 그동안의 참아온 눈물을 터트린다. 인생을 살면서 힘든 순간은 누구에게나 한 번쯤은 오게 되어 있다. 매 순간 행복할 수 없기 때문이다. 행복이 온다는 건 불행도 머지않아 올 수 있다는 뜻이기도 하다. 그 불행을 이기지 못하고 아등바등 견디던 사람도 참지 못하고 무너지는 순간이 있다. 그럴 때 그 사람들은 주변 사람들에게 도움을 요청한다. 주변 사람이 도와줄 때 대부분 사람은 '슬픔은 나누면 반이 된다.'라는 말을 자주 한다. 결론적으로는 그 말은 의미가 없다. 이 말을 한다고 해서 주머니에서 꺼낸 유선 이어폰처럼 엉킨 문제를 해결할 수는 없다. 이 글을 읽고 있는 당신은 자신이 이 이야기에 포함되지 않는다라고 생각한다면, 지금이라도 멈추는 게 맞다.

언제나 늘 하던 대로 학원이 끝나고, 불이 잘 나오지 않아 위협적인 가로등 사이 지름길로 걸어다니다 보면 어릴 때 생각이 난다. 나는 어릴 때 이

길을 같이 다니던 친구와 자주 지나갔다. 걸음을 걷다가 나는 의도하지도 않았는데도 멈추게 된다. 그 친구와 여기서 논 추억이 주마등처럼 스쳐가기 때문이다. 그 친구와는 3년 전부터 연락이 안 됐다. 초등학교 졸업 후부터다. 그 친구와 나의 마지막 연락은 긍정적이지 않았다. 나는 뜻밖에 눈치가 좀 있지만, 말을 안 할 뿐이다. 그래서 나는 그 친구가 얼마나 힘든지 이미 알고 있었다. 종종 그 친구는 나에게 힘들어서 고민을 털어놓는 내용의 문자를 보낸다. 물론 마지막 문자 내용 전까지는 나도 그 친구 이야기를 잘 들어주고 있었다.

그러던 어느 날, 비가 칼처럼 무섭게 내리는 여름 방학의 새벽대였다. 조용히 귀를 기울이면 매미 울음소리가 선명하게 들렸다. 너무 피곤한 나머지 잠을 청하려던 순간 휴대전화기 진동이 울리면서 그 친구에게 내용이 많아 보이는 문자가 왔다. 잠금 화면 미리 보기로 봤을 때 너무 충격적이었다. 내용을 보자마자 잠이 확 달아났다. 그러면서 한편으로는 불안함과 걱정이 되기 시작했다. 왜냐하면, 도와주기 힘든 부탁을 했기 때문이다.

만일 내가 도와줬다면, 지금 여기에 내가 없었을 것이다. 친구가 힘들고 슬픈 건 이해가 된다. 그러나 나는 그 부탁을 거절했다. 그러고 나서 연락이 끊겼다. 끊기고 난 이후에 나는 그 친구에게 잘 못해준 거 같아서 슬퍼했기도 했고, '이게 맞나?'라는 생각이 들기도 했다. 연락이 끊기기 전에 그 친구는 슬픈 걸 풀기 위해 나한테 말한 거라고 했다. 내가 이토록 슬퍼하는 이유가 이것이라고 판단된 결정적인 말이다. 결국엔 슬픔을 나누려다가 둘 다 슬퍼졌다. 즉 다시 말해서 슬픔이 2배가 된 거와 같다.

이와 같은 일은 청소년기라면 적어도 한 번씩은 경험할 수 있다. 그런데 요즘에 인터넷이 발달해서 여러 뉴스를 돌아다니다 보면 청소년 자결을 하거나 집을 나가는 것, 즉 가출하는 사례가 점차 증가하는 추세인 걸 알 수 있다. 청소년들이 공부 학업 등등 여러 이유도 있지만, 나는 때로는 극심한 우울증이라 생각이 든다. 그러면 그 우울증은 도대체 어디서 오는 것일까?

결론적으로는 슬픔을 친구 및 지인들에게 나눠서이다. 물론 슬픔을 나누면 반이 된다는 말도 틀린 말은 아니다. 슬픔을 해소하려고 나누면 슬퍼하던 사람의 슬퍼하는 감정의 반은 사라진다. 그러나 사라진 슬퍼하는 감정은 듣고 있는 주위 사람들에게 간다. 곁에 사람이 있으면 좋을 것 같다고 생각을 한다면 감정적으로 공감해 주는 고민 상담을 요구하는 것보다 해결책을 주는 고민 상담을 요구하는 게 낫다. 감정적인 고민 상담은 감정 소모가 심하기 때문이다. 그리고 해결책을 주는 고민 상담이 별로다 싶으면 취미를 만들어 보거나 하는 것이 좋다. 그러면 어느 순간부터 우울한 감정이 불처럼 서서히 꺼진다. 난 무리다 하면 진짜 못하고 난 할 수 있다 하면 진짜 할 수 있다. 이 글을 보는 당신에게, 기운 내고 앞을 보고 뛰길 바란다.

Flos

양′s 고민상담소로 당신을 초대합니다!(친구편)

> 그러니까 우리 이 어둠이랑 친해져보자. 그런 말이 있잖아. "피할 수 없으면 즐겨라!"
> 내가 제일 좋아하는 말이라고!

어이! 거기 예쁜 언냐! 요즘 잘 지내? 밥은 먹었어?! 나는 못 먹었어. 진짜 진짜 배고파. 막 달달구리 쪼꼬 엄청 먹고 싶어!!

휴, 진짜루 세상은 너무 각박한 것만 같아. 아무도 나에 대해 이해해 주지 않는 것 같고 나보다 대단한 사람들은 너무 많고, 뭘 해야겠는지도 모르겠고, 내 주위에 있는 사람들이 진짜 나를 좋아하는지도 모르겠고……. 휴, 엉망진창이야! 혹시 언니도 나랑 같은 생각이야? 우리는 계속해서 돈을 펑펑 쓰고, 명품 들고, 한강뷰에서 맛난 거 먹는 좋은 모습만 보여주는 인스타, 페이스북, 유튜브 속 사람들과 나를 계속해서 비교해 나가면서 나의 어두운 모습을 많이 숨기고 살아가고 있잖아.

우리 이 어둠을 불안이라고 불러보자. 이걸 읽고 있는 언니도 나도 이 세상에 사는 사람들도 모두 불안을 안고 살지. 아마 개미도 불안이 있지 않을까? 그런데 이렇게 불안이 생기다 보면 점점 커져서 우리는 결국 잡아먹히

게 된다? 사라지고 싶어지는 이 무기력한 어둠. 이 어둠이 사라졌으면 좋겠지? 하지만 어떻게 이 어둠에서 빠져나오겠어? 생각하고, 관계를 맺으면서 사는 이상 우리는 언제 어디서나 이 어둠을 데리고 다녀야 하는데. 그러니까 우리 이 어둠이랑 친해져 보자. 그런 말이 있잖아. "피할 수 없으면 즐겨라!" 내가 제일 좋아하는 말이라고!

우선 언냐는 어떤 어둠을 가지고 있어? 많은 사람이 자신의 목표, 인간관계, 공부, 인생, 사랑 등 여러 불안과 맞서 싸우고 있지. 그중 살면서 인간관계 불안, 한 번쯤 느껴본 적 있지 않아? 인간관계 중에서도 친구 관계에 관해 이야기해 보지 않을래?

왜냐하면 우리 나이 때는 친구와 아주 밀접하니까, 공감대 형성으로 재미있게 언니랑 이야기할 수 있을 것 같아! 나는 친구가 너무 소중하고 내 인생의 동반자라고 생각하거든. 하지만 우리가 사람들과 친구들과 밀접한 관계를 맺으며 살아가서 그런가, 가끔 너무 힘들어서 포기하고 싶다는 생각 든 적 있지 않아? 그래도 내가 지금부터 친구 관계 꿀팁들 좀 듣고 포기하지 마슈! 눈 크게 뜨고 들어봐.

진짜 친구 남기기

언니 몇 살? 마! 이제 친구도 골라 사귈 나이 됐다!

진짜 친구는 언니를 좋아해. 그리고 언니를 행복하게 해 주고 언니를 항상 믿어. 가끔은 따끔한 조언도 해주지. 그리고 맛있는 것도 엄청 많이 준다고! 물론 언니도 그 친구를 아주 소중하게 생각할 거야. 같이 있으면 행복하고 편하지. 이 사람만큼은 믿을 수 있고. 이게 바로 찐친이라고 하는 거야!

만약 언니랑 한 친구랑 무슨 일로 싸웠어. 언니가 '애는 진짜 나를 친구로 생각하나?'라는 의문이 들잖아? 그럼, 일단 골똘히 생각을 해봐. 가만히 누워서 '내가 얘 없이 잘 살 수 있나? 나한테 어떤 영향을 줬지?' 등등. 그리고 그 친구가 나한테 줬던 편지, 선물들을 다시 한 번 봐봐. 한 순간의 감정으로 소중한 친구를 잃는 것보다 더 슬픈 건 없다고. 이렇게 생각을 천천히 해 보고 다가가서 대화를 해 봐. 만약 그 친구가 너를 소중히 생각한다면 당연히 너랑 대화를 하고 싶어할 거야.

이렇게까지 생각을 해 봤는데도 대화가 하기 싫다, 진짜 나를 친구가 아니라 도구로 생각하는 것 같다 하면 그냥 빠이 해야지. 언니는 언니가 제일 잘 아는데 언니의 생각을 믿어야지.

친구 관계 꿀팁!

-모두와 잘 어울리는 인간관계를 유지해 봐. 대신 딱 인사만 하는 정도의
 거리로!

-그냥 친구보다는 소중한 친구 먼저 꼭 챙겨주기!

-소중한 친구를 많이 아끼고 사랑해 주기!

-약간의 어색함을 느낄 때는 대화를 해보기!

(99.9%로 언니한테 서운했던 일이 있음)

-언니가 좋아하는 사람한테 소소한 선물 주기!

(시험 기간에 쪽지+간식 주기하면 친구가 감동해서 심장마비로 사망함!)

−주위에 사고 많이 치고 학교에서 좀 유명한 친구랑 친해져 보기!

(but, 너무 깊게 만나지는 말고! 아무튼 한 번 친해져 봐. 나는 너무 재미있었거든!)

−무엇보다도 언니 자신을 가장 소중하게 생각하기!

친구 관계는 진짜 힘들고 포기하고 싶은데, 그럴 때마다 나를 다시 일으켜 주는 게 친구다? 그들에게서 얻는 스트레스는 정말 많지만 행복도 정말 많아. 관계를 맺으면서 내가 어떤 사람인지 알게 되고 내 사고방식에 대해서도 많이 생각할 수 있는 것 같아.

그리고 건강하고 행복한 친구 관계를 만들고 싶다면 우선 나를 가꿔봐. 내 심리상태나 외적 상태가 건강해야지 친구랑 행복하게 놀고 행복하게 지낼 수 있지! 솔직히 나도 지금 친구 관계가 난리 나서 할 말이 없는데, 그래도 일단 해봐! 언니 화이팅!

난 언니를 믿어!

배화여중 대표 양아치

비참하게 끝난 내 첫사랑

우리 사회엔 보이지 않는 계급이 존재하나 보다. 돌돌이도 자기보다 내가 만만해 보이니까 내 진심을 무시한 게 아닐까?

내겐 좋아한 지 1년이 다 되어가는 윤석이가 있다. 처음 윤석이를 만난 건 중학교 2학년이 된 지 얼마 안 되었을 때였다. 여느 때와 같이 학원에서 수업을 듣고 있는데, 처음 보는 남자애가 선생님과 같이 반으로 들어왔다. 윤석이는 정말 조용한 애였다. 윤석이와 친해지고 싶은 마음이 컸지만, 소심한 나는 쉽게 다가가지 못했다. 그래도 시간이 지나니 자연스럽게 윤석이와 말을 트게 되었고, 아주 친한 사이는 아니었지만 그걸로 나름 만족스러웠다.

같은 해 9월쯤엔 윤석이와 가장 친한 친구인 성훈이가 내게 관심을 보이며 다가오기 시작했다. 그땐 내가 윤석이에게 관심이 없었던 터라 성훈이와 연락하고 지냈다. 하지만 성훈이와 아무리 연락을 하고 만나봐도 도무지 호감이 생기지 않았다. 성훈이를 만나 대화를 할 때마다 그 애는 과장된 이야기를 했다. 게다가 내게 무리한 부탁을 하기도 했다. 물론 난 성훈이의 요구를 거절했지만, 부탁을 받은 당시의 수치심은 어쩔 수 없었다. 끝내 나는 나에게 있었던 일을 윤석이에게 말했고, 윤석이는 성훈이를 불러 내게 그런 행동을 하지 말라며 걔가 했던 일을 나 대신 지적해 주었다.

그때부터 나는 윤석이를 좋아하기 시작했다. 자신의 친한 친구인 성훈이의 잘못된 행동을 바로잡아 주면서 날 도와주는 게 멋있어 보였기 때문이다. 스포티한 옷 스타일과 또래에 비해 큰 키, 자기 관리를 열심히 하는 모습도 좋았다.

11월11일, 빼빼로 데이가 다가왔다. 혹시 몰라 들뜬 마음으로 학원에 갔다. 윤석이의 책상을 보니 빼빼로가 7개 정도 쌓여 있었다. 윤석이는 그중 내가 좋아하는 맛인 쿠앤크 맛을 줬다. 모든 수업이 끝나고, 난 윤석이의 가방에 있는 빼빼로를 다 가져가려는 시늉을 했다. 장난으로 한 행동이었다. 그런데 윤석이가 그 많은 빼빼로를 나보고 다 가져가라는 거다. 한 개는 빼놓고. 혹시 다른 여자애를 줄 건가 해서 난 "왜?"라고 물었다. 다행스럽게도, 윤석이는 자기가 먹을 거라고 대답했다.

그렇게 시간이 흐르고, 윤석이와 더욱 친해진 나는 돌돌이라는 친구와 함께 셋이서 스타필드에 가게 되었다. 거기서 영화도 보고, 밥도 먹고, 게임도 했다. 하루가 정말 행복했다. 그 뒤로 우리 셋은 홍대에 가서 재밌게 놀기도 했다. 그러나 즐거움도 잠시, 우린 자연스레 멀어지게 되었다. 결국 셋이 또 모이는 일은 없었으나, 그렇다고 싸운 건 아니었기에 학원에선 장난도 치며 나름 잘 지냈다. 수업 중엔 윤석이와 눈이 마주치기도 하고, 걔가 나한테 장난을 치기도 했다. 나는 그런 윤석이의 사소한 행동 하나하나에 반응했다. 머리를 쓰다듬는 행동이나 가벼운 대화에서도 설렘을 느꼈다.

큰 변화 없는 나날이 이어지고, 난 힘든 학원 생활에 지쳐 갑작스레 학원을 그만두게 되었다. 그렇게 윤석이에게 학원을 그만 다닌다는 얘기도 못한 채, 서로 멀어지게 되었다. 그나마 다행인 건, 이후에도 가끔 윤석이가 내게 먼저 연락을 해 주었다는 점이다. 비록 일이 주에 한 번이었지만, 그것마저도 나에겐 큰 선물처럼 느껴졌다.

학원을 그만둔 지 석 달째 되던 즈음, 나는 학교 앞 편의점에서 돌돌이를 보게 되었다. 학원을 그만두고 나서 돌돌이와 연락도 안 하고 만나지도 않아서인지 나는 반가운 마음에 살갑게 인사했다. 또한 궁금한 마음에 돌돌이에게 윤석이가 어느 학원에 다니는지 물어보았다. 돌돌이는 이미 예전부터 내가 윤석이를 좋아한다는 걸 알고 있었기 때문이다. 그러자 돌돌이는 윤석이와 함께 대치 수학 학원에 다닌다며 아직 윤석이를 좋아하냐고 물었다. 나는 그 물음에 답하지 않았다. 그리고 며칠 후, 돌돌이한테서 문자가 왔다.

"너 대치 수학 진짜 올 거야? 윤석이 아직 좋아함?"

나는 고민 중이라는 답변을 하고, 이번에도 윤석이에 관한 질문엔 답하지 않았다. 그땐 별일 아니라는 듯이 문자를 마쳤는데, 이틀 뒤엔 전에 같은 학원에 다니던 민지에게서 연락이 왔다.

"야야. 내가 동생한테 들었는데, 돌돌이가 내 동생이랑 윤석이 앞에서 네가 윤석이 좋아한다고 얘기했대!"

나는 억장이 무너졌다. 좋아하고 있는 본인도 말하지 못하고 망설이던 그 말을 당사자가 아닌 제삼자가 했다는 것에 분노가 치밀어 올랐다. 그러나 이 이야기를 듣고도 난 윤석이에게 연락하지 못했다. 차마 윤석이의 반응을 받아들일 준비가 되지 않았다. 아직도 나는 좋아하는 마음을 완전히 정리하지 못했다. 한 마디의 말로 1년의 시간이 흐지부지된 기분이다.

우리 사회엔 보이지 않는 계급이 존재하나 보다. 돌돌이도 자기보다 내가 만만해 보이니까 내 진심을 무시한 게 아닐까? 과연 세상에 믿을 만한 사람이 존재하긴 할까?

최자두

위한다는 행동

나는 예나를 위한 행동을 했고 예나는 자신을 위하지 않는 행동을 당했다.

잘 했다고 생각했다. 그렇게 비밀을 말한 건 다 그 아이를 위한 거라고. 하지만 내 생각과는 달랐다. 엄마의 휴대폰 너머 그 아이의 엄마가 말했다. 예나가 사실은 정후에게 투표한 거 지민이가 다른 사람한테 말했냐고. 생각과는 다르게 흘러가는 상황에 뭘 잘 했다고 눈물이 막 났다.

초등학교 5학년 때의 한창 전교 임원 선거가 있던 시기였다. 나, 예나와 친한 정후도 선거에 출마했는데, 교칙 상 같은 반인 친구의 선거 운동만 도울 수 있어서 정후와 같은 반인 나만 정후를 돕고 예나는 또 다른 친구를 돕는 상황이 되었다. 물론 예나가 다른 친구를 돕는 상황이<u>었더라도</u> 우리 셋은 너무 친했고, 그런 어쩔 수 없는 상황이 딱히 우리 사이에 문제가 된다고 생각하지 않았다.

며칠의 선거 운동 후 투표까지 마치고 집에 돌아오는 길이었다. 나는 정후를 함께 도운 또 다른 친구와 하교 중이었다. 우리의 이야기 주제는 온통 전교 임원 선거였다. 이야기 도중 예나가 정후와 친한 걸 알았던 그 친구가 예나의 표가 누구에게 향했을 지에 대해 궁금증을 가졌다. 그리곤 궁금증을 넘어서 예나가 정후를 안 뽑았을 시에 대해 안 좋게 표현을 하는 것이었다. 나는 예나가 정후에게 투표했다는 걸 알고 있었다. 정후도 알고 있었고 결국 그 사실은 우리 셋만이 아는 비밀이었다. 내가 말했다.

"근데 예나는 정후 뽑았대."

우리의 비밀을 다른 누군가에게 발설한 것에 그치지 않아 어쩌면 난 선거의 제 4대 원칙 중 하나인 비밀선거를 어긴 생각보다 큰 일을 저지른 것일 수도 있다. 그러나 나는 그냥 예나가 안 좋은 사람으로 인식되는 게 억울했다. 나를 통해 예나가 정후를 뽑았다는 사실을 안 그 친구는 긍정의 호응을 표했다.

문제는 그 친구와 헤어지고 곧 일어났다. 그 친구가 나와 헤어지고 집 앞에서 우연히 예나를 만났는데 예나에게

"정후 뽑아줘서 고마워."

라고 말해버린 것이다. 그 말을 들은 예나는 자신이 정후를 뽑았다는 사실을 유일하게 아는 나를 떠올렸을 것이다.

집에 있는데 예나 이모한테서 엄마에게 전화가 왔다.

"언니. 지민이가 예나 정후한테 투표한 거 말했어?"

엄마도 우리에게 그런 일이 있었는지는 몰랐을 것이다. 엄마가 한 손에는 휴대폰을 들고 당황한 표정으로 나를 찾더니 그런 일이 있었냐고 물었다. 무슨 일이 있었는지 말을 해야 하는 상황이었지만 나 또한 당황스러움에 갑자기 눈물만 나왔다. 내 딴에는 모든 게 잘 해결됐고 잘 했다고 생각했

는데 예상과는 달라서 서러웠던 것 같다. 시간이 지나고 엄마와도 모든 이야기를 한 후에 예나를 만나서 사과를 했고 상황은 잘 끝났다.

나는 예나를 위한 행동을 했고 예나는 자신을 위하지 않는 행동을 당했다. 나는 그 행동을 잘 했다고 생각했고 예나는 그 행동에 상처를 입었다. 그래서 지금 생각해 보면 조금이나마 어렸을 시기에 이런 경험을 한 게 다행인 것 같다. 아무리 누군가를 위한다는 좋은 마음에서 한 행동일지라도 그 상대와 나의 마음이 마냥 같지는 않을 수 있다는 걸 직접 느낄 수 있었기 때문이다.

김지민

사람의 마음은

너무 많은 사람들에게 마음을 쉽게 주지 말고, 상처를 받아도 쉽게 잊어버렸으면 좋겠다. 나중에는 이러한 상처들이 나에게 많은 도움을 줄 수 있고, 주고 있는 것 같다. 이 글을 보는 당신도 빨리 깨닫고 진실된 우정을 찾기 바란다.

사람들 대부분은 소속감, 우정을 매우 중요시한다. 그런 만큼 사람은 그로 인해 많은 상처를 받고, 상처를 주기도 한다. 나는 그런 사람들 중에서도 우정을 너무나도 소중히 생각했고 주변 친구들에게 마음을 쉽게 내 주는 편이었다. 내가 크게 상처를 입었던 일 몇 가지를 얘기해 보려 한다.

나에겐 초등학교 때부터 친했던 4년지기 친구들이 있었다. 우리는 모두 다른 중학교로 갔지만 오래 알고 지낸 만큼 계속 연락을 하며 놀았다. 그러나 그 중 한 친구는 우리에게 수많은 거짓말을 하였고, 그 외에도 우리끼리의 비밀, 고민 등을 많은 친구들에게 소문내고 다녔다. 나는 그 친구를 매우 편하고 믿을 만한 존재로 생각해 우리가 다른 친구들에겐 얘기하기 힘든 것을 많이 털어놓았지만, 그 친구에겐 그저 중학교 친구들과 웃고 노는 이야기일 뿐이었나 보다.

나에게는 그것이 너무나도 큰 충격으로 남게 되어, 다시는 그런 이야기들을 하지 않는다. 우리 이야기를 너무나 쉽게 말하고 다녔던 친구는 우리가 그 애의 친구 인스타를 통해 걔가 우리에게 거짓말했던 것들, 우리 이야기를 막고 다닌 것들 등 그 친구에게 당한 모든 일을 폭로하자 중학교 친구들과 멀어지게 되었다. 그렇게 우리의 4년은 한 순간에 무너지게 되었다. 물론 그때는 좀 통쾌하였으나, 가끔은 걔가 너무 미우면서도 서럽고 그리운 마음이 들기도 한다.

다른 이야기를 해 보자면 내가 초등학교 6학년 때부터 중학교 1학년까지 연락하던 남자 아이와의 일이다. 그 남자애를 정이라고 하자. 보통 남자애들이 롤 승급전을 할 때 연락을 받으면 그 여자애를 좋아한다는 이야기가 있다. 그 남자애는 내가 승급전 도중에 전화를 해도 받아서 내 이야기를 들어 주었다. 승급전이라며 끊으라고 싫어하는 것처럼 굴었지만 내가 하는 말에 다 대답해 주고 귀 기울여 주었다. 게임 그게 얼마나 좋다고 많이 편하고 친한 사이면 그럴 수 있다고 생각했고, 나도 걔를 그 정도로만 느끼기 때문에 딱히 믿지 않았다. 그리고 내가 예상했던 것과 다르게 그 애는 이후 두달 만에 나한테 고백을 했다. 나는 그 애를 이성으로 좋아하기보단 친구로서 좋아하고 아끼는 마음이 컸기 때문에 생각을 좀 해 보고 답 주겠다고 하였다.

며칠 지나지 않아 그 아이와 매우 싸우게 되는 일이 생겼다. 초등학교 때 친한 애들 몇몇이서 단톡방이 있었다. 그 방에서 어떤 남자아이 '최'와 친구들과 얘기를 하던 도중, 정이 최한테 심한 말을 하였다. 평소에도 정이 말을 할 때 친구들에게 상처 주는 말을 자주 하여 나와 정은 작게 싸웠었는데,

그럴 때마다 항상 그 아이는 사과조차 하지 않고, 결국 자신의 탓이라며 한탄하듯 심한 말을 내뱉고는 가버렸다. 그러나 그런 일이 계속 반복되어 나는 죄를 조금씩 감싸주며 일을 해결하려고 했다. 일은 쉽게 마무리되지 않았고, 정과 나는 그 일을 벗어나 개인적인 일로 넘어가서까지 싸우게 되었다. 그 아이는 나에게 누가 날 좋아해 주겠냐는 말과 매우 심한 말들을 나에게 하기 시작했다. 나는 그런 말을 듣고 며칠간 울었고 결국에는 그 친구를 차단하고 손절하였다.

며칠 전까지 나에게 좋아한다고 말하던 아이가 너무나 쉽게 나에게 심한 말을 하고 서로를 손절하게 되었다는 것이 믿기지 않았다. 사람의 마음은 너무나 쉽게 변하고, 그만큼이나 인간관계는 너무나 쉽게 무너진다는 것을 알게 되었다. 손절하고 난뒤 이 아이에 대한 그리움 보다는 싸울 때 나에게 했던 심한 말들 이 떠올라 나는 많이 울었고, 상처를 받았다.

상처로 인해 다른 친구들에게 마음의 문을 쉽게 열지는 못하지만 많은 좋은 친구들과 우정을 더 오래 하며, 소중히 하고 싶다. 이 글을 읽고 있는 사람 중에도 인간 관계로 많이 상처를 받은 사람이라면, 천천히 좋은 사람을 찾기 바란다. 아직 겪어보지 않은 사람이라면, 너무 많은 사람들에게 마음을 쉽게 주지 말고, 상처를 받아도 쉽게 잊어버렸으면 좋겠다. 나중에는 이러한 상처들이 나에게 많은 도움을 줄 수 있고, 주고 있는 것 같다. 이 글을 보는 당신도 빨리 깨닫고 진실된 우정을 찾기 바란다.

이마음

벽, 그리고 한 마디

쉴 새 없이 돌아가는 사회의 한 줄기 빛은 무엇일까. 나는 두 갈래의 길에 서게 되었다. 다른 사람들과 마찬가지로 그 무리의 일원이 될 것인가 아니면 세상의 반대편에서 원동력을 주는 일을 할 것인가. 난 후자를 선택하겠다.

나와 이웃

그 아줌마는 나의 가족도 아니고 나에게 원래 아무런 상관이 없는 분이었지만 현재 아프시다는 소식을 들으니 마치 영화 [인사이드 아웃]에서 주인공의 기억저장소가 하나씩 무너지는 것처럼 내 인생에 있었던 하나의 추억이 사라질 것 같아 너무 슬펐다.

우리 가족은 이 동네에 이사 온 지 10년 가까이 되었는데 이사 왔을 때부터 1달에 1번은 간 식당이 있었다. 원래는 그 식당에 갈 때마다 우리 가족만 있었을 정도로 사람이 적었다. 그런데 약 4년 전부터 갑자기 손님이 많아져 줄을 서야만 먹을 수 있는 식당이 되었다. 속으로는 우리 가족만 알던 식당이 너무 유명해져 아쉽기도 하고 또 한편으로는 일하시는 할머니가 더 잘되신 것 같아 좋기도 하였었다.

어떤 하루는 줄이 너무 길어 우리 가족 4명이 번갈아 가며 줄을 서고 있었는데 오빠와 아빠가 줄을 서 있고 나와 엄마가 주변을 구경하러 가게 되었다. 그 식당에서 약 30m 떨어진 거리에 차가 딱 한 대 들어갈 수 있는 작은 주차장이 있었다. 나는 아무 생각 없이 주차장 안에 있는 고양이를 보러 주차장 쪽으로 가 보았다. 그런데 그 주차장 구석에는 아주 작은 가게가 있었다. 엄마는 평소에 아기자기한 물건이 있는 가게들을 구경하는 것을 좋아했고 아직 식당에 들어가려면 시간이 많이 남아서 엄마를 불러 그 가게에 가 보기로 하였다.

처음 들어가 보았을 때 지금까지 봐 오던 깨끗하고 밝은 가게들과는 다르게 오래된 느낌이 나서 해리포터 지팡이 가게에 온 것 같은 느낌이 들었다. 그래서 그런지 거기에 계신 아주머니도 전혀 꾸미고 계시지 않고 수수한 모습으로 계셨다. 나는 그 가게를 구경하고 있었고 엄마는 그 아주머니와 잠깐 이야기를 나눴는데 살짝 들어보니, 그 아주머니가 내 오빠의 친구의 엄마와 아는 사이라고 하는 것 같았다. 그렇게 구경하다가 예쁜 인형이 하나 있어 사고 그 가게를 나오게 되었다. 잠깐의 만남이었지만 그 가게의 분위기와 모습은 잊을 수 없었다. 그러나 원래 가던 그 식당에 사람이 점점 많아지니 우리 가족도 가기 힘들게 되어 자연스럽게 그 가게도 잘 가지 않게 되었다.

그렇게 1년 후 겨울, 오랜만에 그 식당이 생각나서 갔다가 그 가게에 잠깐 들렀다. 당연히 그 가게에 계실 줄 알았는데 건강에 이상이 있어 잠시 쉬고 계시다는 내용의 종이가 가게 앞에 붙어 있었다. 전에는 꽤 자주 갔던 곳이라 그랬던지 당연히 계셔야 할 곳에 그 아줌마가 안 계셔서 무언가 공허한 느낌이 들었다. 그렇게 또 시간이 지나고 내 오빠 친구의 엄마가 그 아줌마의 근황을 전해주셨다. 한 번 걸리면 고칠 수 없는 불치병에 걸리신 상태이고, 약을 먹거나 치료를 받아도 호전이 될 수 없고 최대한 그 상태에서 더 악화되지 않도록 막는 것밖에 할 수 없는 상태라고 하셨다. 그 아줌마는 나의 가족도 아니고 가까이 사는 분도 아니었는데 현재 아프시다는 소식을 들으니 마치 영화 <인사이드 아웃>에서 주인공의 기억 저장소가 하나씩 무너지는 것처럼 내 인생에 있었던 하나의 추억이 사라질 것 같아 너무 슬펐다. 또한 하루 빨리 의학기술이 발전하여 그 아줌마의 불치병이 치료되었으면 했다.

그러다 얼마 전, 엄마와 산책을 나왔다가 정말 우연히 그 가게에 불이 켜져 있는 것을 봤다. 엄마는 그냥 불만 켜져 있고 아줌마는 안 계실 거라고 하셨는데, 내가 주차장 안쪽으로 가 보니 아줌마가 이제 막 정리하고 집에 가려고 가게 문을 잠그고 계셨다. 나와 엄마는 반가운 마음에 인사를 하러 갔고 아줌마는 가게를 구경하라며 다시 가게문을 열어 주셨다. 다행이 건강이 엄청 나빠 보이지는 않으셨다. 좀 구경을 하다가 아줌마와 이야기를 나눴는데 한 번 가게를 이사하려고 하셨는데 짐도 많고 일도 많아 그냥 포기하셨었다고 했다. 나와 엄마는 이사가지 않길 잘했다고 생각했고, 건강도 아직 잘 유지하고 계시다고 하셔서 여러모로 안심을 하였다.

이렇게 아줌마와의 일을 겪고 나서 나는 많은 감정을 느꼈다. 그 아줌마는 나에게 가족도 아닌, 아무 상관이 없는 분이었지만 친하게 지낼 때는 내 또래가 아님에도 불구하고 마치 친구처럼 재미있고, 또 아프시다는 말을 전해들을 때는 나의 가족인 것처럼 슬펐다. 이 글을 읽은 사람들도 자신의 친구들과 가족들과 주변의 이웃들을 아끼고 사랑했으면 좋겠다.

고급후라이팬

세상의 반대편에는

진정한 호의란 뒤에 아무런 감정이 없어서, 아무도 진정한 호의를 베풀지 못 했을지도 모른다.

초등학교 4학년, 한창 놀이터에서 뛰어 놀 시기에 난 그날도 친구들과 놀고 집으로 가려고 엘리베이터에 올라타 10층 버튼을 눌렀다. 잘 가고 있었는데 엘리베이터는 8층에서 멈췄다. 그러니 떨리지 않을 수가 없었다. 침착하게 엘리베이터 비상 버튼을 누른 후 경비원 아저씨에게 울면서 상황을 얘기했다. 금방 가겠다는 아저씨의 말에 어쩔 수 없이 기다려야 했다. 주저앉고 발을 동동 구르며 추락하면 어쩌지란 두려움과 함께 가만히 서 있었다.

아저씨께서 8층에서 키로 문을 열어주셨다. 너무 힘들어서 얼굴도 모르는 아파트 주민 아주머니께 비틀거리며 달려가 안겼다. 누구인지 확인도 못하고 바로 품에 안겨 엘리베이터에서 떨어질까 봐 감췄던 감정들을 그제야 털어놓았는데, 아주머니께서는 괜찮다는 말과 함께 위로해 주셨다. 어찌 보면 너무도 창피한 상황일지도 모른다. 지금까지 기억에 남는 이유는 단지 엘리베이터에 갇혔다는 충격적인 사건 때문이 아니라, 아파트 주민의 호의 때문이다.

우리나라 사회에 대해서 어떻게 생각하냐고 물으면 이렇게 답할 것이다. 겉으로는 미소를 짓지만 안은 난폭하고 잔인하다고. 사회가 점점 극단적으로 변하는 것 같아 이제는 그 말에 따라 흘러가는 것 같기도 하다. 최근에 사회에 대한 비판 의식이 더 강해지고 있다고 생각하는데, 어쨌든 내가 미래에 살 곳이 변화를 겪지 않으면 악화되거나 나아지지 않을 것이고, 이 사회가 만들어내는 일을 내가 절대 겪지 않을 것이라는 보장도 없기 때문이다. 극단적이지만 우리 같은 청소년들은 어른들이 만들어 놓은 세상에서 살아갈 것이기 때문에 내가 살 길을 내가 터놓지 않으면 살 곳은 없다. 그렇기에 이제는 사회가 이기적으로 변해버린 것 같다. 나는 이러한 이기적인 사회도 돌아가는 이유가 있다고 생각한다. 이렇게 자기 생각만 하는데, 어떻게 아직도 잘 돌아갈 수 있는 걸까?

선행을 베푸는 사람, 실패로 굴러 떨어진 사람을 일으켜 줄 수 있는 사람과 같은 이들이 사회를 돌아가게 한다. 잘 생각해 보면, 이 사람들이 있기에 다시 일어설 수 있고 내딛을 수 있지 않을까? 물론, 나 혼자 잘 일어나면 된다고 생각할 수 있지만, 느껴지지 않을지 몰라도 이 세상 반대편에서는 그나마 돌아갈 원동력을 주는 일을 하고 있다.

호의는 그 발걸음이 무거운 일이라고 생각한다. '호의'의 사전적 뜻은 '친절한 마음씨. 또는 좋게 생각하여 주는 마음'이다. 진정한 호의란 뒤에 아무런 감정이 없어서, 아무도 진정한 호의를 베풀지 못했을지도 모른다. 그래도, 세상의 반대편에서 말하는 호의는 뜻 그대로의 호의가 맞다는 것을 우리는 알고 있다.

아주머니의 품에 얼굴을 묻고 안겨 있을 때, 옆에서 누가 보든 상관하지 않았다. 그땐 그저 내 상황에 마음을 맡기고 싶었다. 내 마음 속에 두려움과 슬픔과 안도감의 눈물이 바다 위에 둥둥 떠다니며, 시간은 그대로 멈췄다. 아주머니의 토닥임은 점점 더 바다를 키웠고 그것마저도 상관하지 않았다. 엘리베이터가 트라우마로 남지 않았던 게 아주머니 덕분인지, 내가 원래 트라우마를 잘 갖지 않기 때문인지는 모르겠지만 확실한 건 그 순간은 진정한 호의의 예시가 될 수 있다. 그렇게 보면 나는 세상 반대편 사람의 호의를 겪었다. 난 호의를 그렇게 배웠다.

쉴 새 없이 돌아가는 사회의 한 줄기 빛은 무엇일까. 나는 두 갈래의 길에 서게 되었다. 다른 사람들과 마찬가지로 그 무리의 일원이 될 것인가 아니면 세상의 반대편에서 원동력을 주는 일을 할 것인가. 난 후자를 선택하겠다. 지금 이 글을 읽는 독자들도 괜찮은 선택을 하기를.

도레미 송

지하철에서 신을 만났다

아, 어쩌면, 많이 바뀐 것은 세상이 아니라 나일지도 모르겠다.

"신은 어디에나 있고 어디에도 없다."

분명 어디선가 들어본 문구이다. 이 문구는 모순적이면서도 왜인지 모르게 동의하게 되는 말이다. 신은 존재하지 않는 것 같지만, 생각보다 가까이에 있는 것 같기도 하다. 하늘에서 내려와 소원을 들어주지는 않아도, 가끔은 아무도 모르게 나의 일상에 찾아와 작은 깨달음을 주고 가는 것 같다. 작은 깨달음으로 내게 더 큰 교훈을 얻게 하고 나의 행동으로 더 많은 사람들이 변하길 바라는, 그런 신이 이 세상 어디에나 있고 어디에도 없다고 나는 믿는다. 그리고 나는 이미 그런 신을 만났다.

여느 때와 같이 수학 학원에 가기 위해 안국역에서 3호선을 탔다. 내가 학원에 가는 시간은 평일 퇴근 시간으로 지하철 안은 사람이 매어지게 많았다. 손잡이를 잡고 싶었으나 사람이 너무 많아 어정쩡하게 서서 갔다. 경복궁역에 다다르자 지하철은 속도를 낮추었고 손잡이를 잡지 못한 나는 발을 헛딜며 휘청거렸다. 순간 머릿속으로는 '여기서 넘어지면 진짜 크게 다치겠다.'라는 생각이 들었으나 내가 할 수 있는 것은 아무것도 없었다.

그때 누군가 나의 어깨를 잡아 내 몸을 지탱해 주었다. 덕분에 나는 넘어지지 않을 수 있었다. 나를 도와준 사람이 누구인지 알기 위해 뒤를 돌아보았고 내 뒤에는 인도인으로 보이는 외국인 할아버지가 계셨다. 안국역 7-2 출입문에서 나와 함께 지하철을 기다리고 계시던 분이었다. 감사하다고 인사를 하려던 찰나에 지하철은 경복궁역에 도착하였고 할아버지는 무심하게도 빠르게 내리셨다.

그날 나는 나머지 정거장을 지나 학원에 가는 동안에도, 학원에서 수업을 듣는 동안에도, 학원이 끝나고 집에 가 잘 준비하는 동안까지도 계속 그 할아버지 생각을 했다. 할아버지는 별 생각 없이 그저 넘어질 뻔한 학생을 도와주신 것일지 모르겠지만, 나에게 그 호의는 하루 종일 머릿속에 맴도는 과분한 도움의 손길이었다. 이후 학원에 가기 위해 지하철을 탈 때마다 할아버지를 찾게 되었다. 안국역 7-2에서 다시 만날 수 있지는 않을까 기대하며 갔지만 아직 단 한 번도 할아버지를 다시 보지 못하였다.

최근 들어서는 내가 잘 알지 못하는 다른 누군가를 선의로 돕거나 도움을 받은 기억이 없다. 너무도 개인주의적인 이 세상에서 누군가를 믿고 의지하기가 어려운 내가 된 것 같다. 가끔 생각해 본다. 어쩌면 그때 그 지하철 할아버지는 신이 아니었을까. 많은 것이 바뀌어 버린 세상과 그런 세상에서 살아가는 사람들이 무서워진 나에게 '주변을 살피고, 주변에서 받는 도움에 감사하고, 주변에 도움이 필요한 사람이 있다면 좀 돕고 살아라.'라는 이야기를 해 주신 것 같다. 그러자 또 그런 생각이 들었다.

'아, 어쩌면, 많이 바뀐 것은 세상이 아니라 나일지도 모르겠다.' 지하철 할아버지가 꼭 신이 아니라고 해도 상관없다. 그저 내게 좋은 기억을, 좋은 깨달음을 선물해 준 할아버지께 감사하다고 전하고 싶다.

나도 누군가에게 지하철 할아버지 같은 사람이 되어보기로 했다. 앞으로 나는 닫히는 엘리베이터를 타려고 달려오는 이웃 주민을 위해 문을 열고 잠시 기다려줄 수 있는, 잃어버린 물건을 찾는 친구와 함께 물건을 찾아주는, 횡단보도에서 무거운 짐을 나르는 할머니의 짐을 함께 들어줄 수 있는 그런 사람이 될 것이다. 그러다 어느 날 다른 누군가가 나의 도움을 신의 손길로 느끼는 날이 오면 좋겠다. 그래서 더 많은 사람들이 서로가 서로에게 신과 같은 존재로서 살아보려고 노력했으면 좋겠다. 그렇게 이 세상이 더 따뜻해졌으면 좋겠다.

나강세린

이웃이라는 관계

그래도 인사는 서로에게 기본 예의를 표현하는 것은 물론 인간관계의 시작과 끝이기 때문에 이런 일상적인 순간들에서부터 연습하며 길러나가면 분명 나중에 도움이 될 것이다.

공동주택에 사는 사람 중 주변 이웃과 마주칠 때마다 인사하는 사람이 얼마나 될까? 매일 엘리베이터를 타지만 항상 흐르는 정적만 봐도 많이 없다는 걸 알 수 있다. 주변 친구들에게 물어봐도 '어색해서 모른 척한다'와 '의식하지 않아서 모르겠다'라는 대답이 가장 많이 나왔다. 나도 얼마 전까지는 우리 가족과 친분이 있던 이웃을 엘리베이터에서 마주쳐도 별 생각 없이 그냥 휴대폰만 봤던 적이 많았고 굳이 아는 척을 할 필요성도 못 느꼈다.

하지만 얼마 전에 내 생각을 완전히 바꾼 일이 있었다. 새벽까지 공부하고 늦게 잠든 바람에 늦잠을 잔 날이었다. 버스시간을 놓칠까 봐 허겁지겁 준비하고 버스카드와 핸드폰을 손에 쥔 채 뛰어나갔다. 그렇게 뛰어서 간신히 버스시간을 맞췄는데, 정류장에 도착하니 카드는 온데간데 없고 손에는 핸드폰만 쥐어져 있었다. 뛰다가 떨어뜨린 것일까? 아니면 집에 두고 왔나? 갑자기 머릿속이 하얘졌다. 그 찰나에 다시 온 길을 돌아가야 하나 별 생각이 다 들었지만 당장 학교에 가는 것이 급했기 때문에 일단 다른 카드로 버스를 타고 학교에 갔다. 일단 부모님께 말씀드려 카드 분실 신고를 해 놓았지만 누가 가져갔으면 어떡하지 하는 걱정 때문에 종일 집중도 안 됐다. 학교가 끝나자마자 관리사무소에 전화해 봤지만, 따로 들어온 분실물이 없다고 했다. 마지막 희망이라고 생각하면서 학원까지 끝나고 밤늦게 돌아오는 길에 지나온 곳을 다시 찾아봤지만 없었고 집에 두고 온 것도 아니었다. 카드야 재발급 하면 되지만 속상한 건 어쩔 수 없었다.

결국 잠을 설치고 다음 날 일찍 집을 나와서 아파트 곳곳을 돌아다니며 카드를 찾았다. 아파트 정문에서 두리번거리며 바닥을 살피고 있는데 위층 아주머니께서 혹시 잃어버린 물건이 있냐고 말을 걸어주셨다. ′설마…?′ 하는 기대와 함께 잃어버린 카드에 관해 설명했고, 아주머니께서 출근길에 내가 카드 떨어트리는 걸 보시고 경비실에 분실물 신고를 하셨다는 것을 알게 됐다. 그 순간에는 정말 그분이 나의 구세주처럼 보였다. 경비실에 여쭤볼 생각을 못 한 내가 바보 같기도 했지만 우선 너무 감사했다.

생각해 보면 서로 그렇게 가까운 사이도 아니었고, 종종 너무 피곤한 날은 엘리베이터에서 마주쳐도 휴대폰만 보고 모르는 척했던 기억도 있다. 그런데도 그냥 지나치지 않고 도와주신 것이 감사해서 며칠 뒤 간식거리들을 챙겨 부모님과 함께 찾아갔다. 그렇게 한 두 번 시작된 교류는 서로 맛있는 것을 사면 조금씩 나눠주는 사이로까지 발전하게 되었다.

이번 일을 통해 점점 삭막해지는 사회에서 이런 작은 친절과 소통은 마음을 따뜻하게 해 준다는 걸 몸소 느꼈다. 물론 너무 힘들고 피곤한 날에는 신경 쓰지 못하는 것이 당연하다. 그래도 인사는 서로에게 기본적인 예의를 표현하는 것은 물론 인간관계의 시작과 끝이기 때문에 이런 일상적인 순간들에서부터 연습하여 길러 나가면 분명 나중에 도움이 될 것이다. 평소에 안 하던 것을 갑자기 하라고 하면 곤란했던 경험이 다들 있었을 것이다. 그러니 글을 읽는 독자들도 주변 이웃에게 적당한 관심을 가지고 어느 정도 가까워지는 것도 좋을 것 같다.

SH

안녕하세요!

당신이 인사를 건넨다면 상대 또한 당신에게 밝게 인사를 건네줄 게 분명하기 때문이다

나는 어렸을 적에 처음 보는 사람에게 인사를 잘 못했다. 말을 편하게 걸지도 못하고 그저 눈치만 보다가 헤어지는 경우가 많았다. 부모님은 그러한 나의 모습을 보고 걱정하셨고, 항상 사람들에게 인사하는 습관을 가지라고 말씀하셨다. 빌라에 살다가 새 아파트로 이사를 갔을 때, 처음 경비 아저씨를 뵙게 되었다. 그때 엄마는 "자인아, 경비 아저씨를 뵙게 되면 꼭 인사드려야 해!"라고 말씀하셨다. 하지만 나는 매일 경비 아저씨와 눈이 마주치지 않게 엘리베이터로 달려 들어가고는 했다.

그런데 어느 날, 어김없이 엘리베이터로 달려가고 있었는데 갑자기 경비 아저씨께서 나에게 말을 걸었다. "3층 사는 애 맞니?" 나는 너무 당황해서 어버버하다가 "네, 안녕하세요?" 하고 인사를 했다. 그리고선 엘리베이터를 탔는데, 생각보다 아무런 느낌이 들지 않았다. '인사를 했다가 무시당하면 어쩌지, 혀가 꼬이면 어쩌지?' 하며 인사를 피하던 나였는데, 막상 용기 내어 인사를 하고 보니 걱정과 달리 오히려 기분이 좋아지는 것이었다. 그

그리움의 공식

후 나는 경비 아저씨를 볼 때마다 열심히 인사를 했고, 그런 나를 경비 아저씨께서도 많이 챙겨주셨다. 나에게 '얌쁘이(얌전하고 예쁜 아이)'라는 별명을 지어주시기도 했고, 가끔 마주치면 사탕도 챙겨주셨다.

인사의 사전적 의미는 '마주 대하거나 헤어질 때에 예를 표함'이라는 뜻인데, 말 그대로 만났을 때 아는 체하고 짧게 인사말을 주고받는 것을 의미한다. 요즘의 우리는 짧게 인삿말을 주고받기는 커녕 이웃을 봐도 본체만체하고 그저 모른 척하기 바쁘다. 나는 그러한 현대 사회의 사람들의 차가운 모습이 굉장히 웃기고 이해가 안 된다. 나 또한 어렸을 때는 창피하고 부끄러운 마음에 인사를 잘 하지 않았지만 인사의 기쁨을 알게 된 나는 이제 이웃들과 인사를 자주 하는 편이 되었다.

거의 모든 사람들은 내가 인사할 때마다 놀라서 급하게 인사를 받아주는데 그러한 것으로 보아 인사의 기쁨을 잘 모르는 것 같다. 인사를 잘 하는 내가 생각하는 인사의 장점은 바로 인사를 하면 기분이 좋아진다는 것이다. '꼴랑 인사 한마디로 기분이 좋아진다고?'라고 생각하며 나의 말을 의심하는 사람도 분명 있겠지만, 인사는 정말 사람의 기분을 행복하게 만든다. 힘든 일만 일어났던 하루를 보내고 엘리베이터를 탔는데 이웃이 밝게 인사해 주면 내 기분도 덩달아 좋아져 밝게 인사할 수 있는 것처럼 말이다.

또한 인사는 사람의 첫인상을 결정하기도 한다. 우리가 사람을 처음 만났을 때 우리에게 인사를 안 하는 사람보다 밝게 인사해 준 사람에게 더 마음이 가지 않겠는가? 나 또한 지금까지도 좋은 관계를 유지하고 있는 사람들은 모두 나에게 인사를 건네며 항상 말을 걸어주었던 사람들이다. 이렇게 인사는 인간관계의 첫인상에서도 중요한 역할을 한다.

인사는 생각보다 인간관계에서 많은 역할을 하고 있다. 사람의 첫인상을 결정하기도 하고, 인사를 하며 서로의 기분 또한 좋아질 수 있다. 만약 사람을 만났을 때 먼저 인사하는 것을 꺼리고 용기를 내지 못하고 있던 사람이 있다면 지금부터라도 용기 내어 인사를 건네보는 것은 어떨까? 당신이 인사를 건넨다면 상대 또한 당신에게 밝게 인사를 건네줄 게 분명하기 때문이다.

윤자인

벽, 그리고 한마디

그 순간, 나는 내 안에 무의식적으로 세워져 있던 벽과 같은 것이 허물어지는 느낌을 받았다.

오늘날 많은 사람은 소통이 결핍된 채로 살아간다. 다른 사람들과 이야기를 나누는 대신 스마트폰 화면에 고개를 박거나 이어폰으로 자신의 귀를 막는다. 심지어 같은 장소에 있는 사람과 메시지 앱으로 대화하는 경우도 있다. 사실 이 문제에 대해 우리는 이미 잘 알고 있을지도 모른다. 그럼에도 여전히 우리는 스마트폰과 이어폰을 우리의 손에서 놓지 않고 살아간다. 나는 이 문제를 인식하면서도 두 귀에 이어폰을 낀 채 길을 걷고 있었고, 그러던 중 사소하고 평범하지만 나의 생각을 바꿔준 의미 있는 경험을 겪었다.

그때 내 귓속에는 음악 소리만이 크게 울려 퍼지고 있었다. 한 아주머니께서 내 옆쪽으로 지나가시려는 듯 보였고, 나는 관심 없이 가던 길을 갔다. 왠지 모를 시선이 느껴져 다시 고개를 돌려보니, 아주머니께서 나에게 말을 거시는지 입 모양이 움직이는 것이 보였다. 음악 소리에 묻혀 아주머니의 목소리를 듣지 못해 두 귀에서 이어폰을 빼고 '네?'라고 되물었다. 아주머니께서는 근처 커피숍의 위치를 물으셨다. 내가 자주 가 본 곳이었기에 고민 없이 커피숍의 방향을 손으로 가리키며 방향을 설명해 드렸다. 아주머니는 환한 미소와 함께 고개를 숙이며 "학생, 감사해요."라며 감사 인사를 하셨다. 그 순간, 나는 내 안에 무의식적으로 세워져 있던 벽과 같은 것이 허물어지는 느낌을 받았다. 자신보다 훨씬 어린 나에게 높임말로 정중하게 대해 주셨고, 그에 나는 서로를 존중하는 소통이 이루어지고 있다는 기분을 느꼈다. 아주머니와의 대화는 아주 짧고 소소했으나, 그 한 순간에 느낀 따뜻한 감정은 내 기억 속에 깊이 남아 있다.

낯선 사람들이 나에게 길을 물어본 경험은 많다. 지하철을 기다리고 있는데 역의 방향을 물어본 분, 학원을 마치고 집에 가던 중 근처 공원의 방향을 물어본 분 등등. 생각해 보면 나는 그때 모두 스마트폰을 보거나 이어폰을 꽂은 채로 나의 길만을 걷고 있었다. 길 위에는 다양한 사람들이 걷거나 달리고 있음에도, 나는 세상에서 나 혼자인 듯 두 눈과 귀를 막았다. 그러곤 누군가가 나에게 말을 걸어오면 짧은 단답형으로 대화를 끝내려고 했다. 그저 나와는 아무 상관 없는 일이라고 생각하며. 이런 경험이 있을 때마다 '스마트폰으로 검색하면 다 나오는데, 왜 굳이 남한테 물어보는 거지?'라는 생각을 항상 마음에 두었다.

그러나 이제는 깨닫게 되었다. 인터넷 검색을 통해 얻는 간단한 정보의 가치와 한 마디 한 마디로 이루어 나가는 소통의 가치 사이에는 확연한 차이가 있다. 사람은 '사람들'과 직접 이야기를 나눌 때, 비로소 외로움과 단절감에서 벗어날 수 있다.

이것과 관련하여 떠올랐던 또다른 경험이 있다. 엄마와 단둘이 일본 여행을 갔을 때, 지하철역에서 길을 잃어 헤맨 적이 있다. 스마트폰 검색으로도 길을 찾기 어렵자 바삐 움직이는 사람들 속에서 우리는 홀로 외딴 곳에 떨어진 듯 방황할 수밖에 없었다. 그때 현지의 직원 분들께서 번역기를 통해 소통하며 적극적으로 도와주셨고, 우리는 외국이라는 세상과의 단절에서 벗어나 따뜻한 마음을 공유할 수 있었다. 이렇게 나는 다른 사람들로부터 소통을 통해 도움을 받았지만, 과연 나는 다른 사람들을 위한 소통을 시도해 본 적이 있을까?

우리는 한 번 더 생각해 볼 필요가 있다. 우리의 사회, 세상, 그리고 삶 속에 스며든 갖가지 외로움은, 어쩌면 우리의 태도가 만들어낸 결과물 아닐까. 우리가 멋모르고 지나치는 사람들과의 대화 한 마디 한 마디가 인생의 밑바탕이 되고, 우리 자신을 만들어가는 건지도 모른다. 그와 동시에 우리의 차가운 태도와 소통의 결핍은 마음의 벽을 만들어낼 지도 모른다. 이제 잠깐이라도 눈과 귀를 활짝 열고, 세상을 함께 살아가는 사람들의 마음의 벽을 허물 단 한마디라도 건네보는 것이 어떨까?

권시율

누룽지 사탕

할머니의 짐을 들어드리느라 시간이 지체된 친구는 결국 짜장라면을 먹지 못하고 피아노 학원에 갔지만 배부름 대신 따뜻함을 얻었고 나 또한 집에 일찍 도착해 쉬는 편안함 대신 따뜻함을 얻었다.

덥지도 춥지도 않고 날이 딱 선선했던 날, 나는 친구와 놀러 갔다가 집으로 돌아가는 중이었다. 같이 놀았던 친구의 피아노 학원 시간이 점점 다가왔기 때문에 우리는 발걸음을 재촉했다. 친구는 배가 고팠는지 엄마한테 전화하여 학원 가기 전 빨리 먹을 수 있도록 짜장라면을 끓여달라고 했다. 그렇게 집 앞에 다 와 갈 때쯤 처음 본 동네 할머니께서 우리를 불러 세웠다. 처음에 할머니께서는 "학생, 학생" 하고 부르셨는데 우리는 우리를 부르시는지 잘 몰라서 계속 가던 길을 갔다. 하지만 두 번째로 부르셨을 때는 멈춰 뒤돌아서며 우리를 부르는 게 맞으신 지 되물어 보았다.

"저희를 부르신 거예요?"

"그래, 일로 좀 와 봐. 내가 짐이 너무 무거워서 그런데 이것 좀 저기 약국까지만 들어다 줄 수 있겠니?"

"아, ㅇㅇ 약국이요?"

할머니께서는 맞으신다고 고개를 끄덕이셨고 우리는 눈짓을 주고받은 뒤 할머니의 짐을 들어드렸다. 짐은 총 2개였는데 생각보다 무거웠다. 한 손으로 지팡이를 잡으시고 다른 한 손으로 두 짐을 모두 들기에는 할머니께서 무리가 있지 않으실지 하는 생각이 들었다. 짐을 하나씩 나눠 들고 걷고 있는데 처음에는 같이 걸어 벌어지지 않았던 간격이 걸을수록 벌어지는 것 같아 발걸음을 늦춰 드렸다. 약국까지의 거리는 그리 멀지 않았는데 혼자 걸을 땐 1분 이내로 걸을 수 있는 거리였다. 하지만 할머니의 발걸음에 맞춰 걸으니 3분 정도 소요되는 것 같았다. 약국에 도착해 벤치 앞에 놓아드리고 할머니께선 그 벤치에 조금 앉아 계시다가 발걸음을 옮기셨다.

우리는 앉아 계신 순간에도 발이 떨어지지 않아 계속 지켜보았다. 약국을 지나면 오르막길이 시작되기 때문에 혼자 짐들을 들고 올라가시기엔 너무 힘드실 것 같아 우리는 다시 할머니께 다가가 집까지 들어다 드리겠다고 했다. 할머니께선 고맙다며 짐을 우리에게 건네셨다. 오르막길 위를 한 발 한 발 걸을수록 힘들어하시는 할머니를 보고 '나도 나중에 할머니가 되면 힘들지 않게 느껴지는 것들이 힘들게 느껴질까' 하는 생각이 들었다.

할머니의 집은 꽤 높은 곳에 위치해 있었지만 천천히 걸어왔던 탓에 그리 힘들지는 않았다. 집 들어가기 전 현관 앞에 짐을 놓아드렸는데 할머니께선 고마우셨는지 메고 계셨던 작은 가방 안에서 무언갈 주섬주섬 꺼내셨다. 그리고 펼치신 손에는 누룽지 사탕과 홍삼 캔디가 들어 있었다. 나는 가방에 사탕이 다 떨어지면 다시 사러 가셔야 하니까 이렇게 많이는 안 주셔도 된다고 했지만, 할머니께서는 집에 많이 있다고 다 가져가라고 하셨다. 감사 인사를 하고 빌라를 빠져나오는 우리들의 손에는 여러 개의 사탕이 들려 있었다. 옛날에 할머니 집에서 홍삼 캔디를 본 적은 있지만 누룽지 사탕은 처음 보는 거라 생소하게 다가왔다. 누룽지 맛으로 사탕을 만들면 과연 맛있을까 하는 의문과 함께 먹어 본 사탕의 맛은 달달함 대신 구수함을 풍겼고 꽤 맛있었다.

할머니의 짐을 들어드리느라 시간이 지체된 친구는 결국 짜장라면을 먹지 못하고 피아노 학원에 갔지만 배부름 대신 따뜻함을 얻었고, 나 또한 집에 일찍 도착해 쉬는 편안함 대신 따뜻함을 얻었다. 이 일 이후에 나는 마트로 가 누룽지 사탕을 한 봉지를 샀고 우리 집에는 아직도 누룽지 사탕이 있다.

PYG

그리움의 공식

인연

우리의 상식을 조금이라도 전환한다면 멋진 다이아몬드 같은 인연을 찾을 수 있지 않을까?

세상에서 가장 어색한 자세와 걸음걸이로 나는 새로 다닐 학원 문앞을 서성였다. 학원 문을 처음 열려면 크나큰 다짐이 필요한데, 이 다짐을 실행에 옮기려면 몇 분에서 많게는 몇십 분이 필요하다. 서성인지 어언 15분쯤 학원 건물 입구쪽으로 백발의 구부정한 할머니가 뒷짐을 지고 어기적 어기적 걸어오고 계셨다. 진짜 최악이었다. 처음 보는 장소에서 처음 보는 사람이라니! 문을 앞에 두고 서성이는 나를 보며 어떤 생각을 하실까. 치매를 앓으셨던 우리 할머니와 비슷한 옷을 입고 있으서서 순간적으로 안 좋은 시나리오가 수 없이 머리를 스쳐갔다. 우리 할머니처럼 속이 꽉 막히신 분이면 어쩌나, 나에게 안 좋은 말을 내뱉으실까?

별의별 생각을 하는 순간 그 할머니는 나에게 눈웃음을 지으시며 약간 고개를 숙이셨다. 그냥 인사하신 거였다. 놀라서 황당해 하고 있던 나도 얼른 고개를 숙이며 할머니에게 인사를 건넸다. "얼른 들어가요. 밖에 덥다." 할머니는 그렇게 말하신 뒤 유유히 본인의 갈 길을 가셨다. 어찌저찌 그 할머니 덕에 학원에 무사히 들어갈 수 있었다.

처음에는 발 넓은 할머니구나 하고 그 일을 넘어갔다. 다시 만날 일은 없을 거라 생각했다. 근데 이게 웬 일인가, 그 할머니가 다음 날에도 나에게 인사를 건네주는 것이다. 인사를 건넬 때 할머니의 눈빛은 마치 나를 유치원을 다니는 손자 보듯 마음이 편해지고 포근해지는 눈빛이었다. 세상 모든 불행한 감정을 모두 녹여주는 그 할머니의 눈빛은 따뜻하기 그지없었다. 처음 즈음에는 예의 상 인사를 계속 주고받았지만 며칠이 지나고 몇 달이 지나도 계속되어 결국 그 할머니와는 간단한 대화 정도는 주고받을 사이가 되었다.

처음 인상과는 많이 달랐던 분이다. 치매를 앓으셨던 우리 할머니는 고집이 굉장히 강하셨고 그것으로 인해 꽤 힘이 들었었다. 그때부터 우리 할머니와 닮은 분을 만나게 되면 안 좋은 선입견을 가지게 되었다. 하지만 그 생각과는 지금 생각해 보면 그 할머니 덕에 긴장감이 풀려 학원에 혼자 나름 다닐 수 있게 된 것 같았다.

어느 날은 지친 몸을 이끌고 학원에서 공부하다 잠시 화장실에 나갔었다. 어쩌다 보니 그 할머니를 만나게 되었고 할머니는 평소와 다르게 조용히 나를 부르시더니 근처 마트로 데려갔다. 그러고는 바나나 우유를 사시더니 나에게 우유를 쥐여주며 "고생이 많네. 먹고 힘내서 공부해라!" 하시는 것이다. 그러곤 바나나 우유를 극구 거절하는 나를 무시하신 채 어디론가 뿅 하고 사라지셨다. 아마 내 안색이 많이 안 좋은 걸 아셔서 그러시지 않았을까? 지금은 이렇게 생각한다. 너무 감사했다. 이렇게 이해심 넓은 분을 선입견을 가지고 생각했던 내가 부끄러워질 정도이다.

겉모습만 보고 판단하지 말라는 말이 참 어울리는 순간이었다. 학교건 가정이건 차별은 나쁘다고 배웠기에 나는 차별을 안 할 줄 알았다. 하지만 그런 말을 들음에도 불구하고 마음 속 깊이 차별을 일삼는 생각이 박혀있던 것 같다. 밖에서 구부정한 노인들을 피부색이 우리보다 지나치게 검고 흰 사람들을 볼 때 대형견을 데리고 다니는 사람들을 볼 때, 우리는 무의식적으로 차별하며 그들과 나는 다르다고 생각하는 게 아닐까.

어떤 사람이 500만원이 들어있다고 하며 상자를 건네도 우리는 그 상자를 열기 전까지는 얼마나 들어있는지 모르지만 분명 신이나 흥얼흥얼할 것이다. 다만 그 상자에 더러운 쓰레기가 있을지도 모르는데도 말이다. 내면을 보기 전까지는 그 사람에 대해 우리는 아직 아무것도 모른다. 외면만 보고 그 사람의 옳고 그름을 판단하는 행동은 다이아몬드를 앞에 두고 채굴을 포기한 광부와 다름없다고 생각한다. 필연적으로 일어나는 차별이지만 조금만 마음 속 깊은 우리의 상식을 조금이라도 전환한다면, 멋진 다이아몬드 같은 인연을 찾을 수 있지 않을까?

(PS. 아직도 그 할머니와는 잘 지내고 있다. 어제도 인사했다!)

둡

기억속의 감사함

자신의 행동이 누군가에겐 힘이 되고 위로가 될 수 있단 걸, 나도 그리고 지금 이 글을 읽고 있는 당신도 늘 기억하길 바란다.

해가 쨍쨍한 무더운 여름날. 초등학교가 끝나고 학교 아래쪽에 있는 편의점에 가면 언제나 같은 시간대에 일하고 계시던 직원 아주머니가 계셨다. 내가 들어가도, 다른 사람이 들어가도 늘 밝고 반갑게 맞이해주신 게 아직도 기억난다. 아주머니께서 인사해 주시면 나도 마찬가지로 인사를 했고, 그러면 기분도 좋아졌다. 그래서 편의점을 더 자주 갔던 것 같고, 그 아주머니가 계실 때 편의점 가는 게 좋았다.

여느 때와 똑같이 학교 방과 후 수업이 끝나고 친구가 편의점에 같이 가자고 해서 편의점에 가게 되었다. 친구가 빨리 가고 싶었는지 갑자기 뛰기 시작했고, 덩달아 나도 친구를 따라 뛰었다. 그때 나는 까먹고 있었다. 편의점 가는 길이 내리막길이었다는 사실을. 그러다 뛰던 와중에 땅에 있던 돌에 걸려서 넘어져 버렸다. 친구는 이미 먼저 들어가서 내가 넘어졌다는 것도 모르고 있었다. 나는 아프고 당황스럽지만 창피한 마음에 바로 일어서서 편의점 안으로 들어갔다. 친구가 자기가 먹을 음료수와 과자들을 다 고르고 먼저 가겠다고 했다. 난 알겠다고 대답했고, 내가 먹을 것을 사기 위해서 이곳 저곳을 둘러보며 과자를 고르고 계산대로 향했다.

그때 계산대에 계시던 아주머니께서 다친 내 다리를 보시게 되었다. 넘어진 바람에 무릎이 까져서 피가 나고 절뚝절뚝 걷던 다리를. 그리고 놀란 눈빛과 걱정하는 말투로 말씀하셨다. "어머, 어떡해, 괜찮아?" 아주머니가 물으시는 걸 듣자 눈물이 왈칵 쏟아졌다. 갑자기 걱정을 받으니까 그랬던 것 같다. 아주머니는 날 편의점 안쪽으로 부르시더니 "잠깐만 있어봐!" 하시곤 창고에서 치료용품 상자를 들고 나오셨다. 의자에 앉아보라고 하시고 소독약과 연고를 꺼내서 상처를 치료해 주셨다. 물론 아팠지만 치료해 주시는 게 감사하기도 하고, 일이 이렇게 될 줄은 몰랐었기에 살짝 당황하기도 해서 아픔은 별로 느껴지지 않았었다. 밴드까지 꼼꼼히 붙여 집까지 조심이 가라며 인사해 주셨다. 나도 감사 인사를 하고 이만 집으로 갔다.

만약 이때 넘어져서 편의점에 가지 않았더라면, 아주머니께서 날 치료해 주시지 않았더라면 어땠을까? 아마 난 집가면서까지 아프다기보단 쪽팔렸을 것 같다. 한마디로 무릎이 까지고 절뚝거리는 그 상태의 다리로 집에 가는 것은 곤란했을 것이다. 아주머니께서 날 도와주셨다고 해서 내 이름을 알고 계시거나 예전부터 딱히 친분이 있었던 것도 아니었다. 그래서 오히려 이름도 모르는 다친 나를 도와주신 아주머니의 행동이 더 감사했고 지금까지도 기억에 남아 있는 이유지 않을까 싶다. 아주머니와 내가 입장이 바뀌었더라면 나는 그렇게 선뜻 나서서 도와드리지는 못했을 거라고 생각해서 그 행동이 더욱 대단하다고 느껴진다.

위에 있는 내가 겪은 실제 이야기를 바탕으로 나는 "자신의 행동이 다른 누군가에겐 힘, 위로가 되고 기억속에 오래 남을 수 있다" 라는 이야기를 하고 싶다. 편의점 아주머니께서 날 도와주신 행동이 그 당시 다친 나에게 힘이자 위로가 되었던 것을 바탕으로, 나도 나중엔 아주머니 같이 도움이 필요한 사람이 주변에서 보인다면 도와줄 수 있는 사람이 되고 싶다. 이렇게 해서 언젠가는 나도 누군가의 기억속에 '고마운 사람' 이라고 남아볼 수 있으면 좋겠다. 자신의 행동이 누군가에겐 힘이 되고 위로가 될 수 있단 걸, 나도 그리고 지금 이 글을 읽고 있는 당신도 늘 기억하길 바란다.

윤지민

인사로 나누는 행복

| 서로 밝게 인사하는 것만으로도 행복을 나눌 수 있다는 것을 많은 사람들이 알게 되면 좋겠다.

내가 초등학교 5학년 때의 일이었다. 늦지 않게 스쿨버스를 타려고 버스 정류장을 향해 급히 걸어가는 길, 기름집 근처에서 어떤 할아버지께서 나에게 말을 걸어오셨다. 학교 가는 길인지 물어보셔서 그렇다고 대답한 뒤 서둘러 버스를 타러 갔다. 그날 학교를 마치고 집에 가는 길 아까 아침에 대화를 나눴던 할아버지를 보았다. 반가운 마음에 나는 인사를 드렸고, 할아버지께서는 환하게 미소를 지으며 내 인사를 받아주셨다. 며칠 뒤, 그 기름집이 나에게 말을 걸어주신 할아버지와 할머니, 두 분이 운영하시는 가게라는 것을 알게 되었다. 그날 이후로 나는 기름집 앞을 지나갈 때마다 한 번씩 기웃거리며 할머니, 할아버지가 계신 지 살펴보고 인사를 드렸다. 물론 그때마다 기름집 할아버지, 할머니께서는 친절하게 인사를 받아 주셨다.

초등학교 5학년 가을쯤 학교에서 제주도로 수학여행을 갔었다. 수학여행 마지막 날 이것저것 쇼핑할 수 있는 시간이 주어졌는데, 가족들 선물을 사던 중 늘 나의 인사를 따뜻하게 받아주시는 기름집 할아버지, 할머니가 생각이 났다. 학생들의 인사를 받아주지 않는 어른들이 예상외로 많아 서로 밝게 인사를 나누는 게 생각보다 어렵다는 것을 알고 있었기에, 내 인사를 받아주시는 할머니와 할아버지가 감사하게 느껴졌다. 나는 내 마음을 전하기 위해 할아버지와 할머니께 제주도에서 내가 직접 딴 귤 한 개와 한라봉 타르트를 몇 개 드렸다. 시간이 흘러 나는 중학교 3학년이 되었고, 요즘도 기름집 근처를 지나갈 때 할아버지 할머니가 보이면 인사를 드리고는 한다.

무척이나 더웠던 중학교 3학년 여름의 어느 날, 평소처럼 수업을 마치고 집에 가는 길이었다. 기름집 할아버지가 보여서 인사를 드리고 집에 빨리 가려는데, 갑자기 할아버지께서 나를 보시더니 오라고 손짓하셨다. 가까이 가자, 할아버지께서는 내 손에 5,000원을 쥐여주시며 항상 인사 잘 해줘서 고맙다고, 이걸로 시원한 음료수 한 잔 마시고 가라고 말씀하셨다. 할아버지가 하신 말씀을 듣고 어른들께 인사 드리는 것은 당연한 일이라는 생각이 들어 할아버지께서 주신 5,000원을 사양했었다. 하지만 사양 말고 받으라고 하시는 말씀에 기쁜 마음으로 맛있는 음료수를 사 마시고 집에 들어갔다.

할아버지께서 나에게 항상 인사 잘 해줘서 고맙다고 말씀하셨을 때, 나는 인사에는 힘이 있다는 것을 알게 되었다. 나는 인사를 드려서 인사를 받아주시는 분들 덕분에 행복해졌고, 나의 인사를 받으신 분들도 나의 인사로 인해 행복해지신 것 같아서 마음이 몽글몽글해졌다. 나의 사소한 행동 하나로 남을 기쁘게 할 수 있다는 것은 내게 생각보다 큰 기쁨을 준다.

그리움의 공식

요즘과는 달리 불과 몇 십년 전까지만 해도 대부분의 사람이 이웃끼리 서로 친하게 지냈다. 이웃끼리 인사하는 건 너무 당연하였는데, 지금은 인사는 커녕 서로 배려하지 않아서 싸움도 종종 일어난다. 시대가 많이 바뀌며 사람들이 각자 자신의 길을 가는 것만으로도 바빠서, 주변 사람들에게 관심을 가질 기회나 시간이 부족해진 것은 사실이다. 그렇지만 오가며 가볍게 인사하는 것 정도는 누구나 할 수 있다. 서로 밝게 인사하는 것만으로도 행복을 나눌 수 있다는 것을 많은 사람들이 알게 되면 좋겠다.

정채원

꽈배기의 따뜻함

이처럼 주위에 조금 더 관심을 가지고 배려의 시선으로 바라본다면 사회의 차가움은 다시 녹을 수 있을 것이다.

예전 대한민국의 모습은 어땠을까? 우리는 태어나기도 전이라 경험해보지도 못했지만 정이 정말 많았다고 한다. 지금도 할머니집에 가면 시골의 정이라는 따스함을 맛보곤 한다. 그러나 특히 도시에서는 고독사, 개인주의 성향이 사회적 문제로 떠오를 만큼 정이 자취를 감추어 버렸다. 더 이상 엘리베이터에서 이웃끼리 서로 인사를 나누거나 이사 오면 음식을 돌리는 모습 등은 쉽게 볼 수 있는 풍경이 아니게 되었고 그 빈 자리엔 차가움만이 남았다. 나 역시 오히려 이웃에게 인사를 하는 것이 더 어색하게 느껴져서 휴대폰만 들여다보곤 했었다. 사실 나는 이런 차가운 도시의 모습에 불만이 없었고 오히려 편하다고 느꼈었다. 이웃까지 챙기기엔 나도 너무 바쁘다는 이유에서였다. 그러나 한 이웃을 만나고 그런 나의 생각이 바뀌게 되었다.

나는 내가 지금 살고 있는 아파트에 10년 넘게 살고 있는 중이다. 내 인생의 절반이 넘는 기간 동안 살아오면서 엘리베이터에서 여러 이웃들을 만났고 그 중 한 두 명은 인사를 건네는 사이가 되었다. 그 중에서 지금까지도 기억에 남는 한 분이 계신다. 그 분은 숏컷 머리에 늘 깔끔한 모습이셨고 따스한 분위기를 가지고 계셨다. 지금은 기억이 오래되어 정확하진 않지만 아마 교육 관련 일을 하셨던 것 같다. 그래서인지 초등학생이었던 나에게 항상 인사해 주시고 웃어 주셨다.

그날도 평소처럼 그 이웃분이 엘리베이터에 타셨기에 간단한 인사를 나누었다. 그 분은 꽈배기 두 봉지를 들고 계셨다. 우리 동네에는 '달인 꽈배기'라고 방송에도 나왔었던 유명한 꽈배기 가게가 있는데, 그곳에서 사온 듯 보였다. '맛있겠다'라는 생각을 하느라 나도 모르게 그 꽈배기 봉지를 쳐다보았나 보다. 그 분이 엘리베이터에서 내리실 때 나에게 갑자기 꽈배기 한 봉지를 건네주셨다. 얼떨결에 감사하다는 인사를 드리고 그 봉지를 받아들였다.

집에 가서 꽈배기 봉지를 식탁에 올려놓고 나니 의문이 들기 시작했다. '왜 갑자기 이걸 나에게 주셨지? 혹시 독이 들어있는 거 아니야?'라는 말도 안 되는 생각도 했다. 그러한 의문들에 나는 꽈배기를 그대로 두었고 내가 놔둔 꽈배기는 퇴근하신 부모님의 것이 되었다. 부모님은 퇴근하신 후 꽈배기를 드시고는 맛있다고 하셨다. 꽈배기는 하루도 안 되어 다 먹고 사라졌지만 그에 대한 기억은 지금까지도 남아 있어 마음을 따뜻하게 한다. 지금 생각해 보면 그 꽈배기를 주신 분은 정말 따스한 사람이었던 것 같다. 단순히 꽈배기를 떠나서 평소에도 인사와 간단한 안부를 물어보는 행동들은 주변에 대한 관심과 주위를 돌아볼 여유가 없으면 불가능한 것들이다. 그런 이웃을 만나 정말 행운이었고 정에 대한 나의 생각도 바뀔 수 있었다.

사람들은 본인의 삶에 지쳐 점점 차가워지고 남을 생각할 여유는 부족해진다. 그렇기 때문에 남들에게 차가워지는 사람들이 늘어난다. 그리고 이런 차가운 태도에 상처받은 사람들은 자기방어를 위해 본인도 차가워지기 시작한다. 이러한 악순환을 끊기 위해서는 사회적 제도와 지원처럼 거창한 것이 아니라 정이 주는 따스함이면 충분하다.

뉴스를 보면 가끔씩 '심정지 환자를 살린 초등학생', '소방관들의 수고'와 같은 따뜻한 이야기가 소개된다. 이처럼 주위에 조금 더 관심을 가지고 배려의 시선으로 바라본다면 사회의 차가움은 다시 녹을 수 있을 것이다. 이런 일이 부담스럽게 느껴지는 사람도 있다. 하지만 대단한 일이 아니더라도 내가 만난 이웃처럼 사소한 인사와 간단한 선물로 시작할 수도 있다. 그래서 나 역시 그 이웃과 같은 사람이 되고자 한다. 다른 사람들에게 '정'이란 무엇인지 알려주고 싶다. 그리고 무엇보다도 나는 사람들이 말하는 예전의 따뜻하고 정이 많았던 대한민국을 느끼고 싶고 그런 대한민국에서 살고 싶다.

백서연

하루를 살아갈 원동력

하지만 편의점 아저씨에게서 인사를 받는 것이 익숙해지고 나서 나도 그 인사를 주고받기
시작했을 때부터는 하루하루가 달라지기 시작했다.

·

나는 거의 매일 아침 등굣길마다 편의점에 들러 학교에 있는 동안 중간
중간 먹을 간식을 사 간다. 어떨 때는 늦잠을 자서 아침을 먹지 못하고 등교
하기도 하는데, 그런 상황에서는 잠깐 편의점에 들러서 아침으로 먹을 빵
을 사 가기도 한다. 물론 수업 중간중간 쉬는 시간에 달달한 무언가를 먹지
않으면 수업에 집중이 되지 않아서 편의점에 들르는 이유도 있겠지만, 사
실 내가 매일 아침 편의점에 들르는 가장 주된 이유는 편의점 아저씨의 아
침 인사를 듣기 위해서이다.

나는 편의점 아저씨의 아침 인사를 들으면서 하루를 시작하면 더 활기차
고 정신이 맑은 상태로 하루를 보낼 수 있다는 것을 3학년 1학기 초반에 깨
달았다. 그리고 나는 어렸을 때부터 낯을 많이 가리는 성격이라 원래 알던
사람이 아닌 낯선 사람과 대화를 하거나 인사를 하는 경험을 많이 못해봤
기 때문에, 편의점 아저씨와의 아침 인사가 타인에 대한 경계심도 완화시

켜 주고 사회성도 기르게 해 줬다고 생각한다.

2016년에 남구 대현동에서 이웃간 인사하기 캠페인을 실시했다고 한다. 이 캠페인의 초반부에는 주민들도 서로서로 먼저 인사를 주고받는 것을 어색해 하고 불편해 했었지만 캠페인을 실시한 지 약 2주 정도가 지난 뒤에는 주민들끼리 서로서로 먼저 인사도 하면서 정감 있는 동네를 만들기 시작했다고 한다. 이 캠페인을 실시하고 난 뒤에는 이웃들끼리의 사이도 좋아지고, 통계 자료에 따르면 인사하기 운동이 이웃 간의 소통과 공동주택문제, 예를 들어 층간소음 등의 문제 해결에 도움이 되었다는 의견이 90%를 넘어섰다고 기사에 쓰여 있었다.

′나 말고도 다른 사람들도 인사를 주고받는 것이 인생을 살아가는 데에 힘이 되고 원동력이 될까?′ 하는 생각에 찾아본 자료들이다. 나 뿐만 아니라 다른 사람들도 인사에 대해 중요한 의미를 가지고 있어서 세상에 혼자가 아닌 느낌도 들었다. 또한 나와 같은, 또는 비슷한 경험을 한 사람들이 많아서 공감을 받는 느낌까지 들었다.

나는 처음으로 편의점 아저씨에게서 인사를 받았을 때 많이 어색해 했었다. ′나한테 왜 인사를 하지?′, ′내가 뭘 잘못했나?′ 같은 생각이 들었었다. 하지만 편의점 아저씨에게서 인사를 받는 것이 익숙해지고 나서 나도 그 인사를 주고받기 시작했을 때부터는 하루하루가 달라지기 시작했다. 이른 아침부터 피곤하시겠지만 나에게 항상 인사를 해 주시는 아저씨에게 감사한 마음이 들었고, 그 인사에 보답한다는 마음으로 하루를 열심히 보냈다. 그리고 원래는 학교에서 선생님들께 인사를 잘 하지 않던 나였지만 하루를 달리 살아가면서부터 선생님들께도 인사를 하기 시작했다.

　나는 인사가 인생을 살아가면서 꼭 필요한 존재이지만, 그 필요성이 사람들에게 잘 느껴지지는 않는 존재라고 생각한다. 우리가 사람들을 만날 때 항상 인사를 하고 그 인사를 통해 상대방의 기분도 파악하고, 파악한 감정들을 바탕으로 서로의 감정을 공감해주고, 이해해 주기 때문이다. 또한 서로 인사를 하면서 사회성도 기르고 삶의 원동력을 얻을 수도 있다. 좋아하는 사람에게 인사를 건네어 관심을 끌 수도 있다. 이렇게 사소하지만 꼭 필요하고 중요한 존재가 인사라고 생각한다.

장현진

도토리는 도토리처럼
둥글고 매끈해서 예쁜 법

항상 하늘을 관찰해 보면, 같은 하늘 아래에 상공하는 구름들은
각자만의 다채로운 모습으로 배회하고 있다. 고양이, 강아지, 상
어, 구두, 사람처럼 생긴 모양이거나, 아예 형용할 수 없는 형태로
떠다니고 있다는 것을 알 수 있고, 이것은 내가 '구름 관찰'을 좋
아하는 가장 큰 이유이다.

구름처럼 다양한

"나는 금시부터 다양한 구름을 사랑하듯 가지각색의 사람을 사랑할 것이고, 저 하늘의 구름처럼 나 자신을 숨기지 않고 보여줄 것을 선언한다!"

선선하게 바람이 불어오는 날, 햇빛 향이 나는 새로 빤 흰 내방 침대에 누워서 정확히 24°로 고개를 뒤로 젖히면, 시차(視差) 때문에 기울어진 방 창문 틀 사이로 파란 하늘을 볼 수 있다. 새들의 지저귐을 asmr 삼아 하늘을 지그시 바라보면 발견할 수 있는 떠다니는 구름들은 투명한 계란 국에 풀어진 계란 흰자처럼 유유히 하늘을 헤엄치며, 나의 마음을 아늑하게 해주곤 한다. 이러한 힐링감 때문에 구름을 관찰하는 것은 나의 취미 중 하나이다. 항상 하늘을 관찰해 보면, 같은 하늘 아래에 상공하는 구름들은 각자만의 다채로운 모습으로 배회하고 있다. 고양이, 강아지, 상어, 구두, 사람처럼 생긴 모양이거나, 아예 형용할 수 없는 형태로 떠다니고 있다는 것을 알 수 있고, 이것은 내가 '구름 관찰'을 좋아하는 가장 큰 이유이다.

이렇게 구름에 대한 관심이 많아지면서, 나는 관련된 자료들을 조사해 보게 되었다. 이때 <구름 감상 협회 – The Cloud Appreciation society>에 대해서 알게 되었다. <구름 감상 협회>는 구름에 관한 시를 쓰거나, 구름에 대한 노래를 부르거나, 신기한 구름 모양 사진 콘테스트를 여는 등 정말로 하늘을 수놓은 물방울 그 자체를 사랑하는 사람들이 모인 곳이다. 이 협회에 들어가기 위해 필수로 해야 하는 '구름 추적자 선언'에는 나에게 가장 와닿았던 문장이 있다.

"구름이야말로 최고의 평등주의자이다. 사람을 가리지 않고 환상적인 모습을 보여주기 때문이다."

이 문장이 나에게 와닿았던 이유는, '구름뿐만 아니라 사람도 그러지 않을까?'라는 생각이 들게 되었기 때문이다. 푸르른 하늘 아래 같은 모양의 구름을 보신 적 있는가? 구름은 발생하는 장소의 기압, 온도, 수분량, 바람의 세기 등 다양한 변인 덕분에 다 다른 모양을 띠게 된다고 한다. 사람들 또한, 태어난 장소, 나라, 부모님의 성격, 형제자매의 유무 등 더욱 다양한 변인이 태어났을 때부터 주위에 존재하기 때문에 다 다른 모습을 보이며 살아가게 된다. 그렇다면 여기서 생기는 의문점,

'우리는 구름이 보여주는 다채로운 모습에 반하게 되는데, 하물며 구름보다 더욱 다종다양한 사람은 왜 사랑하지 않는가? 왜 서로의 다양한 모습을 이해하지 못하고, 다르면 배척하는 거지?'

하늘에 구름이 다양하지 않고 모두 같은 모양이라면 어떨까? 다들 처음에는 신기해 하며 칭찬할 지도 모르지만, 이내 진부한 모양에 싫증을 느끼게 될 것이다. 우리도 모두 같은 생김새, 성격, 취향이라면 우리 사회는 매우 지루하고 따분할 것이다. 서로의 다양성 덕분에 우리 일상도 즐거워지

는 것이다. 그 다양성 덕분에 우리는 지겨운 사회에서 살아가지 않아도 되는 것이다. 그렇기에, 나는 이런 서로의 다양성을 존중하고 사랑하기로 결심했다.

우리도 이러한 협회의 신조처럼, 가지각색의 서로를 존중하고 사랑하도록 노력해야 한다. 성별이 다르다고, 인종이 다르다고, 성격이 다르다고 서로 배척하지 않기를 바란다. 남들과 다르다고 존중받지 못할까 봐 자신의 개성을 숨기는 이들도, 이제부턴 구름처럼 자신의 환상적인 모습을 맘껏 보여주길 바란다.

"나는 금시부터 다양한 구름을 사랑하듯 가지각색의 사람을 사랑할 것이고, 저 하늘의 구름처럼 나 자신을 숨기지 않고 보여줄 것을 선언한다!"

초전도채원

님들은 저처럼 살지 마세요

| 하지만 내가 잘못한 것도 있기에 꽤 반성을 했다.

내가 배화여중에 오기 전 다른 학교에 다녔을 때, 매일 밤마다 울었던 기억이 있다. 나는 그 학교가 너무 싫었다. 그 학교에서 내가 조금 성실치 못하게 다니긴 했지만 선생님의 행동과 차별이 날 더욱 안 좋은 길로 가도록 이끌었다. 선생님들 중 몇 분은 화가 나면 물건을 던지시는 분도 있었고 욕을 하시는 분도 있었다. 나아가 패드립을 하시는 분도 있었다.

그 학교는 벌점 제도가 빡빡했다. 심지어는 선생님들이 이번 연도에 교권침해 사건이 일어나 교권에 대한 인식이 높아졌다고 하시면서 이제 쌤들한테 잘 보이라며 애들에게 장난식으로 "너희들 쌤한테 잘하지 않으면 교권침해로 신고해서 너희 징계받게 할 거야!"라고 말하기도 하였다. 우리에게 '미친년'이라고 말하던 선생님도 계셨었다.

내가 인스타 스토리에 그 선생님 이름을 언급하고 '000머리카락' 이런 식으로 그 선생님을 욕하는 것처럼 게시물을 올린 적이 있다. 그런데 어떤 아이가 그 스토리를 캡처해 생활안전부 선생님께 일러바치기도 했다. 그랬더니 그 선생님께서 나를 불러서 나만 잘못한 것처럼 혼내시면서 게시물 속 선생님께 사과하라 그러셨다. 그래서 내가 게시물 속 선생님도 애들한테 욕하고 다니셨는데 왜 그 선생님은 우리한테 사과하지 않으시냐고 물어봤으나, 어쨌든 내가 잘못한 거라며 사과를 하지 않으면 나를 동아리에서 내보내고 징계위원회를 열리게 하고, 생기부에 빨간 줄을 긋게 만들 거라 협박 아닌 협박을 하였다.

나는 집에 가서 너무 짜증나서 울었다. 내가 그 선생님을 욕하는 글은 올린 건 맞지만 그 선생님도 나에게 잘못을 했으니 서로 사과를 하면 되는 일인데 생활안전부 선생님은 나만 잘못이란 식으로 말씀하셔서 너무 억울하고 서러웠다. 그래서 한동안 학교 다닐 때 스트레스를 많이 받았다.

사실 내가 잘못한 것도 많기는 하다. 가끔씩 학교를 점심시간에 등교하거나 학교를 가지 않기도 했었다. 내가 한참 사춘기였을 때 금발로 염색을 하고 학교를 가지 않아서 경찰서에 신고가 될 뻔한 적도 있다. 학교에서 다시 검은색으로 덮지 않으면 다음날 있는 축제 무대에 세워주지 않는다 해서 하루만에 다시 머리색을 덮은 적이 있다. 내가 잘못한 것은 맞지만 진짜로 억울했던 것은 차별 대우였다.

선생님들은 나와 내 친구만 염색을 풀라 했고 3학년 선배들 중 염색한 분들은 아무도 혼내거나 풀으라는 말을 하지 않았던 게 너무 억울했다. 우리에게는 "염색을 풀지 않으면 무대를 못 서게 하고 벌점을 준다!"라고까지 했는데, 선배들은 염색한 상태로 무대를 서도 뭐라 하지 않았기 때문에 화가 더 났다. 하지만 선생님께 말하면 선배들과 사이도 안 좋아지고 쌤이 나를 말대꾸 한다는 식으로 볼까 봐 뭐라 화내진 못했다. 그 이후론 엄마가 학교 조용히 잘 다니라고, 어차피 전학 갈 거니까 그때까지만 사고 치지 말라 하셨다.

그 이후 선생님들이 나를 안 좋게 보기 시작하셨다. 당연한 일이다. 내가 그 난리를 쳤으니 말이다. 그리고 찍힐 각오를 하고 그렇게 행동한 게 맞다. 그 학교는 좋은 쌤보다 안 좋은 쌤들이 더 많았던 것 같다. 지금도 내 친구들한테 들은 바로는 수행평가를 볼 때 학생을 차별하며 본인 마음대로 기회를 한 번 더 주기도 하고, 가끔은 부모님을 언급하기도 한다고 한다고 했다. 이번 연도부터 교권 침해에 대한 인식이 개선되고 보호를 위한 법안이 추진 중에 있어서 선생님들께 잘 안 보이면 징계를 먹거나 벌점을 주기도 한다고 한다. 나는 그 학교를 다니면서 스트레스를 너무 많이 받아서 탈모가 온 것 같다.

하지만 내가 잘못한 것도 있기에 꽤 반성을 했다. 그 선생님과 이야기를 못 해본 것도 마음에 걸리긴 하지만 뭐 어쩌겠나. 어린 내가 무례하게 행동했던 게 더 잘못된 거니까 내가 사과드렸어야 한다. 하지만 서로서로 잘못한 건 용서를 빌고 사과를 하면 좋겠다. 난 평생 그 학교를 잊지 못할 것이다.

박찬미

나도 모르는 사이 저지르고 있었던 것

일상 속에서 도덕적인 불편함을 느끼고 잘못됐다고 말하는 것, 그것이 공정한 세상을 만드는 시작이다.

우리는 아주 어렸을 때부터 성평등 교육, 장애이해 교육 등 공정한 사회를 만들기 위한 수많은 교육을 받아 왔다. 초등학교 6학년, 창체 시간에 받았던 성평등 교육도 이전과 크게 다르지 않았다. 당연하고 이미 다 아는 이야기들. 모든 사람이 평등하다는 사실은 누구나 아는데 왜 이렇게 자주 들어야 하는지 의문도 들었다. 교육을 받은 후에는 엄마께서 해 주시는 저녁 식사를 기다리고 있었다. 엄마께서 요리를 하시는 모습을 보고 있는 그때, 문득 나 자신에게 이상한 감정이 들었다.

'왜 나는 엄마께서 요리를 하시는 게 당연하다고 생각하고 있을까?'

한 번도 해보지 않았던 질문은 순식간에 내 머릿속을 헤집어 놓았다. 내 생각을 오랫동안 가두고 있었던 두꺼운 벽에 금이 가는 기분이 들었다. 그게 당연하다고 답하고 있는 나 자신에게서 그동안 보았던 편견을 가진 사람들의 모습이, 나는 절대 저렇지 않다고 굳게 믿었던 모습이 보이기 시작했다. 내가 긴 시간 동안 아주 견고한 편견에 갇혀 있었다는 사실을 깨달은 순간이었다.

그 이후 보이지 않았던 차별과 편견이 보이기 시작했다. 가장 먼저 보인 것은 내가 쓰는 차별 용어였다. 우리는 '여가수, 여배우'라는 말은 쓰지만 '남가수, 남배우'라는 말은 잘 쓰지 않는다. 남자든 여자든 가수는 가수이고 배우는 배우인데 왜 여자에게만 '여-'를 붙일까. 마치 남자가 표준이고 여자는 특별한 경우라고 말하는 듯하다. 또 선택을 할 때 시간이 오래 걸리는 것에 '결정장애'라는 단어를 쓰며 '장애'라는 단어를 부정적인 의미로 사용한다. 찾아보니 내가 일상 속에서 갖고 있었던 편견과 차별이 너무나도 많았다.

많은 사람들은 자신이 편견이 없는 공정한 사람이라고 생각한다. 우리는 뉴스에 나오는 차별 사례를 들을 때마다 가해자는 아주 못된 사람이고 자신은 결코 그렇지 않다고 굳게 믿는다. 하지만 우리는 이 사실을 알 필요가 있다. 편견을 갖고 있는 사람은 자신이 갖고 있는 생각이 편견이라는 사실을 자각하지 못 한다. 그것은 편견이 아니라 당연한 것이라고 생각하여 의심조차 하지 않고 차별을 행한다. 우리는 편견에 대한 불감증에 빠져 있는 것이다.

편견은 교양 있으며 상식적인 평범한 사람들에게도 존재한다. 오히려 평범한 사람들이 갖고 있는 편견은 잘 알아차려지지 못하기 때문에 더 무겁다. 편견과 차별은 특별한 사람들에게서 특별한 경우에만 드러나는 게 아니라 일상 속에 아주 짙게 묻어 있는 것이며, 우리는 우리도 모르는 사이에 편견을 갖고 누군가를 차별하고 있을지도 모른다.

편견에 대한 불감증을 치료하고 더 공정한 사회로 나아가기 위해서는 어떻게 해야 할까? 편견을 고치려면 우선 편견을 알아차려야 한다. 일상 속의 편견과 차별을 해결하기 위한 첫 번째 노력은 자신이 편견을 갖고 있다는 것을 인정하는 것이다. 그 점을 인정하고 나면 내가 갖고 있는, 또는 내 주변 사람들이나 일상 속에서 드러나는 잘못된 생각이 보인다.

편견과 차별을 찾아낸 후에는 그것이 잘못되었다고 끊임없이 말하고 고치려고 노력해야 한다. 우리는 모든 사람이 평등하다는 사실은 잘 알고 있지만 그 사실대로 생각하고 행동하는 것은 많은 노력이 필요한 일이다. 아무리 사소한 차별이라도 잘못된 것이라면 분명 잘못되었다고, 바뀌어야 한다고 말해보자. 우리의 생각과 행동, 일상 속에 깊게 뿌리박혀 있는 편견과 차별을 뽑아내자. 물론 이건 아주 피곤한 일이다. 하지만 우리는 더 예민하게 살 필요가 있다. 일상 속에서 도덕적인 불편함을 느끼고 잘못됐다고 말하는 것, 그것이 공정한 세상을 만드는 시작이다.

김수현

100원의 중요성

그냥 다 똑같은 돈 인데 왜 그러는지 모르겠다.

나는 문득 궁금해졌다. 사람들은 100원도 돈이라 생각할까? 보통 사람들은 그렇다고 대답하겠지만 몇몇 사람들은 100원을 돈으로 생각하지도 않을 것이다. 내가 이러한 주제를 들고 온 이유는 내가 겪었던 일 때문이다. 내 앞에 100원이 떨어져 있었다. 그런데 지나가는 사람들은 모두 돈을 보았지만 그냥 지나쳤다. 100원이 아니라 500원, 혹은 1,000원이었다면 냉큼 주워갔을 텐데 말이다. '사람들에게는 100원이 그리 큰 돈이 아닌가 보다.' 하고 생각하게 된 계기였다.

하지만 100원은 우리 생활에서 빠지면 안 되는 존재이다. 예를 들어 편의점에서 물건을 많이 사서 봉투가 필요한 상황을 생각해 보자. 봉투가 100원이나 200원인데 현금이 없는 상태라 봉투를 못 사는 상황이 오면 굉장히 난감할 것이다. 나는 물건이 많으면 봉투를 100원 주고 살 때가 많은데 만약 100원이 없는 상태라면 꼼짝없이 물건을 불편하게 다 들고 가야 할 것이다. 그리고 간편한 뽑기 같은 것을 할 때도 보통 100원을 넣고 돌리는 형식인 뽑기가 많다. 100원짜리 뽑기를 많이 해 봐서 아는데 그때 만큼은 100원이 1,000원처럼 느껴진다. 아이스크림 할인점 같은 곳에서도 마찬가지이다. 아이스크림은 대부분 300원, 500원으로, 100원이 필요한 가격대이다. 물론 500원이나 1,000원으로도 가능하지만 100원을 모아서 사는 방법도 있다. 또 다른 예로는 남녀노소 모두 알법한 목욕탕에 있는 동전 넣고 쓰는 드라이기이다. 이 기계에다가 100원을 넣게 되면 대략 3분가량 사용할 수 있는데 여기만큼은 가치가 낮던 100원도 크게 느껴진다.

이렇게 우리 일상에 100원이 쓰이는 경우가 많다. 그런데도 사람들은 100원의 가치를 모르고 그저 하찮게만 생각한다. 이 밖에도 100원은 어디에서나 쓰이는 소중한 돈이다. 이렇게나 소중한데 사람들은 돈으로도 생각을 안 해주니 답답할 뿐이다. 100원보다 적은 돈인 50원, 10원의 가치를 못 느끼는 사람도 많다. 10원이든 50원, 100원이든 그냥 다 똑같은 돈 인데 왜 그러는지 모르겠다. 나였으면 앞에서 말했던 것처럼 기부함에 넣거나 100원을 하나하나 모아서 아이스크림 할인점이나 뽑기 같은 놀거리에 썼을 것이다.

요즘 사람들은 지폐나 카드를 주로 들고 다니지만 나는 아직도 동전 지갑을 들고 다니는데 은근히 쓸모가 많다. 내 주변에서 '왜 아직도 동전 지갑을 들고 다니냐', '안 불편하냐?', '너도 카드를 들고 다녀.' 하고들 말하는데 나는 상관 없다. 100원도 어디선가 쓸 수 있는 똑같은 돈이니까 사람들이 100원의 소중함과 중요성을 더 알아주면 좋겠다. 그러면 100원도 같은 돈 취급을 받을 수 있을 테니 말이다.

김태희

손 글씨 바꾸기

날카롭게 깎아내야 예쁜 다이아몬드도 있지만, 도토리는 도토리처럼 둥글고 매끈해서 예쁜 법이다.

"너 'ㅌ' 되게 신기하게 쓴다. 나는 정석으로 쓰는데."

"맞아, 나는 'ㅌ'을 이렇게 써. 귀엽지?"

작년 겨울, 가로선 하나, 그 밑에 디귿 하나를 써서 티읕을 쓰는 친구를 봤다. 왜 그렇게 쓰냐고 물어보니 웃으며 그냥, 예뻐서 그런다고 했다. 그 후로 반년이 지나선 나도 내가 써 오던 정석적인 티읕을 잘 쓰지 않는다.

지금껏 내 글씨체가 바뀐 건 티읕 뿐만이 아니다. 모음 'ㅗ'를 쓸 땐 우리 언니처럼 자음을 쓰고 이어내려 한 획으로 마친다. 학원 수학 선생님처럼, 내 리을은 모나지 않았지만 빠르게 한 획으로 내려온다. 그리고 이 모든 글자를 합친 것이 부러움과 부끄러움이 묻어나는 내 글씨체다.

또박또박 반듯하게 일기를 쓰려고 해도, 아기자기하고 둥글게 편지를 쓰려고 해도 내 글씨는 항상 들쑥날쑥 괴발개발이었다. 둥근 듯 곧은 듯 균형 있게 필기하는 언니가 정말 부러웠다. 자음이 크고 모음이 작은 친구의 경쾌한 글씨체가 신기했다. 손을 기울여 써도 삐뚤지 않고, 원고지 위에 쓰듯 명료한 아빠의 글씨체가 샘났다. 분명 나도 같은 손이고 같은 펜인데 뭐가 문제일까 궁금했다.

내 글씨체는 나의 미숙하고 못난 많은 부분 중 하나였고, 가장 티가 잘 나는 부분이기도 했다. 'ㅌ' 친구와의 대화에서 친구의 뿌듯해 하는 듯한 웃음이 뇌리에 박혔다. 글씨체를 칭찬받았을 때 멋쩍게 아니라고 말하며 반쯤 끝낸 대화를 전환하려던 내가 생각나 얼굴이 조금 붉어졌다.

확대 해석이라고 볼 수도 있겠지만, 'ㅌ' 친구는 자존감이 높다. 가끔은 "나는 이 부분이 너무 싫어."라고도 말하고, "나, 그래서 내 머리카락 색이 너무 마음에 들어."라고도 말하지만, 결국엔 '좋든 싫든 어쩌나, 나인데.'라고 말하는 듯 만족하고 살아간다. 이 친구와 대화하며 나의 싫은 부분을 드러내도 괜찮구나, 자존감이란 그걸 숨기고 완벽한 모습을 보이려고 하는 게 아니라 싫은 부분을 보고도 괜찮은 것이라는 것을 뼈저리게 느꼈다. 이젠 내 이야기가 부끄럽고 민망할지언정 싫어하는 마음은 많이 줄어들었다.

언제인지 명확히 기억나지 않는 어느 날 내 글씨체가 좋아지기 시작했다. 친구들과의 대화가 담긴 내 글씨체, 언니와 일기를 다시 읽어보며 킥킥대던 기억이 담긴 내 글씨체, 판서를 따라가기 버거워 급하게 쓰다가 획이 줄어버린 내 글씨체가 맘에 들기 시작했다.

손 글씨를 바꾸기 위해 남의 것을 보고 따라 하려고 애써도 괜찮다. 자신이 표현하고자 하는 바를 멋들어지게 보여주기 위해 새로운 글씨체를 개발하는 것도 꽤 멋진 일이다. 하지만 투박해도 진솔한 글씨, 본인만의 추억과 이야기가 담긴 글씨를 쓰는 것도 비슷하게, 어쩌면 그보다 더 반짝이는 일이다. 누군가 "글씨체 귀엽다!"라고 말하면 부정하지 않고 웃으며 "고마워, 너도 손 글씨 예쁘다."라고 말할 수 있었으면 좋겠다.

　세상이 알아보든 몰라보든 나의 정체성이 담긴 무언가를 밖으로 아무렇지 않게 내놓는 것은 참 용기 있다. 우리 모두가 글씨체뿐만이 아니라 말투, 표정, 습관, 행동, 매너, 자세 하나에 자부심을 가질 수 있었으면 한다. 내가 아닌 무언가로 보이려고, 나를 바꾸려고 끝없이 노력하기엔 너무 피곤하지 않은가. 날카롭게 깎아내야 예쁜 다이아몬드도 있지만, 도토리는 도토리처럼 둥글고 매끈해서 예쁜 법이다.

이유민

모든 관계에서 사람은 미성숙하다

지나치는 모든 관계에서 우리는 그 누구도 온전히 성숙하지 못하며, 나와 틀린 것이 아니라 다르다는 것을 명심해야 한다

모든 인간관계에서 사람은 미성숙하다.

학교에서는 다문화 가정, 흑인과 백인 등 명확히 보이는 차이를 다르다고 인정하는 것이 필요하다고 교육한다. 백인이라고 흑인을 차별해선 안되고, 흑인이라고 백인을 향한 무조건적인 앙심을 품어서는 안 된다. 다문화 가정에서 태어난 아이라고 그들을 사회에서 배제하는 일이 없어야 하며 장애와 가난을 죄로 몰아가는 일 또한 일어나서는 안 된다. 작은 사회인 학교에서는 사람들이 그어 놓은 선을 기준으로 차별하는 것은 문제라고 이야기한다. 하지만 인종도, 나이도, 현재 처한 환경도 같다면 과연 우리는 다름을 인정할 수 있을까.

나는 학교에서 마찰이 생겼을 때 교무실을 자주 찾곤 했다. 선생님들은 내게 가장 가까이 있는 어른이기에 나의 문제를 어느 정도는 해결해 줄 수 있을 것이라고 믿었다. 실제로 다양한 문제와 갈등을 해결하는 과정에 있

어서 많은 도움을 받은 것은 사실이다. 하지만 그뿐. 대부분은 문제를 일단 락시키는 것에서 그쳤다. 근본적으로 생긴 불만이나 응어리들은 풀리지 않은 채 끝나버리기 일쑤였다. 당장 눈앞에 보이는 실만 겨우 푼 채 저 멀리 보이는 엉킨 실타래를 애써 외면하며 매달 비슷한 일들로 교무실을 찾았던 기억이 난다. 그렇다면 나는 왜 혼자 불만을 해결하지 못했을까?

　나는 아직 나와 그들의 다름을 인정하지 못 했던 것이었다. 학교는 아직 성숙하지 못한 학생들이 모여 배우고 자라는 곳이다. 학생은 어디까지나 서투르기 마련인데 무엇이든 더 하면 더 했지, 덜 하지 않다고 생각한다. 세상 모든 사람이 나와 같은 생각을 갖고 있을 수는 없다. 다들 다른 환경에서 자라왔기에 성격도, 생김새도 서로 같은 것이 하나 없다. 나조차도 서투른 인간이기에, 감정이 격해지는 상황에서는 이 사실을 바로 떠올리고 인지하기 힘들어진다. 나는 아직도 나와 다른 것을 틀렸다고 생각하는 성숙하지 못한 어린아이다. 하지만 나는 이제 엉켜있는 실타래를 풀기 위해, 다름을 배우기 위해 최선을 다하고 있다.

　정작 필요한 것들을 배우기 위해서는 수많은 갈등을 겪어야 한다는 사실이 참 안타깝다. 당장 눈에 보이는 것들보다는 들여다 보아야 알 수 있는 것들에 조금 더 집중하는 사람들이 많아지는 날이 하루빨리 오기를 바란다. 지나치는 모든 관계에서 우리는 그 누구도 온전히 성숙하지 못하며, 나와 틀린 것이 아니라 다르다는 것을 명심해야 한다.

김가은

할아버지 편의점 알바생의 따뜻함

나는 그저 교통카드를 충전하러 간 것뿐이었는데 에너지까지 충전된 것 같은 기분이 들었다.

우리 동네 편의점은 알바생이 자주 바뀐다. 그래서 이 동네에 이사 오고부터 편의점에 갈 때마다 새로운 알바생을 보게 된다.

이 날도 평소처럼 편의점에 들렀다. 사고 싶었던 과자와 음료수를 잔뜩 들고 계산기 앞으로 갔다. 오늘은 대학생 정도 되어 보이는 남자 편의점 알바생이 있었다. 근데 어디선가 계속 여자의 목소리가 들려서 봤더니 알바생의 핸드폰에서 나는 소리였다. 전화를 하고 있는 것이었다. 내가 계산하러 왔으니까 잠깐 통화를 멈출 줄 알았는데 멈추기는커녕 더 크게 소리 내면서 그 여자와 통화를 했다. 내가

"저... 계산이요……."

라고 말하는 그제서야

"아 네..."

라고 쌀쌀맞은 말투로 대답하였다. 계산하면서 무슨 얘기를 하는지 들어봤는데 알바생이 전화기에 대고

"아 요즘 잼민이 밖에 안 와."

라고 말했다. 나는 대놓고 어린 나 앞에서 이런 말을 한다는 게 어이가 없고 화가 났다. 그렇게 기분이 찝찝한 상태로 집에 갔다.

다음날, 학교 가는 길에 교통카드에 돈이 없어서 충전하려고 편의점에 들렀다. 오늘은 어제 그 알바생이 아니기를 바라며 문을 열고 들어갔다. 들어가 보니 오늘은 나이가 좀 있어 보이시는 할아버지 알바생 분이 계셨다. 왠지 모르게 공손한 어투로

"안녕하세요."

라고 한 마디를 했다. 그 할아버지도 대답해 주셨다.

"저 교통카드 충전이요."

라고 내가 말하니까 웃으시면서 카드를 달라고 하셨다. 머리도 하얗고 목소리도 다 쉰 듯했는데 얼굴은 계속 웃고 계셨다. 충전을 다 하고 나가려는 데 그 분께서

"행복한 하루 보내요, 학생!"

이라고 하시면서 인자한 미소를 지으셨다. 나는 그저 교통카드를 충전하러 간 것뿐이었는데, 에너지까지 충전된 것 같은 기분이 들었다.

다다음날 저녁에 또 편의점에 갔는데 괜히 저번에 그 할아버지 알바생 분이 계셨으면 좋겠다는 생각이 들었다. 그런데 내 마음을 읽었는지 정말로 계셨다. 남은 하루도 기분 좋게 보낼 수 있을 것 같았다. 집에 가서 엄마와도 편의점에서 그동안 있었던 일들에 대해 얘기했다. 엄마도 할아버지가 대단하신 것 같다고 하셨다. 이 할아버지는 내가 지금까지 봐왔던 대부분

의 젊은 알바생과는 달랐기에 나에게 더 특별하게 다가왔다.

모든 젊은 알바생들이 내가 말한 것처럼 불량한 건 아니지만, 젊다는 것이 일하는 데 있어서 장점만 있는 건 아니다. 대부분의 사람들은 젊은 사람들이 일을 하는 게 당연하고 노년기가 되면 일을 그만둬야 한다고 생각하지만, 나이가 많아도 충분히 일을 할 수 있다. 나이가 많다고, 적다고 누가 더 일을 잘한다는 편견을 가지면 안 된다. 젊으면 체력적으로 유리할 것이고 나이가 많으면 살아온 세월이 길어서 경험이 풍부해 생각할 수 있는 범위가 넓은 것처럼 각각의 장점이 있다.

나도 보통의 사람들이 생각하는 것처럼 젊은 나이에 무조건 돈을 많이 벌어 놓아야 하고 노년기가 되면 일할 수 없을 것이라고 생각하고 쉴 생각만 하고 있었는데, 이 할아버지를 보고 나도 나중에 나이가 많아져도 일을 해야겠다는 생각이 들었다. 이 편의점 할아버지 알바생분은 내 편견을 깰 수 있게 해 주시고 생각에 많은 변화를 주신 분으로 남아 있다.

김시윤

그리움의 공식

여름 밤의 하얀 점

당신과 다른 사람들은 각자가 생각하는 보통 사람의 길을 걷고 있지만 서로 가는 길이 다르다면 이건 당신은 보통의 삶을 사는 사람이 아니라는 뜻이다.

어제 점심 뭐 먹었어?

"어제 점심에 무엇을 먹었어?"

라고, 묻는다면 이에 대답할 수 있는 사람은 몇 없을 것이다. 또한, 내가 늘 아무렇지 않게 하는 일들, 예를 들면 학원에 가고 친구들과 이야기를 나누는 일들을 구체적으로 기억할 수 있는 사람은 소수에 불과할 것이다. 나 역시 우리 아파트 근처 사시는 분들 중 스쿠터를 타고 다니시는 분의 모습이라든지 스쿠터가 어떻게 생겼는지는 자세하게 기억하지 못한다. 보는 빈도수가 결코 적은 편에 속하는 게 아닌데도 말이다. 그렇다면 왜 우리는 이런 일상의 당연한 것들을 계속 잊고 망각하는 걸까? 일상의 당연함 속에는 가족도 포함되어 있을 터이고, 그 외에도 많은 소중한 것들이 있을 것이다. 그러한 소중함을 계속 잊다 보면 기억하고 싶었던 경험, 혹은 추억을 다시 떠올리지 못할 수 있다. 우리는 어떻게 해야지 그런 당연함을 기억할 수 있을까?

먼저, 우리가 무엇을 기억하지 못하는지에 초점을 맞춰 해결해야 한다.

우리가 잊는 것은 일상의 ′당연함′이다. 뇌는, 인간이 생존에 유리하도록 중요한 부분만을 기억할 수 있게 진화했다. 기억은 활동적이며 많은 노력을 필요로 한다. 이런 특성에 의해, 뇌는 효율적인 활동을 하려고 하는 성질상, 모든 것을 저장하려 하지 않는다. 모든 것을 기억한다면 우리의 뇌는 과부하로 정신병에 걸릴지도 모르는 일이다. 그래서 일상의 ′당연함′ 같은 중요치 않은 일들은 기억하지 않는 것이다. 하지만, 기억하고 싶지 않은 것들이나 무작위 것들을 기억하는 것을 보면 이를 아니라고 생각할 수도 있다. 그렇지만 사실은 우리가 무작위라고 느끼는 것들, 노래를 듣는 행위라던가 쓸데없는 상상은 우리에게 특별한 (좋거나 싫은) 감정이 생겼기에, 오래 기억할 수 있게 되는 것이다.

위 문제를 해결하기 위한 방법으로는 뇌의 특징을 활용하는 것이다. 뇌의 특성으로 인해 기억하지 못했다면, 중요한 것만을 기억하는 특성을 이용하자는 것이다. ′당연한′ 일을 ′특별한′ 기억으로 만드는 것이다. 기억은 선택적으로 이루어지기 때문에, 선택될 수 있도록 의미 있는 일로 만든다면 일에 대한 기억력은 장기간으로 연장된다고 볼 수 있다. 예를 들어, 나는 매년 여행을 가는 데 익숙하고도 반복적인 루트로 인해 기억하지 못할까봐, 평범한 순간도 특별한 경험으로 바꾸기 시작했다. 최근엔 고층 빌딩의 호텔 방에서 본 야경을 기억하기 위해 노래와 함께 감상했다. 야경은 고요하다가도 바삐 움직이는 사람들과 저마다 자신의 빛깔을 뿜내는 건물의 조명, 길거리의 작은 가로등이 아름다웠기에 잔잔하면서 독특한 분위기의 음악인 Bruno Mars의 <After last night>를 들으며, 풍경을 감상했다.

지금 이렇게까지 자세히 묘사하고 있는 것을 보면 효과는 똑똑히 볼 수 있다는 걸 알 수 있다. 이처럼 기억을 다시 상기시키기 위해 음악과 같은 매체와 연관짓는다면 장기간 망각하지 않을 수 있다. 우리가 크리스마스 캐럴을 듣거나, 유행했던 노래를 들으면 그때의 시절을 추억하는 행동 또한 예시로 들 수 있다. 실제로 음악은 앞서 말한 '활동적이고 효율적인 기술'의 일환이다. 후에 추억하고 싶은 일이 있다면 그 상황에 맞는 음악을 같이 듣는 것을 추천한다. 기왕이면 뇌리에 더 잘 남는 긍정적이고 밝은 노래를 선택하는 것을 권한다.

이수근수근

생각을 정리하는 방법

그러니 다들 의지를 갖고 목표를 이루기를 바라고, 모두 머리에 있는 다양한 생각을 정리해서 삶이 복잡하지 않기를 바란다.

나는 머릿속에 생각이 많아서 항상 무엇을 먼저 해야 할지 몰랐다. 그래서 매일 숙제를 까먹거나 먼저 해야 하는 것들을 하지 않아서 엄마에게 잔소리를 듣고는 했다. 나의 삶이 무책임하다며 너의 삶은 네가 알아서 해야 하는 거라며, 아님 숙제 먼저 하면 놀 때 마음이 편할 거라고 말이다. 나도 숙제를 먼저 하면 놀 때 마음이 편할 거라는 것도 알고, 그렇게 하지 않는다면 미래에 내가 후회할 거라는 것도 이미 알고 있었다. 하지만 해야 할 일을 계속 까먹거나, 기억이 난다고 해도 재미없어서 포기하기 일쑤였다. 그래서 엄마에게 공부를 안 하는 이유가 머릿속에 생각이 많아서 매일 까먹거나 재미없어서라고 이유를 말했더니, 엄마가 이렇게 말했다.

"생각을 정리하는 방법을 찾아봐."

그래서 나는 엄마의 말을 듣고, 생각을 정리하는 방법을 찾아보기 시작했다.

첫 번째로 가장 먼저 찾아낸 방법은 플래너를 쓰는 것이었다. 이 방법은 학교에서 친구들이 플래너를 많이 쓰고 있는 것을 보면서 알게 되었다. 그래서 나는 근처 문방구에서 3천 원짜리 플래너를 사서 집으로 와 펼쳐보았다. 플래너는 체크리스트 형식으로 되어 있었다. 나는 일단 내일 해야 하는 일들을 한 줄에 하나씩 적어보았다. 그리고 다음날에 난 그 플래너를 펼쳐서, 어제 적어놓은 것들을 보았다. 난 써놓은 그대로 실행에 옮겨 보았다. 하지만 첫 번째 것을 하느라 시간이 많이 지나갔기 때문에 그다음 것들도 시간이 지연돼 버려서 몇 개는 그날 안에 하지 못했다.

그때 난 알았다. 시간 계산도 중요하다는 것을 말이다. 첫 실패를 겪고 난 후, 그 다음 날에는 내일 해야 하는 일을 시간까지 고려해 계획했다. 그리고 다음날 어제 적어놓은 것을 보며 실행해 보았다. 결과는 성공이었다. 그래서 난 그 이후로도 플래너 쓰기를 몇 달 동안 했다. 하지만 몇 달 정도 쓰다 보니, 점점 플래너를 쓰는 게 귀찮아지고 재미 없어지면서 드문드문 쓰다가 결국은 그냥 손을 놓고 말았다. 나는 계획적이지 않다 보니 나에겐 맞지 않았던 것 같다.

그래서 다른 방법을 찾아냈는데 그 두 번째 방법은 아이디어 노트 쓰기이다. 이것은 내가 노트에 아무 생각 없이 끄적이다 발견한 방법이다. 때는 사촌 동생이 놀러 오기 하루 전, 무엇을 하고 놀아야 할지 몰라서 집안과 근처에서 놀 수 있는 것들을 다 적고 있었다. 그러다가 괜찮은 아이디어가 많이 나왔다. 나는 이것이 나에게 맞는 계획 세우기 방법이라는 것을 깨달았다. 그래서 이번엔 공부 일정은 물론이고, 놀이 일정까지 해야 하는 것부터 하고 싶은 것까지 쭈욱 메모지에 적어보았다. 그리고 먼저 해야 하는 일에 동그라미를 치고, 일전에 공부만 쭉 하다 재미없었던 경험을 살려서 공부와 취미생활을 번갈아 넣고, 각각 1시간이라는 시간 제한을 걸어두었다. 처음에는 시간제한에 걸려 이도저도 못 하거나, 취미생활을 훨씬 더 해버리는 바람에 시간이 지연되면서 목표한 걸 다 이루지 못하기는 했지만, 이것을 계속 반복하다 보니 점차 익숙해져서 성공을 향해 가게 되었다.

내가 좋아하는 취미생활을 하기 위해 열심히 공부를 하게 되었고, 다 하고 나니 성취감도 얻었다. 이 성취감을 경험하는 게 좋아져서, 공부를 할 수 있게 되었다. 나는 이 방법을 발견한 뒤로 계속 이 아이디어 노트 쓰기 방법만 쓰게 되었다.

이 방법은 일단 해야 하는 것들을 생각나는 대로 다 적고, 급한 것과 급하지 않은 것을 분리한 뒤 날짜별로 이날에는 이것을 하자라고 적으면 되는 방법이다. 재미있었기 때문에 나에게 잘 맞았던 것 같다. 공부를 재미있게 하려면 자신에게 제일 잘 맞는 방법을 생각하는 게 우선이라는 것을 알게 된 경험이었다.

자신만의 방법을 찾는 것도 중요하지만 자신이 재미있어 해야 하겠다는 의지가 생긴다. 내가 플래너 쓰기 방법을 실패했던 이유가 의지가 없어서였던 만큼 의지도 중요하다는 것을 알게 되었다. 그러니 다들 의지를 갖고 목표를 이루기를 바라고, 모두 머리에 있는 다양한 생각을 정리해서 삶이 복잡하지 않기를 바란다.

유은혜

사소하지만 좋은 것

가끔 가다 들었던 음악을 내 일상생활 속에 가득히 채웠다.

어렸을 때부터 줄곧 나는 음악 듣는 것을 좋아하고는 했다. 어쩌다 티비에서 흘러나오는 가요나, 아빠 자동차에서 들리는 클래식 음악. 그 음악이 어떠한 장르인지, 어떤 느낌을 내게 주는지, 어느 상황에서 들려오는지 상관없이 내 귀에 들리는 음악들은 모두 내게 영향을 미쳤다. 가끔 학원 숙제에 집중하고 싶을 때는 적당히 방해되지 않을 잔잔한 음악에 기대고, 늦은 밤 혼자 집으로 가는 길이 왠지 으스스할 때는 조금 두려운 기분을 떨쳐내기 위해 리듬감이 넘치는 신나는 음악에 의존하기도 했다. 노래 분위기에 따라 내 감정도 조금씩 달라지는 것도 흥미롭기도 하고 나에게는 하나의 놀이인 것이나 마찬가지였다.

중학교에 입학하고 나서부터는 가끔 들었던 음악을 내 일상생활 속에 가득히 채웠다. 아침에는 학교에 가지고 가야 할 책과 물건들을 가방 속에 집어 넣기 전에도 인터넷 속 다른 사람들이 추천하는 좋은 노래들부터 휴대폰으로 찾아본 적도 꽤 많았다. 내 취향이 아닌 음악이더라도 다른 사람들이 추천하는 노래를 들어보면 나름 색다른 느낌이 들기도 하고 찾아보는 쏠쏠한 재미도 있었기 때문이다. 어쩌면 색다른 환경 속 색다른 감정이 낯익지 않아 중학교 생활에 적응하기 위해 몇십 번이고 질리도록 들었던 익숙한 노래들에 푹 빠져들었던 게 아닌가 싶기도 하다. 매일 아침에 버스에 탈 땐 출근하기 바쁜 어른들 몇몇도 귓속에 꼭 나처럼 에어팟을 끼고 멍하니 목적지로 향하는 모습이 많이 보였다. 그럴 때마다 나만 이렇게 음악을 자주 듣는 게 아니구나 조금 신기하기도 했다.

그렇게 몇 년 동안 음악 속에서 생활하고 있었던 어느 날, 항상 당연히 챙겼던 에어팟을 두고 급하게 밖을 나와 버렸다. 매일같이 시간 나면 들었던 게 음악이라 도로에 지나다니는 차 소리만 들리는 게 나에겐 너무 어색했다. 신나는 노래가 안 들리니 등굣길이 신나지 않았고 잔잔한 노래가 안 들려서 버스에 울리는 다른 사람의 기침소리가 그날따라 거슬리기만 했다. 그저 노래를 잠깐 안 들은 것뿐인데 이렇게나 허전할 줄은 예상하지도 못했다. 이 현실적인 침묵이 얼른 음악에 묻혀버렸으면 좋겠다고 생각이 들기까지 했다. 생각해 보니 길거리에 있는 옷가게와 카페, 자주 가는 떡볶이집에 적막이 가득하지 않도록 음악을 트는 이유가 결국 이것 때문 아닐까 싶다.

음악이 사람 뿐만 아니라 동물들에게까지 영향을 끼친다는 말을 들은 적이 있다. 예를 들어 조금 전까지만 해도 집에서 마구 뛰어다니던 우리집 고양이가 내가 튼 '고양이가 좋아하는 음악' 소리 하나에 귀를 기울이며 차분해진 것처럼 말이다. 음악은 접하기 쉬워 단순해 보이지만 실제로는 사회적으로 사람들의 행동과 일상에 변화를 주기도 하고 심리적인 영향력까지 행사하는 것이라고 생각한다. 내가 음악을 제대로 접하기 전과 접한 후의 일상 변화는 상상 이상으로 컸으니까.

이렇게 사소한 것 하나로도 나 뿐만 아니라 다른 사람들의 질을 높여주는 것이 음악 뿐만 아니라 분명 더 많을 텐데, 사실 나는 여태껏 음악이라는 것이 내게 큰 좋은 영향을 미치는지 몰랐기 때문에, 아직 내 삶을 더 향상시켜주는 것들이 뭐가 있는지 잘 모른다. 그래서 앞으로는 내 주변에 있는 다른 할 것들도 주의 깊게 살펴봐 무언가에 더 흥미를 가지며 살아가고 싶다.

조원희

이야기의 바다

인생이라는 커다란 이야기의 바다에는 기억이라는 해안이 있고 그 해안은 추억이라는 모래 알갱이로 가득 차 있다.

하루가 끝나갈 때, 우리 모두는 각자의 방법으로 하루를 마무리할 것이다. 나에게는 그 일이 바로 일기를 쓰는 것이다. 일기를 쓰는 이유는 간단하다. 쉴새 없이 흘러가는 시간 속에서 자신의 과거를 잊어가다, 끝내 잃어버리기 전에 일기라는 수단을 이용해 언젠가 다시 그 시간을 엿볼 수 있도록 과거의 흔적들을 남기는 것이다.

사실 나는 일기를 성실하게 매일 쓰는 것은 아니다. 어릴 적에는 일기를 쓰는 숙제가 싫었고 방학 때마다 일기 숙제를 미루고 미루다 방학이 끝나갈 때쯤 엄마에게 혼나 울면서 일기를 쓰고는 했다. 일기를 쓰는 것은 때로는 귀찮고 지치는 일이다. 하지만 시간이 흘러 그 일기장들을 펼쳐보면 그 시절의 나와 지금은 만나지 못하는 사람들, 그들과의 추억이 담긴 커다란 이야기의 바다에 빠져들어 수많은 기억과 감정의 파도와 마주하게 된다. 이 순간에는 마치 내가 이야기의 바다에 사는 고래가 되어 수많은 시간 속의 이야기를 헤엄치는 것 같은 기분이 들고는 한다.

　나는 내가 써내려간 나의 이야기에 빠져드는 순간이 너무 좋다. 때로는 과거에 내가 저질렀던 수많은 실수와 실패를 마주하게 되기도, 후회의 순간을 마주하기도 한다. 그 시간 동안은 또 다시 지독한 자기혐오 속에 빠져 종종 '만약 이때는 이랬다면...', '이걸 했어야, 이걸 하지 말았어야 했는데...' 같은 후회를 또 다시 하기도 한다. 그럼에도 다음 이야기로 넘어가면 내가 겪은 또다른 행복한 이야기, 슬픈 이야기, 그리운 이야기들을, 그리고 그때의 나를 다시 볼 수 있기에 현재의 나도 함께 행복해 하고, 슬퍼하고, 그리워하며 과거의 나를 현재의 나가 공감하고 위로해 준다.

　어릴적 쓰기 싫었음에도 억지로 썼던 일기, 그 일기들은 내가 성장함에 따라 점점 그 양이 쌓이고 쌓여 몇 권의 책이 되었다. 비록 시간이 흘러 많이 너덜너덜해진 일기장도 있기는 하지만 그 안에 담겨 있는 나의 이야기는 여전히 내가 책장을 넘기면 마치 그 시절로 돌아간 듯이 살아 숨쉬고는 한다. 아직 글자를 뗀 지 얼마 되지 않아, 또는 쓰기 싫어서 삐뚤빼뚤 적힌 글자들, 그리고 억지로 울면서 썼던 흔적으로 남아 있는 눈물자국들, 그 사소한 흔적마저도 어린 시절의 나를 표현해 주며, 그 시절의 나를 추억하는 데 더 많은 도움을 준다.

　사람들은 모두 다른 인생을 살며 행복, 지루함, 좌절, 사랑 등을 겪는 여러 인생들이 있다. 그 각각의 인생들은 멀리서 다른 누군가가 바라본다면 하나의 이야기에 지나지 않는다. 그럼에도 누군가의 경험이 담긴 이야기를 읽을 때는 그 일을 겪지 않은 생판 남인 사람도 당시의 상황을 상상하며 읽는다. 그렇다면 그 일을 실제로 겪고 직접 쓴 자기 자신이 글을 본다면 어떨까? 그 사람은 그곳에 적히지 않은 더 많은 일과 사건들의 조각을 찾을 수 있을 것이다.

시간은 손 안의 모래와 같아서 다시 그 시간을 잡고 싶어도 우리가 모래를 손에 쥘 수 없듯이 결국 자신의 손에서 놓칠 수밖에 없다. 그럼에도 소량의 모래 알갱이, 그 알갱이가 우리의 기억에 남아 지금의 우리를 만들어 내고 지탱시켜 준다. 인생이라는 커다란 이야기의 바다에는 기억이라는 해안이 있고 그 해안은 추억이라는 모래 알갱이로 가득 차 있다. 시간이 흐름에 따라 넘실대는 수많은 이야기의 파도로 인해 우리의 모래는 떠내려가 그 추억을 잊기도, 새로운 모래가 떠밀려와 또 다른 추억을 갖게 되기도 한다. 우리가 살아가는 동안 우리의 해안선은 끊임없이 바뀔 테고 그 때마다 잊고, 기억하는 추억들이 생겨나게 될 것이다. 잃어버린 과거를 되찾기는 것은 힘들기 때문에 나의 과거를 잊지 않기 위해 오늘도 나는 일기를 쓴다.

윤슬

변하지 않는

지구가 멸망하기 전 보여주는 가장 아름다운 하늘의 모습 같았다.

나는 하늘을 좋아한다. 정확히는 하늘이 보여주는 모습들을 좋아한다. 매일 아침 짧은 등교시간 속에서 에어팟을 끼고 노래를 들으며 하늘을 본다. 따뜻한 햇살이 하늘 아래로 스며들어 나를 맞아준다. 하늘은 따뜻한 햇살을 맞이하게 문을 열어주고 매일 다른 모습을 보여준다. 내가 깊게 고민을 하고 신세 한탄을 하며 우리 집 거실의 큰 창문으로 하늘을 본다. 그럴 때면 창문 너머로 보이는 끝없는 하늘이 창문을 가득 채우며 버거울 정도로 아름답게 빛난다.

봄의 따뜻한 하늘, 여름의 시원한 밤 하늘, 가을을 알리는 높게 멀어진 하늘, 겨울의 시리도록 차가운 하늘들이 계절을 알려준다. 또 밝고 따스한 햇살이 온 몸을 감싸며 안아줄 수 있도록 문을 열어주는 하늘, 먹구름을 끼고 소나기를 내려 모습을 감춰버린 하늘, 밝게 빛나는 태양 아래 시원하게 여우비를 내려주는 하늘은 매일 다른 날씨를 모두에게 보여주며 자랑한다. 이런 하늘들이 모두를 감싸안는다. 모두를 포용해 주는 아름다운 하늘이 샘난다.

우리는 매일 지구가 주는 선물 중 하나인 하늘을 보고 듣고 느끼며 살아간다. 하늘은 그렇다. 이것은 모든 것들과 함께 발맞춰 변하고 절대 변하지 않는다. 하늘은 항상 곁에 있고 한 손에 잡힐 듯 가깝고 한 손에 가릴 듯 작지만 끝없이 드넓고 멀다. 또 항상 같은 자리에서의 변하지 않는 한결같음과 매일 새롭게 다른 자신의 모습들을 가져와 즐겁게 해 준다. 하늘의 모습이 완벽하게 같은 날들은 기적의 날일 것이다.

어느 날 아무런 생각 없이 길을 걷다가 무심히 하늘을 보았을 때 내가 본 하늘 중 가장 아름답고 완벽한 모습을 드러내는 것이 수줍은 듯 얼굴을 붉힌 하늘의 모습을 보았다. 수줍은 하늘에 그려진 일곱 빛깔 아름다운 무지개와 함께. 이런 장면은 지구가 멸망하기 전 보여주는 가장 아름다운 하늘의 모습 같았다. 그런 하늘을 보며 문득 내가 사랑하고 아끼는 사람들과 가장 아름다운 이 하늘의 모습을 공유하고 싶었다.

하늘을 통해서 내가 아끼는 것을 한번 더 추억하고 떠올리며 위로를 얻을 수 있기 때문에 나는 하늘을 좋아한다. 만약 무심히 하늘을 보았을 때 아름다운 잠깐을 느끼고, 누군가를 떠올리며 이 찰나의 아름다운 순간을 공유하고 싶다면, 당신은 그 사람을 많이 좋아하고 아끼는 것이 틀림없을 것이다. 이렇듯 하늘은 매일 다른 선물을 주며 누군가에게 기쁨을 주고 매일 다르다는 의미에서 특별하다.

하늘이 우리에게 보여주는 것들은 맑고, 흐리고, 깨끗하고, 시원하고 아름답다. 하늘을 보면 이런 감정들이 든다. 나는 하늘을 통해 얻는 감정을 누군가의 소중한 추억의 감정과 연결되었으면 좋겠다. 이 글을 읽고 하늘을 한 번 쳐다보며 소중한 누군가, 무언가와 함께 하고 싶다고 생각하면, 나는 굉장히 만족한다. 누군가가 이 글을 읽고 하늘을 보며 소중한 것을 떠올리면 좋겠다. 이 말을 하려고 내가 하늘을 좋아하는 이유, 나와 하늘의 경험, 내가 생각하는 하늘에 대한 것들을 나열하며 결론에 도달했다.

이 글을 마지막으로 정리하여 물어본다. 이 글을 읽고 어떤 생각이 들었는가? 한 번이라도 창문 밖의 하늘을 쳐다봤는가? 그런 하늘을 보고 어떠한 감정이 들었는가? 이 아름다운 것들을 누구와 함께 하고 싶은가? 질문을 던진다. 오늘도 하늘은 아름답다.

식빵굽는고양이

기대되는 크리스마스

| 아, 시간이 지나가지 않았으면 좋겠다.

띠리리롱 띠리리롱 종이 치고 책상에 앉아 매번 똑같은 수업을 듣고, 똑같은 학원에 가 똑같은 사람들과 시간을 보내고 똑같은 시간에 밥을 먹고, 핸드폰을 보고, 숙제을 하고, 자고…… 학생인 나로서 평소엔 아주아주 특별한 일도 없고, 설레이거나 두근되는 일은 일어나지 않는다. 이런 생활이 계속 반복되다보면 '난 지금 뭐하고 있지...'라는 생각이 들면서 인생이 너무 지루해져 버린다. 중학교를 올라오고 나서부터 난 인생이 지루하다는 생각을 꽤나 많이 하였는데 이러한 생각을 가지면서 생각해낸 것은 지루한 인생을 극복할 수 있는 방법은 작은 일에도 의미를 크게 부여하고, 좋아하는 일을 찾고, 특별한 일을 스스로 만들면 된다는 것이었다. 쉽게 말해 스스로를 위한 이벤트를 만드는 것이다. 내가 만든 이벤트는 크리스마스 안에 있다.

12월 25일, 크리스마스 당일 새벽 5시30분, 띠리링띠리링 알람이 울린다. 그럼 나는 알람 소리를 듣고 일어나 거실로 가 어제 만들었던 트리모양

전구를 키고, 내가 좋아하는 캐롤을 튼다. 신기하게도 이 날은 이렇게 일찍 일어나도 피곤하지 않다. 고요한 집안에 작게 울려퍼지는 캐롤을 들으며 주방으로 향해 어제 산 가나초콜릿을 꺼내 초코볼 만들기를 시작한다. 언제부턴가 나는 크리스마스 날 항상 새벽에 혼자 캐롤을 들으며 초코볼을 만드는 게 당연하게 되었다.

초코볼 만드는 방법은 간단한데 먼저 초콜릿을 녹인 후 구 모양 틀에 조심히 바른다. 여기서 중요한 건 초콜릿이 얇으면 부서지기 때문에 한 번만 발라서는 안 된다는 것이다. 그렇게 바르고 얼리고 바르고 얼리는 것을 반복하여 굳은 초콜릿 속에 제티와 작은 마쉬멜로우를 넣고 초콜릿을 닫으면 완성! 이 과정이 생각보다 오래 걸리기 때문에 다 완성하고 나면 8시에서 9시 사이가 되어 있다. 나는 이 초코볼을 소중한 친구들에게 나눠주기도 하는데 친구들이 너무 맛있다고 후기를 남겨줄 때면 엄청 뿌듯해져 100개를 만들어 주고 싶어진다.

초코볼을 다 만들 때쯤이면 엄마와 동생도 일어나 거실로 나온다. 우리 가족과 함께 쇼핑을 가거나 외식을 하고, 명동에 걸어가 크리스마스 분위기를 즐기는 사소한 것도 나에겐 엄청 행복하고 소중한 기억으로 남는다. 또 우리 가족이 크리스마스에 꼭 하는게 있는데, 전부터 만들어 보고 싶었던 케이크를 만들고 사진도 찍으며 맛있게 먹고, 모든 일정을 마치고 돌아와 영화를 보며 내가 아침에 만든 초코볼을 따뜻한 우유에 녹여 먹으며 아빠가 주문 제작한 케이크를 먹는 것이다.

"아... 시간이 지나가지 않았으면 좋겠다!"

이렇게 가족들과 영화를 보고 있으면 차가웠던 겨울이 점점 따뜻해지고, 그렇게 여름에는 누구보다도 따뜻하고 행복한 크리스마스를 기억하게 된다.

크리스마스가 지나고 여름쯤이 되면 또 다가오는 크리스마스를 기다린다. 그 때 들었던 캐롤을 들으면서 이번 크리스마스는 어떻게 보낼까 하며 하고 싶었던 것들을 찾아 리스트를 적어 놓기도 한다. 일상이 지루해도 크리스마스만 생각만 하면 기분이 좋아지고, 설레이는 게 꼭 짝사랑할 때같은 기분이다. 짝사랑을 하면 학교 가는 게 즐거워지고 항상 설레이는 것처럼, 나도 크리스마스를 기다릴 때면 행복해지고 설레게 된다.

나는 이처럼 일상이 지루하거나 흥미가 없는 사람들이 자신이 좋아하는 일을 찾아 자신에게 이벤트를 열어주어 행복을 찾았으면 좋겠다. 거창한 것이 아니어도 괜찮으니 작은 것부터 시작해 보자!

이문덕

여름 밤의 하얀 점

"자신이 힘들고 지칠때, 아무리 달려도 끝이 보이지 않을 때 적으면 몇 백만, 많으면 128억 광년 동안 칠흑 같은 어둠을 뚫고 지구를 향해 달려온 밤하늘의 별을 보며 힘을 얻을 수 있었으면 좋겠다."

    어릴 적 천문대를 가 본 경험은 대부분 있으리라 생각한다. 나도 어릴 적 천문대에 갔었던 기억이 흐릿하게 남아 있다. 하지만 우주를 좋아한다는 것을 알게 된 순간, 언젠가는 꼭 천문대에 가 보고 싶다고 생각하게 되었다. 마침내 방학이 되었고 양평에 위치한 중미산 천문대에 가게 되었다.

    양평으로 이동하는 동안 차 밖에서는 해가 뉘엿뉘엿 지고 있었다. 구름도 적당히 있었기 때문이었을까, 산 뒤로 지는 노을이 정말 멋있게 보였다. 차에서는 라디오가 흘러나오고 있었다. 라디오를 들으며 노을을 구경하고 있으니 감동이 밀려왔다. 이 완벽했던 상황을 더 완벽하게 만들어준 요인이 있다. 바로 라디오에서 흘러나오는 노을과 잘 어울리는 분위기의 노래다. 이 노래가 차분하면서도 신나는 노래였기 때문에 노을과 잘 어울렸고 평생 기억에 남게 될 경험을 하게 되었다. 심지어 천문대까지 가는 길에 이 노래가 두 번씩이나 흘러나오게 되니 이보다 더 완벽한 경험은 없었다.

천문대가 위치해 있는 산 중턱까지 가기 위해 꼬불꼬불한 길을 따라 올라갔다. 천문대 주차장에서 하늘을 올려다 보니 어느새 해는 사라지고 어둠만 짙게 내려앉아 있었다. 그 사이에서 빛나는 별들이 어둠 사이로 존재감을 뿜어내고 있었다. 검은 도화지에 박힌 수많은 별들을 보고 있노라면 우주에 관한 경이로움에 빠져들게 되기 마련이다. 목이 뻐근해질 만큼 하늘을 올려다보고 있으면 별들이 하나둘씩 더 모습을 드러낸다.

본디 별들이란 그런 존재이다. 별을 내 시야 한가운데에서 보려고 하면 보이지 않다가 조금 옆부분을 응시하면 그제야 가장자리 쪽에서 반짝이는 점이 보인다. (실제 별 관측 팁이다) 별을 관측하려면 인내심이 필요한 법이고 비단 별 관측에만 적용되는 것이 아니라고 생각한다. 별을 관측하며 세상의 이치를 깨달을 수 있다.

천문대 관측 시간이 찾아오자 직원분께서 오늘 관측할 별과 별의 종류 등의 이론에 관해 설명해 주셨다. 그러면서 별의 크기와 태양계 행성 크기 비교 영상을 틀어주셨는데, 영상에서 정말 큰 별들이 모여 성단을 이루고, 성단들과 여러 항성계들이 상상도 할 수 없을 만큼 많이 모여 우주를 이루는 것을 보며 우주의 신비를 다시 한 번 느꼈다. 또 마블을 통해 알게 된 멀티버스가 실제로 존재할 수도 있을 것 같다고 생각하게 되었다.

이런저런 생각을 하다 보니 본격적으로 천체 관측을 할 시간이 다가왔다. 그냥 맨눈으로 봐도 별들이 정말 잘 보였다. 그리고 보름달이 뜰 때 맞춰서 갔기 때문에 보름달도 볼 수 있었다. 미리 설치되어 있던 망원경을 통해 보름달을 더 큰 모습으로 만날 수 있었다. 다른 망원경을 통해 견우성이라고도 불리는 알타이르, 직녀성으로도 불리는 베가, 백조자리의 꼬리 부분에 위치한 데네브와 헤라클레스 자리에 있는 m13 구상성단과 백조자리의 m29 산개성단도 볼 수 있었다. 또한 맨 눈으로 북두칠성과 카시오페이아자리를 관측할 수 있었다. 정말로 북쪽 하늘에 국자 모양으로 박혀 있는 하얀 점 7개가 있었다. 직원분께서 북두칠성과 카시오페이아 자리를 통해 북극성 찾는 법을 알려주셨다. 또 하늘에 박혀 있는 무수히 많은 별들을 핸드폰으로 담는 방법도 알려주셨다. 그 방법으로 사진을 찍으니 핸드폰 안에 셀 수 없이 많은 별들이 쏟아지고 있었다. 사진을 빼곡히 채운 별들을 보며 알 수 없는 신비한 감정이 내 마음 속에 휘몰아치고 있었다.

별의 빛은 초속 30만 킬로미터의 속도로 우리를 향해 달려온다. 그러다 성운을 만나 흡수될 위험을 감수하면서도 말이다. 빛은 이 위험을 감내하며 지구를 향해 끊임없이 달려온다. 우리가 밤하늘에서 보는 별의 빛은 오래전 별에서 출발한 빛이다. 지구로부터 가장 가까운 은하인 안드로메다 은하는 250만광년 떨어져 있는데, 안드로메다의 별을 오늘 밤에 본다면 그 빛은 250만년 전 별을 떠난 빛이라는 것이다. 지구에서 가장 멀리 떨어져 있는 별은 WHL0137-LS인데, 128억광년이나 떨어져 있다.

자신이 힘들고 지칠 때, 아무리 달려도 끝이 보이지 않을 때 적으면 몇백 만, 많으면 128억 광년 동안 칠흑 같은 어둠을 뚫고 지구를 향해 달려온 밤하늘의 별을 보며 힘을 얻을 수 있었으면 좋겠다.

은하수

새벽 4시에 축구경기를 보면 행복할까?

> 평소와 달리 일상에서 하지 않았던 즐거운 일을 하기 위해서 약간의 노력을 한다면 장단점이 있지만 그래도 가치가 있을 수 있을 것이다.

우리 엄마가 이강인의 팬이어서 이강인 경기를 보려고 같이 새벽 4시에 나와 소속팀인 PSG의 축구 경기를 보았다. 사실 나는 이강인 뿐만 아니라 월드컵에서 정말 잘 한다고 생각하고, 이미 유명한 축구 선수인 음바페를 보려고 일어나기도 했는데, 처음에만 관중석에서 잡히고 경기엔 안 나왔다. 막상 일어나 보니 너무 피곤했다. 난 축구를 엄청나게 좋아하지는 않는다. 그런데 2022년 카타르 월드컵에서 축구를 보고 축구에 대한 관심이 높아졌다.

어쨌든 나는 축구를 보는데 옆에서 엄마가 이강인을 응원하는 것 같았다. 나는 너무 피곤해서 피곤이 쌓인 눈으로 경기를 계속 보다가, 전반전 이후 쉬는 시간에 유튜브 방송을 하였다. 그리고 엄마가 그것 할 거면 왜 일어났냐고 얘기하셨다. 나는 후반전에 집중 안 하다가 한 5시쯤 경기 끝나고 잠을 잤다. 그때가 일요일 새벽이었고 나는 교회를 다니는데 교회에 갈 때 피곤하지 않을까 걱정하였고, 예배 시작 25분 전에 일어났다. 근데 어차피 1분 거리라 빨리 준비하면 상관은 없었지만 조금 피곤한 게 문제였다. 나는 사실 피곤해서 축구 경기에 집중을 잘 못했는데 일요일 새벽에 또 한다니 그때 경기도 꼭 일어나서 보고 싶었다.

나는 왜 그런 것일까? 생각을 해 보았는데, 일단 나는 평소에 반복되던 생활에서 새로운 활동을 한다는 것에 설렘이 있었던 것 같다. 또 새벽의 분위기가 좋았던 것 같다. 예전에 새벽 6시에 일어나서 티브이를 켜서 <걸어서 세계 속으로>를 보면 마음이 편안해졌던 기억도 있다. 그리고 이번 경기에 저번에 출전 안 했던 축구선수 음바페가 출전한다고 했던 것이다. 그래서 나는 다음 주에 꼭 봐야겠다고 생각하였다.

새벽 4시에 또 경기를 한다. 새벽 4시에 일어나서 축구 경기를 본다는 것은 내가 보고 싶은 걸 위해서 평소에 하지 않은 간단한 노력을 하는 것인데, 이것은 할 만한 가치가 있는 활동인지 궁금해졌다.

일단 새벽 4시에 일어났을 때 장점은 내가 평온한 새벽 분위기와 함께 열기 있는 축구 경기에 내가 보고 싶은 축구선수의 경기하는 모습을 볼 수 있고, 심리적 안정감을 가질 수 있다. 그리고 단점은 피곤할 수 있고, 사람마다 다르지만, 평소의 생활과 달리 새벽에 일어났을 시 두통이 일어나거나 체력이 약해져 기침이 날 확률도 있다는 것이다. 그렇지만 나는 아침에만 피곤하고 오후쯤에는 별로 피곤하지 않았던 것 같았다. 솔직히 새벽에 일어나서 있는 단점은 약간 피곤한 것 뿐이라고 할 수 있으니 나는 새벽에 일어나서 축구 경기를 보는 것이 가치있다고 생각이 되었다.

근데 물론, 일어나는 것이 매우 힘들다. 사실 일어나 있는 것보다 일어나는 그 시작이 더 힘들다. 엄마가 안 깨워주시면 못 일어나는 것 같다. 그다음 주에, 엄마가 깨워 주셔서 엄마랑 같이 일요일 새벽 4시에 축구선수 킬리안 음바페가 나온 경기를 봤다. 나는 기대를 하면서 봤고 저번보다 집중을 많이 했다. 정말 축구에 대해서 잘 모르지만, 그 선수는 잘 한다는 느낌을 받게 만든 것 같았다. 엄마는 역시 이강인을 응원했는데 엄마가 이강인을 정말 좋아하시는 것 같다. 최근에 본 엄마가 가장 응원하는 셀럽인 것 같다. 이강인이 나올 때마다 좋아하신다.

이렇게 새벽 4시에 축구를 본다는 건 반복되는 생활 속에서 다른 점을 갖는 것 같아서 나에겐 좋은 활동이라고 할 수 있다. 나는 생활이 반복되는 것에 대해서 생각해 봤는데, 반대로 매일매일 새로우면 더 이상할 것 같다. 축구 경기를 새벽 4시에 봄으로써 나는 다양한 분위기를 느꼈고 솔직히 많이 가치가 있는 활동이라고 생각한다. 다음에 또 한 번 축구 경기를 봐야겠다.

권예인

핸드폰 속 비밀

　나는 초등학교 4학년 때 처음으로 핸드폰이 생겼다. 내가 핸드폰이 생긴 순간부터 나의 핸드폰 속에는 비밀들이 생각나기 시작했다. 사소한 비밀부터 숨기고픈 비밀들까지 다양했다. 메시지, 카톡, 사진첩, 유튜브, 넷플릭스, 메모장, 플레이 리스트 등 곳곳에 숨겨있었다.

　가족들과의 메시지 내용들을 보면 날짜의 기간이 길고 답도 단답형이다. 가족들에게는 말도 별로 안 하고 무뚝뚝하지만, 또 학원 선생님께 보낸 문자들을 보면 세상 상냥하고 깍듯하다. 환경부 톡 방에서는 반 단톡에 공지하라고 올라올 때 귀찮아서 짜증이 나지만 답변은 또 깍듯하게 보낸다. 친한 친구들과의 톡 방에서는 재밌는 척을 한다. 원래 좀 재밌긴 하지만 더 재밌어 보이려고 이상한 드립들을 인터넷에 일부러 찾아서 보내기도 한다. 사진첩에서는 예쁜 풍경 사진, 인스타 필터로 찍힌 이상한 사진들, 온갖 예쁜 척을 하고 찍은 셀카, 세상에서 제일 귀여운 우리 집 강아지 사진, 왜 찍었는지 모르겠는 사진 등이 있다.

여기 나오지 못 한 몇 장의 사진들이 있는데 그중 한 개를 알려주자면 제빵이다. 남들은 내가 제빵을 하는지 잘 모른다. 근데 꽤 잘한다. 남들에게 보여주지 않던 이유는 항상 맛이 있었지만 보기에 예쁘지는 않았기 때문이다. 그래서 사진에 잘 담기지도 않았다. 사진에 맛 없게 나왔다면 사람들이 내가 맛있다고 말해도 잘 믿지 않을 것 같아서 그냥 안 보여줬다.

넷플릭스는 더 이상 안 보지만 난 어린이용으로 나온 것들을 좋아했다. 페퍼포그, 리치리치, 윈스, 앤, 에밀리 구하기 등등 정말 많은 것들을 봤다. 남들에게 내가 어린이용 만화들을 본다고 말하면 유치하다고 놀릴까 봐 말하지 못했었다. 넷플릭스에서만 어린이용 영상들을 보는 것은 아니었다. 나는 동심이 많이 있어서 장난감도 좋아해서 유튜브에서도 캐리와 장난감 친구들 등 여러 장난감 리뷰 영상이나 슬라임 영상들을 많이 봤다.

나의 사춘기는 매우 질풍노도의 시기였다. 정말 사람들이 말하는 사춘기 자체가 나였다. 감정 기복이 아주 심해서 진지하게 내가 조울증인지 고민했던 적이 꽤 많이 있었다. 그래서 나는 메모장에다가 이런 나의 심정들을 적었다. 내용은 알려주기엔 마음의 준비가 되지 않아서 비밀이다.

내 플레이리스트는 나 그 자체이다. 내 플레이리스트에는 여러 가지 종류가 있다. 신나는 팝, 신나는 케이팝, 잔잔한 팝, 잔잔한 케이팝 이렇게 네 가지로 나눌 수 있다. 나는 대부분 팝을 듣는다. 팝이 내 취향이기도 하고 케이팝보다 더 신나는 곡들이 많아서 좋아한다. 잔잔한 노래들은 케이팝과 팝 둘 다 듣는데, 울적할 때 잔잔한 노래들을 들으면 위로되는 곡들이 몇 개 있어서 운다. 이것 또한 내 비밀이다. 많이 울었기 때문이다.

이 글을 쓰며 과거의 나를 돌이켜 보니 나는 정말 자존감과 자신감이 많이 없었던 것 같다. 참 많이 감추고 살았다 싶다. 나는 중학교에 와서 성격이 정말 많이 바뀌었다. 예전에는 정말 소심히 그 자체였는데 이제는 뭐 당당하다. 과거에 힘든 일이 많아서 내가 이랬던 게 이해가 간다. 추억도 회상하고 재밌다! 미래에도 이런 글 한 번 써 봐야겠다. 그때에는 지금이 과거일 거로 생각하니 나의 미래 생각에 가슴이 두근거린다.

태정태세

연필과 추억

언젠가 기억마저 흐릿해지며 완전히 잊기 전, 하루라도 빨리, 여러 방법으로 지난 추억과 지금을 기억해 둘 것이다. 눈으로, 사진으로, 글로.

내가 연필을 더 이상 쓰지 않게 된 건 중학교에 들어가고 나고부터였다. 6년 동안 써 오던 연필 대신 낯선 샤프를 쓰게 된 것이다. 어색한 것도 잠시, 난 금방 샤프에 익숙해졌다. 지금 쓰고 있는 샤프는 총 2자루인데, 중학교 입학 얼마 후 엄마가 사 주신 샤프와 올해 초 외숙모가 사 주신 샤프이다. 우연하게도 같은 브랜드의 두 샤프에는 모두 짧은 글귀가 새겨져 있다. '나의 딸 웅비에게... 사랑하는 엄마가', '웅비의 매 순간이 반짝이기를'. 사랑이 가득 담긴 글귀를 보다 보니 문득 어릴 때 받은 연필 하나가 생각났다. 샤프를 쓰면서 자연스럽게 잊힌, 한때 가장 소중했던 연필이었다.

초등학교 1학년 때, 수요일 아침마다 책을 읽어 주시던 같은 반 친구의 어머니이자 임시 선생님께서 마지막 날 반 아이들에게 연필을 한 자루씩 나눠 주셨다. 연필의 디자인은 저마다 조금씩 달랐는데, 내 것은 파란색 배경에 귀여운 미니언즈 캐릭터가 그려져 있었다. 살펴보니, 연필에는 선생님이 쓰신 짧은 편지가 코팅되어 돌돌 감겨 붙어 있었다. '수업 열심히 들어 줘서 고마워. 함께 하는 동안 즐거웠어~~^^ 1학년 x반에게, 책 읽어 주는 선생님이'. 선생님의 진심이 가득 담긴 편지에, 당시 감수성이 그리 풍부하지 않았음에도 상당히 감동하였다. 내가 누군가로부터 감동을 한 첫 기억이다. 나만 그런 건 아니었는지, 편지를 읽은 다른 친구들의 웅성거림도 나와 비슷했던 것 같다.

그 와중에 편지만 떼서 버리고는 연필만 쏙 챙기는 장난기 많은 아이도 있었다. 그 모습에 어린 마음에 화가 나고 당황해 선생님의 아들이었던 친구의 눈치를 슬쩍 보기도 했다. 후에 담임 선생님께서 그 아이들을 크게 꾸짖으실 때는 속으로 통쾌하다는 생각까지 들었다. 선생님의 꾸중을 옆에서 들으며 누군가의 정성이 얼마나 고마운 것인지 확실히 깨달은 것 같다.

꽤 인상적인 경험이었던 터라, 짧다면 짧고 길다면 길 그 상황은 아직도 내 머릿속엔 그림처럼 각인되어 있다. 그 이후로 나는 그 연필이 매일 필통에 소중하게 넣어 다녔다. 연필이 짧아지다 못해 편지의 끝에 다다라, 편지가 잘리기 직전까지 썼다. 더 이상 쓸 수 없게 됐을 때는 하는 수 없이 소중한 물건을 보관하는 상자에 넣어 두었다. 절대 못 잊을 줄 알았지만, 눈에서 멀어지니 금방 잊혔다. 그렇게 나는 한동안 연필을 잊고 살았다.

오랜만에 꺼내 본 연필은 내 기억과는 아주 달랐다. 깔끔했던 마지막과는 달리 그새 많이 지저분해져 있었고, 캐릭터는 물론이고 글귀가 적힌 종이 또한 어느새 빛이 바래 누르스름해져 있었다. 끄트머리에 덮여 있던 코팅이 벗겨져 속이 슬쩍 보이기도 했다. 벌써 8년이 지났으니 당연한 일이겠지만, 그래도 마음 한편에 아쉬움과 미안함이 남았다. 애지중지할 때는 언제고 이렇게 낡도록 두었다니. 다시 떠올리지 못했다면 어떻게 되는지도 모른 채 까맣게 잊고 다른 것들과 함께 버려버렸을 것이었다. 소중한 추억을 허무하게 잃어버릴 뻔했다는 생각에 가슴이 철렁했다. 그 생각에까지 미치자 나는 다시 찾은 연필을 서둘러 잘 보이는 곳에 소중하게 꽂아 두었다. 다신 잊지 않겠다고 다짐했다.

나뿐만 아니라 많은 사람이 살아가면서 추억들을 잊고 살 것이다. 아무리 소중한 추억이라 할지라도 금세 잊거나 큰 의미를 두지 않는, 나 같은 사람일 수록 더 쉽게 잊을 것이다. 하지만 낡아버린 연필을 보고 깨달았다. 조금이라도 빨리, 더 많이 기억하고 되새기지 않으면 추억은 금방 사라진다. 생각보다 빨리, 눈 깜짝할 사이에 완전히 잊게 된다. 어쩌면 추억이 될지도 모르는 지금 순간순간도 잊어버릴지 모른다. 이젠 연필을 볼 때마다 다짐한다. 언젠가 기억마저 흐릿해지며 완전히 잊기 전, 하루라도 빨리, 여러 방법으로 지난 추억과 지금을 기억해 둘 것이다. 눈으로, 사진으로, 글로.

박웅비

기억에 남는 아픈 일

손에서는 호러 영화처럼 피가 뚝뚝 떨어졌고, 급하게 집에 있던 거즈로 손을 감싸고 응급실로 달려갔다.

나는 태어나길 몸이 튼튼해서 자주 아프지 않았다. 심지어 약 먹을 일이 없어서 초등학교 고학년이 되어서야 알약을 먹을 수 있게 됐을 정도였다. 그래서 그런지 기억나는 일이라고 하면, 보통 내가 아프거나 힘들었던 일이 주로 생각나는 것 같다. 그중에서 가장 기억에 남는 일 몇 가지를 가져와 보았다.

내가 유치원생이던 4살 때 있었던 일이다. 우리 반 교실에는 다 같이 쓰는 큰 칫솔 살균기가 있었다. 그날은 내가 양치를 끝마치고 화장실에서 나와 칫솔을 넣으려고 교실에 가는 중이었다. 그때 옆에 있던 남자아이와 묘한 경쟁이 붙어 결국엔 서로 달려가듯 걸으며 먼저 칫솔을 넣으려고 했다. 모퉁이를 돌고 난 후, 그 애가 안쪽에 있던 나를 밀자 나는 책상에 부딪히며 눈가 옆이 찢어지게 되었다. 하마터면 실명할 뻔했을 정도로 상처는 눈과 매우 가까웠고 깊었다. 이 상처는 흉터가 되어 지금도 오른쪽 눈 옆에 남아

그리움의 공식

있다. 이 글을 읽는 이들은 괜히 불필요한 경쟁을 만들어 내서 다치는 일이 없었으면 좋겠다.

두 번째 일은 나이가 정확하게 기억나진 않지만, 마찬가지로 유치원 때쯤이었던 것 같다. 그날은 침대 위에서 언니랑 손을 맞잡고 서로 잡아당기는 식의 놀이를 하고 있었다. 그렇게 놀다가 언니가 나를 잡아당기는 순간, 갑자기 팔이 빠졌다. 하지만 당일 밤까지는 팔이 빠진 건지, 아니면 일시적으로 다친 건지 몰라 일단 침대에 팔을 뻗고 누워있었다. 이튿날 아침, 일어나자마자 대형 병원에 가서 뼈를 맞추었다. 너무 아파서 눈물이 핑 돌았는데, 거기에 더해 아픔에 못 이겨 작게 앓는 소리를 내니 반대편 사람이 쳐다봐서 굉장히 민망했다. 그 이후로 팔이 다시 빠진 적은 없지만, 그날의 기억으로 인해 팔에 힘을 주지 않고 다른 것에 매달리는 등의 일은 더 조심해서 하게 된 것 같다. 이 글을 읽는 이들은 아무리 재밌더라도 너무 과격하지 않은 선에서 멈출 줄 아는 사람이었으면 좋겠다.

마지막은 중학교 3학년 여름방학에 있었던 일로, 비교적 최근에 발생한 일이다. 그 사이에 별일이 없었다는 걸로 미루어 보아, 아무래도 커갈수록 다치는 일은 점점 줄어가는 듯하다. 아무튼 이번 여름방학에 있었던 일을 말하기 전에 한 가지 짚고 넘어가야 할 것이 있다. 바로, 이 일로 인해 생긴 상처는 다치기 전날이 원인이 되었다는 점이다.

그날은 친구들과 펜션과 같은 숙박시설을 빌려 파자마 파티를 하기로 한 날이었다. 오후 4시부터 밤 10시쯤까지 놀다가 펜션에 들어가서 또 거의 밤을 새우다시피 논 뒤, 날이 밝자 스타필드에 갔다. 그곳에 있는 찜질방에서 놀며 밥도 먹고, 스타필드 곳곳에 진열된 상품들을 구경했다. 그러다 보니 벌써 마감까지 1시간 전인 밤 9시가 되어 있었다. 당시에 우리는 모두 피곤에 절어있었기에 집으로 돌아가는 길, 친구네 부모님의 차에서 꾸벅꾸벅 졸았다. 힘겹게 집에 들어가니 거의 밤 10시가 다 되어있었다.

도착하자마자 목이 너무 말라서 매실차를 마시려고 컵을 꺼냈다. 그런데 너무 피곤해서 그랬는지 손에 힘이 갑자기 빠지더니 컵을 놓치고 말았다. 나는 컵이 깨진 줄 모르고 손을 움직이다 그대로 컵에 베였다. 손에서는 호러 영화처럼 피가 뚝뚝 떨어졌고, 급하게 집에 있던 거즈로 손을 감싸고 응급실로 달려갔다. 그 날만 해도 주사에 네 번이나 찔리며 손을 꿰맸다. 그 뒤로 하루 정도는 다친 손으로 글씨를 쓰려니 눈물이 날 정도로 아팠고, 왼팔은 주사 맞은 것 때문에 제대로 사용할 수도 없었다. 이번 일을 계기로 나 자신을 과대평가해서 무리하지 말고, 적당히 내 체력에 맞춰야겠다고 생각하게 되었다. 이 글을 읽는 이들은 본인의 평소 체력을 고려하여 너무 힘들지 않을 정도로만 놀았으면 좋겠다.

경험자로서 하나 당부하자면, 특히 손의 살점은 찢어지지 않는 것이 좋을 듯하다. 상처를 꿰매기 전에 하는 마취가 너무나도 아프고, 그러고서 거의 한 달은 제대로 씻지도 못하는 날들이 이어지기 때문이다. 마지막으로, 이 글을 접한 이들을 비롯한 많은 사람이 본인의 부주의가 빚어낸 실수로 인해 평생 남을 흉터나 아파할 일이 생기지 않도록 조심하길 바란다.

조서희

나에게 아이돌이란

이렇게 매력적인 아이돌이란 존재를 내가 좋아하지 않고 살 수 있을까?

언제나처럼 덕질을 하던 중에, 친구가 영상을 보던 나에게 와서는

"너는 왜 덕질을 해? 어차피 아이돌은 너 모르잖아."

라고 말했다. 그 순간 나는 숨이 턱 막혔다. 제일 자주 듣는 말이지만 익숙해지지도 않고 항상 상처받는 말이었기 때문이었다. 지금이야 이 말을 듣는 게 조금은 익숙해졌지만 그때에는 나에게 저런 말을 한다는것 자체가 충격적이었다. 내가 덕질을 하겠다는데 굳이 그런 말을 하는 의도도 궁금했고, '내 속을 긁으려고 저러는 건가?' 하는 의심도 들었다. 물론 지금은 그 친구가 아이돌을 좋아해 본 경험이 없어서 이 말이 상처가 되는 걸 몰랐다는 걸 안다. 하지만 그때의 나는 상처를 받았었고, 이 글을 읽은 사람들에게 덕질하는 사람한테 아이돌이란 무엇인지를 알려주고, 사람들이 우리에게 덕질이란 무슨 의미인지 알게 만들어 주고 싶다.

우선, 나에게 아이돌이란 추억이다. 아무래도 어릴 때부터 케이팝을 접하고 덕질을 하며 아이돌을 좋아하다 보니까 자연스럽게 아이돌을 보면 그

때의 내가 떠오르고 내가 얼마나 열심히 덕질을 했었으며 그때 내가 어떤 상황이었는지 떠오른다. 아이돌을 좋아하며 친해졌던 친구들과, 인터넷을 돌아다니며 사귀었던 사람들이 모두 떠오르며 그때의 내가 떠오르기도 한다. 과거의 기록들을 보며 그 사람들에게 내 상황을 푸념했던 기록들을 보고 창피해하기도 하고, 사람들과 대화하며 쌓아 나갔던 선을 지키는 법을 지금 인간 관계에 사용해 친구들을 사귀고 그 관계를 유지하는 법도 그때의 방식대로 해서 지금의 내가 형성되었다. 나에게 아이돌은 이렇다. 지금의 나를 형성했고 사람들과의 관계를 개선하는 걸 도와줬던 존재들이다. 언제나 나에게 과거의 추억들을 생각나게 도와주는 존재들.

IDOL, 우상, 숭배의 대상이 되는 사람. 나에게 아이돌이란 내가 기억하는 시간대에서 언제나 우상이었다. 학교에서 수행평가가 많을 때, 학원 숙제가 많아서 지쳐있을 때, 가끔은 너무 힘들어서 울고 싶어질 때 모두 아이돌을 보며 행복을 느끼고 더 해 나갈 수 있는 힘들을 얻었다. 물론 덕질을 하며 항상 행복만 느끼는 것은 아니다. 논란이 터지고, 라이브를 와 주고 할 때마다 일희일비 하며 울고, 웃고, 기대하고, 아파하는 것을 반복했지만 나에게 주는 아픔보다 나에게 주는 행복이 더 커서 나는 덕질을 멈추지 못한다.

이 글을 쓰기 얼마 전인 여름 방학에 나는 콘서트를 다녀왔다. 추첨제라 당연히 미당첨이 될 거라고 생각했었는데, 내 예상과는 다르게 당첨이 돼서 정말 기뻐하며 콘서트를 준비했던 기억이 있다. 물론 가격이야 높았지만 이번이 마지막이 될 것 같다는 기분이 들어서, 그 높은 가격을 단번에 내고, 응원봉도 사고, 팬분들 드릴 간식도 포장해서 갔었다. 내가 돈을 내고 내가 가서 보는 거지만 그래도 팬들이랑 친목도 쌓을 겸 간식들을 가지고 갔었는데, 다른 팬분들도 언제나 그랬듯이 당연하게 간식들과 팬들 나눠줄 볼펜, 부채, 슬로건 등을 만들어서 나눠주는 것을 보고 ′평소에 팬들은 이런 기분으로 덕질을 하는 건가? 나만 경험해 보지 못했던 건가?′라는 생각이 들었다.

팬들과 대화하고 돌아다니다 보니 콘서트가 시작될 시간이 됐고, 콘서트 장에 들어간 순간 나는 심장이 아플 정도로 두근거리기 시작했다. 첫 콘서트. 그것도 내가 제일 오래, 제일 깊이 좋아하는 아이돌인지라 더욱 더 좋았던 것 같다. 수천, 수만 개의 응원봉들의 불빛이 찬란하게 빛나며 하나가 된 듯이 흔들렸고, 모두가 한 마음 한 뜻으로 응원법을 외치며 콘서트를 진행해나갔다.

첫날, 콘서트가 엉망이어서 그 아이돌도 표정이 안 좋았고, 마음이 안 좋아보였던 걸 알아서일까, 평소보다 응원법 소리가 2배는 더 커진 것 같았다. 콘서트 진행 중에 그 아이돌이 행복해 하는 모습이 너무 잘 보여서 체력은 다 떨어졌는데, 나도 모르는 내 체력을 어디서 끌어온 듯이 소리 지르고 응원법을 외쳤다. 그 아이돌이 지칠 때까지 앙코르를 외치고, 하나의 목소리로 팬 이벤트를 해주며 말로 형용할 수 없고, 이 많은 단어들로도 설명할 수 없는 감정을 느꼈다. 콘서트가 끝나고, 목이 쉬고 체력은 다 떨어져서 다리가 후들거림에도 불구하고 그 어느 때보다 내 상태는 좋았다. 그 기분으로 앞으로 살아갈 원동력을 얻은 것 같았다.

당연히 이 위의 글들을 이해 못 할 수도 있다. 나도 덕질하기 전에는 왜 그렇다는 건지 이해하지 못 했는데, 덕질을 좋아하고 진심이 되다 보니까 자연스럽게 이해하게 됐다. 하지만 나도 이렇게까지 내 인생을 버리고 아이돌에 진심이 되게 될 줄은 몰랐다. 과거에 덕질을 왜 하냐고, 재밌냐고 물어보던 날 보고 사촌 언니가 어떻게 생각했었을까? 상처를 받거나 내가 너무 어려서 뭐라고 할 수 없으니 그냥 웃어넘겼을까? 그렇다면 조금 미안하기도 하다. 너무 어렸어서 무슨 말들이 어떤 상처가 될지 잘 몰랐었다.

물론 사람들은 일방적으로 주는 사랑이 뭐가 좋냐고 말할 수 있다. 하지만 나는 그렇게 생각한다. 내가 일방적으로 주는 사랑이 아니라, 내가 사랑을 주면 아이돌은 나에게 행복을 주고 애정을 나누어 준다. 점점 내 일방적인 사랑이 아니라 서로 주고받는 애정이 된다고 생각한다. 나중에는 사진만 봐도 행복해지고 그 사람이 말하는 것만 보고 웃음이 나오고 같이 슬퍼하는 상황이 오게 된다.

아이돌이 나를 몰라도 상관은 없다. 내가 아이돌을 알고, 그 영상을 보며 행복해 하고, 사랑을 주는 만큼 돌려받을 수 있다. 이렇게 매력적인 아이돌이란 존재를 내가 좋아하지 않고 살 수 있을까?

강채경

카메라 속 담겨 있는 추억

사진은 추억을 담는 박스인 것 같다. 냄새도 없고 움직이지도 않지만 사진 한 장 속엔 많은 스토리와 감성이 묻어나 있다.

　학교가 끝난 후 학원을 가는 길이었다. 언제나처럼 아무 생각 없이 핸드폰을 보며 빠른 걸음으로 길을 가던 도중 내 눈길을 갑자기 사로잡은 것이 있었다. 그건 바로 특별할 거 없어 보이는 평범한 할머니였다. 할머니는 새하얘진 머리칼과 꽃무늬 상의를 입었고 얼굴엔 주름이 자글자글했다. 그 할머니는 카메라를 들고는 석촌호수를 바라보며 몇 십 분 째 가만히 서서 윤슬을 찍고 있었다. 자신의 얼굴이 보이게 셀카도 찍고 호수에 있는 오리도 찍으며 꽤나 진지한 자세로 카메라의 필름을 채워나갔다.

　사실 누군가가 보면 괜히 우스워 보일 수도 있는 모습이었다. 하얀 머리의 늙은 할머니가 허리도 온전히 다 못 피는 채로 카메라를 들고 앉았다가 일어서며 사진을 마구 찍고 있었으니 말이다. 하지만 내 눈엔 왜인지 모르게 그저 멋있어 보였다. 나는 매일 시간에 쫓기며 주변에 있는 풍경과 아름다운 것들을 못 보고 그냥 지나치는 경우가 많았다. 이런 나와 달리 할머니는 여유를 가지고 주변을 돌아볼 줄 아는 멋있는 사람 같았다.

　며칠 뒤, 다시 학원을 가는 길이었다. 놀랍게도 며칠 전 봤던 그 할머니가 또 계셨다. 역시나 카메라를 들고는 사진을 찍고 있었다. 이번에는 손녀로 보이는 듯한 어린 여자아이와 함께 손을 잡고 푸른 하늘을 찍는 듯했다. 며칠 전과 같이 멍 때리고 구경하는 도중 문득 저 할머니의 카메라 속에는 어떤 기억들이 저장되어 있을 지 문득 궁금해졌다. 할머니의 어린 시절과 고운 젊은 시절도 있지 않을까?

　지금까지 나는 사진과 추억의 중요성을 몰랐다. 하지만 할머니를 보고 깨달았다. 나중에 많이 시간이 흘러서 지금 이 순간까지 기억이 안 날 때가 되면 너무 슬프고 그리울 것 같다. 나는 지금이라도 사진을 많이 찍어서 추억을 많이 담아 봐야겠다. 나중에 사진을 보며 그 때의 향기와 감성, 분위기를 느끼면 괜히 마음이 이상할테지만 한 편으론 좋을 듯하다.

　그 날 집에 오는 길. 학원을 가는 길에 봤던 할머니가 머리 속을 떠나지 않았다. 문득 '나는 매일 핸드폰을 붙들고 살면서 왜 사진을 찍을 생각은 하지 못했나' 싶었다. 나는 급히 핸드폰 갤러리로 들어가 최근 찍었던 사진들을 보았다. 갤러리 속엔 연습 영상과 친구들과의 카카오톡 대화 내용이 아니고선 아무것도 없었다. '재미 없게시리⋯⋯.' 갤러리 속 사진들이 마치 나의 요즘 삶을 말해주는 거 같아 서글펐다.

　실제로 나는 누가 봐도 따분하고 재미없는 하루를 보내고 있었으니, 그렇게 계속 쭈욱쭈욱 내려갔다. 한 달 전, 여섯 달 전, 작년... 그 즈음 내려가니 그제야 찍어 놨던 추억들이 보이는 듯했다. 친구들과 먹은 음식들도 있었고 친구들과 수다를 떠는 듯한 사진도 있었다. 노을이 지는 하늘 사진과 맑은 하늘 사진, 흙 속에 피어 있는 꽃들 같은 자연 풍경 사진도 많이 있었다. 나는 금세 추억에 젖어들게 되었다. 그 사진과 영상들 속 나는 지금과 다르게 여유도 있고 행복해 보였다. 이런 모습을 사진으로 담을 수 있어 감사했다. 사진은 추억을 담는 박스인 것 같다. 냄새도 없고 움직이지도 않지만 사진 한 장 속엔 많은 스토리와 감성이 묻어나 있다.

나는 이제부터 따분하고 재미 없는 이런 내 하루하루 속에서 아주 사소한 것이라도 사진을 찍어 남기기로 했다. 나중에 내가 갤러리를 봤을 때 지금의 내가 행복한 추억을 가지고 있다고 생각했으면 좋겠다.

정보미

인형 JJ(제이제이)

어떠한 모험도 두려워하지 않으며 지금까지 수많은 모험을 해 왔고 위기에 닥쳐도 기회로
만들어 빠져나오는 매력적인 존재인 그는 정말 용감하고 대담한 인형이다.

어렸을 때부터 나는 인형이 살아있다고 믿었다. 영화 토이스토리에 빠져
있던 탓일까 내 인형들도 밤에 움직인다고 생각했다. 그리고 13년이라는
시간이 흘러 그때부터 현재까지 많은 인형들과 새로운 만남과 이별이 반복
되었다. 새로운 인형이 들어오면 환영하고 반갑게 맞아주었고, 너무 오래
되어 이별하게 된 인형들은 다 같이 슬퍼하며 떠나보내 주었다. 나는 다른
사람과 달리 인형에 대한 남다른 애정이 있었던 탓에 어딘가 갈 때마다 인
형을 선별해 함께 매번 새로운 모험을 같이 즐겼다.

그 중에서 오래 되고 영광의 상처도 얻었으며 수많은 모험을 즐긴 인형
JJ(제이제이), 초록색 쥐 인형이다. 어떠한 모험도 두려워하지 않으며 지금
까지 수많은 모험을 해 왔고 위기에 닥쳐도 기회로 만들어 빠져나오는 매
력적인 존재인 그는 정말 용감하고 대담한 인형이다. 이러한 제이제이의
모험 중 특히 대단했던 모험들이 있었다.

나의 기억이 아주 흐릿했을 시점 제이제이와 나는 동물원에서 보물을 찾고 있었다. 보물을 막 손에 넣으려던 참에 실수로 발을 헛디뎌 제이제이가 동물원 호수에 빠지고 말았다. 그는 '인형은 사람 앞에서 움직이면 안 된다'는 규칙을 중요시하였기에 더러운 물을 흡수하여 젖어가는 괴로운 상황에도 단 한 실도 움직이지 않았다. 나는 그런 제이제이를 바라볼 수밖에 없었고 내가 할 수 있는 것은 고작 우는 것일 뿐.

이때 제이제이를 구해준 구세주가 나타났다. 바로 제이제이의 전 주인, 나의 오빠다. 장대만 한 나뭇가지를 이용해 멀리 떨어진 제이제이를 붙들고 우리 쪽으로 이동시켰는데, 제이제이는 그 모습을 보고 정말 감동했다고 말하는 것 같았다. 역시 자신의 전 주인이었다며 집에 돌아오는 동안에도 세탁기에 들어가면서도 다른 인형들에게 오빠에 대한 칭찬을 늘어놓았다. 아쉽게도 보물을 얻지 못 하고 배에 상처가 생겼지만, 제이제이가 무사히 돌아온 것으로 만족한 모험이었다. 흔히 마무리되는 '진실된 보물은 동료'라는 교훈을 얻은 채 동물원에서의 모험은 막을 내린다.

그리고 몇 년이 지난 시점, 제이제이는 전 주인인 오빠의 동극에서 열심히 활약 중이다. 나는 동극에서 '관중'의 역할을 맡았고 나머지 인형들은 오빠가 짜 놓은 스토리에 적극적으로 연기를 하는 '배우'들이다. 매번 새로운 이야기에 개성 넘치는 역할들, 흥미진진한 스토리 전개에 나는 오빠를 매번 졸라서 극장을 열었다. 제이제이는 액션 배우로 많이 뽑혔다. 극장안에서도 제이제이는 자신의 모험을 즐긴 것이었다. 그중 제이제이가 나오는 동극 중 기억에 남는 내용을 간단하게 이야기 해 보겠다.

´주인공인 털뭉이, 털뭉이는 고춧가루를 발견하고 그것을 먹으려고 했다. 하지만 그때 어떠한 그림자가 나타나 털뭉이의 고춧가루를 뺏어가 버린다. 털뭉이는 고춧가루를 먹기 위해 그 그림자를 쫓아가게 되면서 많은 기묘한 적들을 마주하게 된다. 이 여정에서 정말 강력한 적 ´쥐포´들과 ´헬리콥터 토네이도 제이제이´를 마주하게 되는데⋯⋯.´라는 유치하지만 그때 당시엔 정말 재동극을 할 정도로 인기 있는 동극이었다. ´헬리콥터 제이제이´는 꼬리로 날아다닌다는 설정을 가지고 있었기 때문에 공중 연기가 필요했는데 NG 컷 없이 바로 공중 연기를 소화해 낸 것은 제이제이의 전설 중 하나로 남아있다.

자신의 할 일이 끝나면 제이제이는 벽장에 들어가게 된다. 그 후에 또 몇 년이 지나면 벽장에서 꺼내지고, 그 다음 또 벽장 안에 들어가 나를 기다리고 있을 것이다. 제이제이는 알고 있다. 언젠가 내가 다시 돌아온다는 것을. 늘 그래왔으니까 13년 동안이나 나를 기다렸으니 더 기다릴 수 있다고. 다음 모험은 누구와, 어떤 이야기로 시작될까?

김서희

펜 끝으로 전하는 사람의 온기

편지에는 편지를 보낸 사람도, 받은 사람도 서로를 다시 한 번 생각해 보게 만드는 힘이 있다.

유퀴즈에 어떤 배우가 나와 유재석과 조세호에게 쓴 편지들을 전하는 걸 본 적이 있다. 자신이 이 둘을 평소에 보면서 느꼈던 감정을 솔직하게 드러낸 그런 편지들이었다. 이 편지들은 유재석과 조세호에게 감동을 주었고 편지를 쓰지도, 받지도 않은 나도 마음이 따뜻해지는 걸 느낄 수 있었다. 사실 이 배우는 둘과의 친분이 없었다고 한다. 그런데 어떻게 한 페이지 정도밖에 되지 않는 글로 사람들을 위로할 수 있었을까. 편지의 신비함을 처음으로 생각해 보게 된 순간이었다.

난 편지를 주고받던 세대가 아니지만 그럼에도 지금까지 받았던 편지들은 내 책상의 서랍에 잘 보관되어 있다. 마지막으로 편지를 받아 본 게 언제였을까. 아마 초등학교 4학년 때 멀리 전학을 가게 되면서 친한 친구들에게 받았던 편지가 마지막이었을 것이다. 그때만 해도 편지를 쓰는 일이 지금보다는 흔했던 것 같다. 덕분에 친구들도 지금이라면 그냥 말로 전했을 아쉬움을 편지를 통해 글로 전달하려고 했던 것이다. 그때는 휴대폰이 없던 친구들도 많았고 서로 전화번호도 잘 주고받지 않았다. 그래서 전학을 가고 난 후, 많은 친구들과 만나지 못했는데 유독 내게 편지를 주었던 친구들과는 아직도 서로 알고 지낸다.

편지에는 초등학생다운 글씨체, 과하게 솔직한 말투, 고민한 흔적 등이 그대로 묻어나 있기에 가끔 서로 모이면 편지는 재미있는 이야기 거리가 되기도 한다. 단순히 친구들이 주어서 간직하고 있었던 편지들은 어느새 잊을 수 없는 추억으로 점차 자리잡고 있었던 것이다. 그 당시 그냥 가벼운 작별 인사라고만 생각했던 종이 몇 장의 편지를 친구들이 주지 않았다면, 내가 그 것들을 지금까지 간직하고 있지 않았다면, 결코 지금과 같은 사이로 남진 못 했을 것이라는 생각이 든다.

초등학교 4학년 때 받았던 편지들도 벌써 4년 하고도 반 년이 더 지난 꽤 옛날의 일이다. 편지를 주고받던 적이 언제인지 가물가물 할 정도로 요즘은 편지를 쓸 일도 받을 일도 거의 없다. 어버이 날, 스승의 날, 크리스마스 같은 날에도 편지를 주거나 받는 사람들의 모습을 이젠 찾아보기 힘들다. 문자나 전화, 이메일로 쉽고 빠르게 전할 수 있는 말을 굳이 번거롭게 종이를 놓고 펜을 들어 글자를 하나하나 쓰는 과정으로 대체하는 것이 효율적이지 않다고 생각하기에 그런 것이다. 나 또한 그런 사람들 중 하나였기에 편지를 쓰고 싶은 대상도, 마음도 좀처럼 갖기 어려워졌다.

이렇게 쭉 편지를 쓸 일이 없을 거라고 생각하던 중에 우연히 편지를 쓸 일이 생겼다. 퇴직하시는 선생님께 드리는 편지였는데 너무 오랜만에 쓰는 편지라 펜을 잡고도 바로 쓰지 못하고 30분 정도를 고민했고 편지지도 2번을 갈았다. 그래도 선생님과 지내는 동안에 있었던 소소한 이야기부터 솔직하게 내 마음을 드러내며 글을 써 내려갔다. 완성된 편지지를 보니 왠지 모르게 마음이 후련했고 이제 헤어진다는 아쉬웠던 마음이 깔끔하게 정리된 것 같았다. 이 편지를 받게 될 선생님도 비슷한 감정을 느끼시길 바라면서 편지지를 포장했다.

편지에는 편지를 보낸 사람도, 받은 사람도 서로를 다시 한 번 생각해 보게 만드는 힘이 있다. 편지를 보내는 사람이 편지를 쓰는 과정에서 느꼈던 설레임, 고민, 그 진솔한 마음은 편지를 받는 사람이 편지를 뜯고 내용을 읽는 과정에 그대로 전달된다. 그렇기에 편지는 문자나 이메일과는 비교할 수 없을 정도로 나의 마음을 온전히 상대방에게 전달한다.

가끔은 편리함을 뒤로 하고 솔직하게 손편지를 적어보는 게 어떨까. 불편한 방법이라 생각해도 편지를 받는 사람이 기뻐하고 위로 받을 생각을 하면 그렇게 번거롭게 느껴지진 않을 것이다. 그렇게 펜을 들고 천천히 종이의 공백을 채워나가면 어느새 완성되어 있는 편지로 인해 우리는 사람의 온기를 느낄 수 있는 것이다.

왕밤빵

크리스마스의 악몽

다른 아이들이 받은 책은 다양한 문화가 섞여 있는 세계가 아닌 동화처럼 평화롭고 아름다운 디즈니 공주들이 살고 있는 동심의 세계였다.

크리스마스는 겨울을 싫어하는 사람들도 기대하고 즐거워하는 날이다. 반짝반짝 빛나는 도시에서 벗어나도 집에 들어오면 반짝반짝 빛나는 트리와 선물들이 있고, 달달한 냄새와 차가운 바람이 맞이하는 크리스마스. 어떤 사람에게는 누구와 함께 지낼 수 있는 소중한 날이지만 어떤 사람에게는 혼자 맞이하는 날이다. 많은 사람들이 크리스마스에 가지고 있는 추억 하나쯤은 있을 것이다. 나도 크리스마스에 내가 가장 소중하게 여기는 추억 하나가 있다.

내가 어린이집에 다니던 시절, 6번째의 크리스마스를 마주했던 때였을 것이다. 크리스마스가 다가오니까 어린이집에서는 크리스마스 트리도 꾸미고, 크리스마스 노래도 부르며 행복한 크리스마스를 기다리고 있었다. 그중, 내가 가장 기대하던 것은 크리스마스 선물이었다. 그렇게 크리스마스 선물을 받을 기대를 하며 하루하루를 보내던 중 나는 뭔가 이상한 점을

그리움의 공식

하나 발견했다. 우리 집의 눈처럼 하얀 옷장 위에 반짝반짝한 무언가가 보였던 것이다. 그 반짝반짝한 무언가는 아빠와 엄마가 준비한 크리스마스 선물의 포장지였고, 그때 나는 이 세상에 산타가 없다는 것을 깨달았다. 사실 나는 그렇게 큰 충격을 받진 않았다. 아마 나는 풍성한 하얀 수염을 가진 할아버지에 대해 관심이 없었던 것 같다. 뭐 그렇게 한 사건이 지나가고 나는 나를 위한 선물이 준비되어 있다는 것을 알고, 한층 더 기대감에 부풀었다.

그렇게 기다리고 기다리던 크리스마스가 왔고, 나는 어린이집 트리에 걸려있던 나의 선물을 마주하게 되었다. 하지만 나는 내 크리스마스 선물을 보고 크리스마스의 꿈이 악몽으로 바뀌는 것을 느꼈다. 크리스마스 트리에 걸려 있던 수많은 선물 중 나의 선물이 독보적이게 컸다. 선물이 크면 당연히 좋은 선물인 줄 알았던 나의 순수했던 생각 때문에 빠르게 포장지를 뜯어 봤다. 그리고 마주한 선물은 책이었다. 그냥 귀엽고, 재밌는 만화책도 아닌 화려하고 큰 세계 여행에 대한 책이었다.

모든 아이들이 선물로 책을 받았기에 별 생각은 없었지만 다른 아이들이 받은 책들의 내용은 내가 받은 책과는 달랐다. 다른 아이들이 받은 책은 다양한 문화가 섞여 있는 세계가 아닌 동화처럼 평화롭고 아름다운 디즈니 공주들이 살고 있는 동심의 세계였다. 다른 친구들은 예쁜 디즈니 공주들을 가지고 있는데 나는 현실 세계의 문화를 갖고 있다는 점에서 나는 정말 서러웠다. 그래서 그 선물을 받고 한동안 충격을 받았던 기억이 있다. 지금도 이 기억을 가끔씩 다른 사람에게 전하기도 한다. 사실 아빠랑 엄마는 내가 세상 문화와 세상의 지리를 빨리 알길 바라는 마음으로 준 것 같은데 나는 예쁜 공주들이 사는 세상을 원했으니 그런 갈등이 생겼던 것 같다.

사실 내가 살아오면서 간직하는 추억 중에서 가장 잘 기억하고 있는 추억은 이거 하나인 것 같다. 하지만 이런 추억 하나만으로도 생각할 때마다 행복에 빠지고, 내가 이렇게 살아왔구나를 깨달을 수 있었다. 지금 이 순간, 많은 사람들이 자신의 추억을 간직하고 살아간다. 그리고 많은 사람들이 추억에 빠져 행복해 한다.

'오래 전의 지난 일을 돌이켜 생각하는 것', 이것이 추억의 사전적 의미이다. 하지만 나는 이 사전적 정의에 하나의 의미를 덧붙이고 싶다. '오래 전의 지난 소중한 일을 평생토록 생각하는 것!' 나는 사람들이 추억을 이런 의미로 생각하면 좋겠다. 오랜 일을 스쳐 지나가듯 생각하는 것이 아니라 평생을 마음 속에 품으며 생각하면 한다.

우유쭈니

보통 사람

당신과 다른 사람들은 각자가 생각하는 보통 사람의 길을 걷고 있지만 서로 가는 길이 다르다면 이건 당신은 보통의 삶을 사는 사람이 아니라는 뜻이다.

나는 초등학교 4학년 때부터 보통 사람이 되길 원했다. 그냥 '적당히' 친구를 만드는 학창 생활, '적당한' 성적으로 '적당한' 대학에 들어가 '적당히' 대학 생활을 즐기다 '적당한' 회사에 들어가 '적당히' 돈을 벌고 평화롭게 사는 사람, 이런 인생이 내가 바라던 보통 사람의 인생이었다. 그렇기에 내가 보통 사람처럼 살고 있는지 중학교 3학년, 이제야 내 삶이 평범한지 생각해 보았다.

처음으로 내가 보통 사람의 삶을 꿈꿨던 초등학교 4학년, 지금 내가 바라본 내 초등학교 4학년 시절은 이미 내가 생각하는 보통 사람의 범주를 넘어간 지 오래였다. 속으로는 친구랑 항상 놀러 다니고 학교에서는 평범하게 공부하는 그런 나를 바랬다. 하지만 1학기에는 담임 선생님이 만드신 합창반에 들어가 열심히 노래를 연습해 처음으로 방송국까지 가서 음악 방송에도 출연해 보고, 학교 대표 합창반으로 대회도 나가 보았다. 지금까지도 무대에 서기 위해 머리카락 한 가락도 빠지지 않게 아주 세게 올림머리로 묶었던 기억이 잊히지 않는다.

고작 몇 년의 나의 삶을 돌아보았을 때 난 정말 '적당한' 인생을 살았을까? 나는 남들이 쉽게 하지 못할 선택을 하고 살고 있다. 그렇기에 나는 내가 원하던 삶으로 얻을 수 있는 보통의 인생보다 더욱 좋은 인생을 살고 있다. 보통의 삶에서 벗어난 삶은 이상한, 독특한, 뭐가 되었든 내가 특별한 사람이라는 뜻이다. 이제 나는 새롭게 나의 삶을 사는 사람이다. 누구도 똑같은 선택을 할 수 없을 것이라 믿는 그런 나만의 특별한 삶.

당신이 만약 스스로 보통을 삶을 잘 지켜나가고 있다고 생각한다면 다시 생각해 보아라. 당신 자신이 생각하는 보통의 기준을 가진 삶을 아주 잘 만족하고 있다면 그것 또한 보통의 삶이 될 수 없다고 생각한다. 당신은 보통의 길을 다른 사람들과 함께 걸어가다 점점 다른 길로 가는 사람들을 볼 수 있을 것이다. 그리고 그들은 자신들이 가는 길과 다른 길을 가고 있는 당신을 보고 있을 것이다. 당신과 다른 사람들은 각자가 생각하는 보통 사람의 길을 걷고 있지만 서로 가는 길이 다르다면 이건 당신은 보통의 삶을 사는 사람이 아니라는 뜻이다.

우리는 모두 보통 사람이 될 수 없다고 생각한다. 그 이유는 당연하게도 모두가 생각하는 '보통'의 기준이 다르기 때문이다. 나와 비슷한 환경을 가진 이들은 내가 간 보통의 길을 이해할 수 있을지도 모른다. 하지만 나와 비슷한 환경이 아닌 나보다 더 열악한 환경을 살거나 더 좋은 환경을 가진 사람들은 내가 보통 사람이 아닌 좋은 삶을 산 사람, 혹은 좋지 않은 삶을 산 사람으로 바라볼 것이다.

　나는 이것이 내가 살아갈 때 언제나 기억하고 있어야 하는 우리가 평범한 사람이 될 수 없는 이유라고 생각한다. 내가 경험하고 생각하고 있는 삶을 전하면서.

Hoo

멸종 위기 인간

지금은 그 무엇보다도 따뜻한 마음 하나가 필요하다. 외롭고
갈라진 사회에서 따뜻하게 온기를 전달해 줄 수 있는 손길 하
나면 충분하다. 이미 너무 늦었을지도 모른다. 오늘도 하루 평
균 9.3명이 고독사로 생을 마감하는 대한민국에서 고독사를
선택했을지도 모른다.

사람들은 왜 신을 믿을까?

난 사람들이 종교를 갖고 그 종교를 맹목적으로 믿는 대신에 한 번쯤은 본인의 믿음에 적합하고 그 종교의 교리에 충분히 이해하는지, 이 종교가 신뢰성이 있는지 검토해 보는 시간을 갖고 더 다양한 시선으로 종교를 바라볼 수 있었으면 좋겠다.

작년 여름, 막 산책을 마치고 집으로 오는 길이었다. 나는 엘리베이터 앞에 서기 전부터 핸드폰을 찾아 옷 주머니를 뒤적거렸지만 아무리 찾아도 핸드폰이 손에 잡히지 않았다. 핸드폰을 잃어버린 것이었다. 심지어 난 친척집에 온 상황이었기 때문에 잃어버리면 다신 핸드폰을 찾지 못할 것 같아 그 사실이 더욱 막막했다. 급하게 다른 사람의 핸드폰을 빌려 전화했고 다행히도 어떤 사람이 그 전화를 받았다. 그 사람과 통화하며 정황을 살펴보니 산책하면서 갔던 놀이터에 두고 온 모양이었다.

그 놀이터에서 핸드폰을 돌려받기로 하고 약속 장소로 가자, 부모님 나이대로 보이는 사람 두 명이 있었는데, 내게 가까이 다가오며 내 나이를 묻더니 뜬금없는 질문을 하셨다. "학생은 교회 다녀요?" 잃어버린 핸드폰을 되찾으러 간 상황에서 왜 그런 질문을 했는지 이해는 되지 않았지만, 내 핸

그리움의 공식

드폰은 그 분에게 있었기 때문에 나는 어설프게나마 답을 해 드렸고 가까스로 핸드폰을 되찾을 수 있었다. 집으로 돌아오는 길에 나는 그 사람들은 왜 그렇게까지 신을 믿고 있고 또 왜 그 믿음을 타인에게 전파하고 싶을까 하는 의문이 들었다.

초등학교에서 중학교로 올라가며 나는 종교가 없었지만, 내가 배정된 중학교는 기독교 학교였다. 그래서인지 대부분 선생님은 기독교 신자셨고 간혹 수업 중 하나님을 믿어야 한다며 전도하시는 선생님도 계셨다. 그러다 보니 나는 사람들이 왜 그렇게 종교를 믿는지 점차 궁금해졌다. 신은 아주 오래 전부터 풍작을 기원하며 제사를 지내는 등 사람들에게 믿어져 왔다. 그렇지만 현대에 와서는 신의 뜻대로 흘러간다고 생각했던 것들이 과학적으로 증명되면서 신에게 의지할 필요가 없어졌다. 그런데 밤에 거리를 걷다 보면 교회의 네온사인이 많이 보이고, 우리나라뿐만 아니라 세계 모든 나라에도 교회, 절, 사원 등이 꽤 많이 있다.

사람들은 왜 신을 믿을까? 인간이 보이지 않는 신에 의존해 종교를 만들고 중요하게 여기게 된 이유는 인간의 삶이 영원하지 않기 때문이다. 인간이라면 아무리 건강하다 하더라도 언젠가는 늙고 병들어 죽을 수밖에 없다. 이처럼 죽음 앞에 무력감을 느끼지만, 인간은 이 문제를 해결하기 위해 방법을 찾았다. 여러 종교에서 영원한 삶, 즉 영생을 강조하는 이유도 여기에 있다.

종교란 이러한 욕구를 충족시키기 위해서, 고통스럽거나 죄의식에 시달릴 경우 그에 대한 죄책감을 덜기 위해, 두려움에 대한 방편으로, 우리가 겪는 불안과 절망 등의 감정 때문에 어떠한 절대자의 존재에 의지하고 싶어하고 거기서 해답을 얻고 싶어하는 욕구가 모여서 탄생하게 된다. 또한 종교로 인한 전쟁의 경우에는 사회적인 의미에서의 종교를 살펴봐야 한다. 전쟁도 종교가 사회 공동체의 질서와 문화적 생활 개념으로 자리잡으면서 공동체의 결속 뿐만 아니라 정치적인 도구로 이용되고, 타인의 믿음을 하나의 수단으로 활용함에 따라 발생하게 된다.

이 글을 쓰며 자료를 찾아보면서도 자신의 종교만이 진리라며 종교를 강요하는 글을 심심치 않게 찾아볼 수 있었는데, 그러한 이유는 자신의 믿음을 부인당할 경우 신념과 생활 모두 위협받는다고 여기기 때문이다.

나는 종교를 갖는 것은 정서적 안정감을 주고 사회성을 기르는 데 도움이 된다고 생각해 긍정적인 입장이다. 그렇지만 과유불급(過猶不及)이란 말이 있듯이 그 믿음이 너무 과해 남에게 피해를 주는 것은 옳지 않다고 생각한다. 그 예로는 사이비 종교에 빠져 재산을 탕진하거나 다른 종교를 인정할 수 없어서 교리에 따라 테러를 하는 경우가 있다. 그래서 난 사람들이 종교를 갖고 그 종교를 맹목적으로 믿는 대신에 한 번쯤은 본인의 믿음에 적합하고 그 종교의 교리에 충분히 이해하는지, 이 종교가 신뢰성이 있는지 검토해 보는 시간을 가지고 더 다양한 시선으로 종교를 바라볼 수 있었으면 좋겠다.

지쳐스무슨말이필요해

　　　　　　　그리움의 공식

꿈

어렸을 때, 다들 커서 뭐가 되고 싶은지 물어본다면 대부분의 친구들은 선생님이 되고 싶었다고 했다. 나도 그랬다. 중학교 3학년이 된 지금까지도 선생님이 되고 싶다는 생각은 변함없었던 것 같다. 처음 학교에 입학하고 어색함이 감도는 교실 속에서 그 어색했던 분위기를 밝게 이끌어 주시고, 친구들 모두가 수업에 즐겁게 참여할 수 있도록 해 주시는 선생님의 모습을 보며 나는 선생님이라는 꿈을 갖게 됐었다.

최근 문제가 되고 있는 서이초 사건을 보고 많은 생각이 들었다. 서이초 사건은 반 학생 중 한 명이 연필로 친구의 이마를 그었고, 문제를 해결하는 과정에서 학부모들의 악성 민원으로 교사가 괴롭힘을 당하다 극단적인 결심을 하게 된 일이다. 처음 이 기사를 읽고 너무 안타까웠다. 서이초 사건뿐만 아니라 인권침해로 인해 많은 사람들이 힘들어하고 있다는 것을 알고 나니 가슴이 아팠다.

초등학생들의 희망 직업을 조사해 보니 2019년에는 교사가 2위로 높은 순위를 차지했었다. 하지만 최근 2021년엔 교사를 희망하는 학생들이 4위로 내려갔다고 한다. 초등학생 뿐만 아니라 중고등 학생들도 희망하는 교사 외에 다른 직업들의 순위도 대부분 내려갔다. 이 순위가 의미하는 바는 무엇일까? 사회적으로 큰 문제가 되고 있는 인권침해로 인해 학생들의 희망 직업들이 점점 줄고 있다는 것이다.

그렇다면 인권 침해의 정확한 의미는 무엇일까? 인권 침해란 인권을 침해하는 일, 특히 공권력이나 권력을 가진 사람이 인간의 기본적 인권을 침해하는 일을 의미한다. '사람들은 왜 남의 인권을 침해하면서까지 큰 상처를 주는가?'라는 의문이 들었다. 인권은 모든 인간이 태어날 때부터 가지고 있는 권리로서, 이 권리를 어떤 이유로도 침해해서는 안 된다고 생각한다. 당연한 이야기이고, 대부분의 사람들도 알고 있을 것이다.

사회적으로 일어나는 인권침해에 대한 사례들은 끊임없이 갱신되고 있다. 장애인과 노동자 차별, 가정 폭력, 사이버 폭력 등 의도적인 모욕으로 인해 피해를 받는 것도 인권 침해에 포함된다. 저출산 문제로 학생 수가 줄어들고 있는 마당에 인권 침해로 인한 안타까운 일들이 일어나고 있기에, 이제는 남의 일이라고 생각하지 말고 우리 모두가 멈췄으면 좋겠다.

중학교 3학년이 되고 미래에 대한 두려움과 걱정은 더 커져만 가는데 아직 내가 어떤 직업을 가지면 좋을지 깊게 생각해 본 적은 없는 것 같다. 깊게 생각해 본 적이 없는 만큼 되고 싶은 것, 하고 싶은 것들은 점점 많아지고 있다. 처음에 나타냈듯이 선생님은 지금 존재하는 수많은 직업들 중에서 바라는 직업들 중 하나다. 그래서 그런지 서이초 사건을 보고 더 가슴이 아팠던 것 같다.

국가에서 한 사람 한 사람의 인권 보호에 대한 제도나 정책을 더 강화했으면 하는 생각이 든다. 이제는 우리 모두가 이 문제에 대해 관심을 가지며 해결해 나갈 수 있도록 노력했으면 좋겠다. 이로써 우리는 한 사람 한 사람의 인권을 소중하게 생각하며 소중함을 잃지 않아야 한다. 다시는 인권 침해로 인해 많은 사람들이 피해 받는 일이 생기지 않았으면 좋겠다.

유리수

쓰레기와 양심과 환경

사람들의 양심과 작은 실천 하나하나에 의해 우리 동네와 환경이 영향을 받는다.

여느 때와 같이 버스를 놓쳐서 하굣길에 집까지 걸어가고 있을 때 역한 냄새가 내 코를 찔렀다. 냄새의 원천이 무엇인지 보려고 고개를 돌린 나는 깜짝 놀랐다. 주변이 온통 쓰레기장이었다. 아니, 자세히 보았더니 쓰레기장이 아니고 양심이 없는 사람들이 함부로 버린 쓰레기들이었다. 하나의 작은 쓰레기가 있었는데 사람들이 그곳에 쓰레기를 자꾸 버려서 하나의 쓰레기장처럼 변해버린 것이다.

걸어서 하교하는 게 일상이 된 나는 그날 이후 그곳을 지날 때면 숨을 참게 되었다. 그리고 그곳뿐만 아니라 다른 곳도 쓰레기장이 되어 있지는 않은지 확인하는 것도 일상이 되었다. 쓰레기 냄새를 맡기 전, 나의 눈은 항상 스마트폰을 향해 있었다. 하지만 스마트폰에서 벗어나 주변 환경을 잘 관찰하니 쓰레기를 발견하고, 지독한 냄새의 쓰레기를 기피하기 위해서 주의를 다른 데로 돌리는 것이 나에게는 큰 도움이 된 것 같았다.

그러던 어느 날 며칠 전만 해도 쓰레기로 가득한 그곳이 말끔하게 정리되어 깨끗해졌다. 아예 쓰레기라고는 찾아볼 수도 없었다. 약간의 냄새는 났지만 그 정도는 견딜 수 있었다. 그곳이 깨끗해진 이후로 나의 시선은 다시 스마트폰을 향해 있게 되었고 주위 환경은 신경도 쓰지 않게 되었다.

얼마 못 가서 나는 또다시 쓰레기를 발견했다. 이번에는 쓰레기장이 아니라 땅바닥에 떨어져 있는 과자 껍질이었다. 스마트폰을 보느라 시선이 밑을 향해 있어서 발견할 수 있었다는 생각이 들었다. 이 일 이후로 나는 쓰레기를 볼 때마다 쓰레기가 많이 발생하고 함부로 버리는 이유가 궁금해졌다. 아무리 편하다고 해도 쓰레기를 쓰레기통이 아닌 길거리에 무단투기를 해도 되는 것은 아니지 않을까?

나는 유치원에서 쓰레기를 줍는 활동을 많이 해 보았다. 처음 쓰레기 줍기 활동을 했을 때 나는 그 활동이 재미있어서 시간 가는 줄 모르고 쓰레기를 주웠다. 비닐봉지와 집게를 들고 쓰레기를 줍는 것은 더없이 재미있었다. 그리고 얼마 전 월드컵공원에 놀러 갔는데 이런 현수막을 본 적이 있었다. '자기가 만든 쓰레기는 자기가 되가져 갑시다.' 그리고 쓰레기와 관련된 안내 방송도 들렸다. "월드컵공원에서는 쓰레기 무단 투기 등을 해서는 안 되며 과태료가 부과됩니다."

문득 중학교 2학년 때 역사 시간에 선생님께 들은 난지도 이야기가 생각났다. 얼마 전에 가 봤던 월드컵공원이 있는 곳이 한때는 난지도였다는 이야기는 알고 있었다. 역사 선생님은 난지도가 한때는 쓰레기 매립지였다고 하셨다. 난지도의 쓰레기는 걷잡을 수 없이 가득 차서 쓰레기들을 다른 곳으로 옮겼고, 난지도에 여러 공원과 많은 발전소 등 환경친화적인 요소들을 많이 설치했다고 하셨다. 그리고 선생님이 난지도에 가서 찍은 사진들을 보여 주셨는데, 그것들은 나의 마음을 크게 움직이게 했다.

사람들이 편리함을 위해 쓰레기를 쓰레기통에 버린다는 이야기를 나는 이해할 수 있었다. 그런데 내가 생각하는 문제는 무단투기를 하는 것과 쓰레기의 걷잡을 수 없는 양이었다. 지금 당장은 편리하겠지만, 나중에는 우리가 모두 사람들이 버린 쓰레기로 인해 고생하게 될 것이라는 생각이 내 머릿속에 자리를 잡고 있었다. 쓰레기를 최대한 줄이면서 함부로 버리지 않는 것이 나는 최선의 방법이고 양심 있는 행동이라고 생각한다.

앞으로는 공원에 갈 때 꼭 집기와 비닐봉지를 가지고 가야겠다는 생각과 카페에 갈 때 텀블러를 가져가는 실천을 해야겠다고 생각한다. 그런 실천은 내가 적어도 한 달에 한 번씩은 해야겠다고 생각한다. 사람들의 마음은 못 바꾸지만, 나라도 이 일을 실천하면 좋은 방법이라고 나는 믿는다. 어쩌면 쓰레기로 뒤덮일 수 있는 우리 동네와 환경을 위해서 나는 그런 일을 하는 것을 일상으로 만들 것이다. 나의 양심은 내가 지킨다.

환경인가요

고독사 특수청소

지금은 그 무엇보다도 따뜻한 마음 하나가 필요하다. 외롭고 갈라진 사회에서 따뜻하게 온기를 전달해줄 수 있는 손길 하나면 충분하다

나는 학원을 멀리 다니는 바람에 지하철에서 오랜 시간을 보낸다. 지하철에서 자리를 잡지 못하고 서서 가는 날이면 하는 일 없이 스마트폰을 바라본다. 유튜브 쇼츠는 아무 생각 없이, 아무 때나 보기 좋은 영상들로 이루어져 있기에 계속 다음 영상을 향해 손가락을 내린다. 그러다 우연히 고독사 특수청소라는 제목의 영상을 보게 되었다.

영상 속 집의 현관부터 바닥에는 온갖 형태를 알 수 없는 쓰레기들과 술병이 가득하고 방바닥에는 혈흔과 체액이 굳어 있었다. 작은 원룸 안에는 침대와 작은 책상만 자리하고 있었는데 발 디딜 틈도 없이 바닥에 쓰레기들이 가득한 모습이었다. 그리고 고인이 생을 마감한 자리로 보이는 침대에는 누운 그대로 사람의 형체가 찍혀져 있었다. 영상이 도저히 멈추질 않았다. 한참을 보고 나서 핸드폰을 끄고 멍하니 창밖을 바라보는데 옥수역이었다. 지하철 창밖으로 맑은 하늘과 한강의 물결이 빛나는 모습을 보고

마음이 너무 아팠다. 이렇게 아름다운 세상에서 죽음을 택한다는 사실 때문이다.

그 이후로 한동안 그 채널에 들어가지 않았다. 검색하는 것조차 두려웠다. 내가 전혀 상상하지 못한 어떤 암흑과 같은 느낌이었다. 특수청소라는 직종에 대한 궁금증도 있었지만, 고독사에 대한 비참함이 더 컸다. 사실 뉴스에서 몇 번 고독사로 사망한 노인 등의 이야기는 들은 적이 있다. 그럴 때마다 엄마는 "어휴, 얼마나 살기 힘들면 그럴까……" 하면서 안타까워하셨지만 "외로워서 그런가? 주변에 가족이 없나?" 하고 단순하게 생각했다. 그러나 고독사의 현실은 생각보다 더 비참하고 우울했다. 영상을 보는 나에게까지 고독한 그 검은색의 마음이 느껴질 정도로 말이다.

고독사의 사전적 정의는 이렇다. 가족, 친척 등 단절된 채 홀로 사는 사람이 자살, 병사 등으로 혼자 임종을 맞고 시신이 일정한 시간이 흐른 뒤에 발견되는 죽음. 그리고 과거에는 단순히 독거 노인분들의 죽음을 의미하는 말이었다면 현재에는 확대되어 2030 청년들에게도 자주 발생하는 죽음이라고 한다.

누구보다 가장 활발히 인생을 즐길 시기에 외로워서 죽음을 택한다니. 모순도 이런 모순이 없었다. 그러나 생각해 보면 그들의 입장이 이해된다. 우리 사회는 청년, 노인 아니 어느 세대가 살기에도 각박하고 힘든 세상이다. 모두 쳇바퀴 위의 햄스터처럼 눈앞에 주어진 일을 빨리 처리하면서 사느라 바쁘다. 출근하면서 동네 이웃에게 인사 한번 건네고, 지하철에서 자리를 양보하고, 집에 와서 여유를 즐기며 하루를 되돌아 볼 여유도 없는 현실. 그들은 외로운 단칸방에서 너무 빨리 삭막한 우리 사회를 마주하게 된 것이다.

지금은 그 무엇보다도 따뜻한 마음 하나가 필요하다. 외롭고 갈라진 사회에서 따뜻하게 온기를 전달해 줄 수 있는 손길 하나면 충분하다. 이미 너무 늦었을지도 모른다. 오늘도 하루 평균 9.3명이 고독사로 생을 마감하는 대한민국에서 고독사를 선택했을지도 모른다. 고독사 특수청소 채널의 영상이 계속 업로드 되는 만큼 말이다. 그러나 나의 작은 말과 행동이 그들의 일상 속에서는 다시 한 번 살아가게 만드는 힘이 될 수 있다. 이 글을 읽은 이 시점부터, 주변 사람들, 이웃, 친구, 가족에게 관심을 가져보는 게 어떨까. 아름다운 세상에서 다시 살아가도록.

김세연

다가오는 어둠의 그림자

어둠의 그림자는 점점 우리를 향해 다가오고 있다.

"자연과 가까울수록 병은 멀어지고, 자연과 멀어질수록 병은 가까워진다."라는 괴테의 말이 있다. 우리는 빠른 속도로 파괴되고 오염되는 환경에 관심을 가져야 한다. 태어날 때부터 우리 지구의 환경을 알고 관심을 가지는 사람은 없었을 것이다. 나도 처음부터 환경에 관심을 가졌던 것은 아니다. 하지만 학교에서 환경에 관련된 영상을 보고 다양한 활동을 하면서 나는 깨달았다. 나 하나 환경에 관심을 가지고 열심히 노력해도 세상은 별로 달라지지 않는다는 것은 알고 있지만, 작은 노력부터 시작해야 한다는 것을 말이다.

이로 인해 나의 생각이 바뀌었다. 불필요한 일회용품 사용을 줄이고 텀블러 사용을 자주 하는, 이런 사소한 행동처럼 말이다. 처음에는 하나 해서 뭐 하나 생각했지만 작은 노력부터 시작하자고 나 자신이 생각했던 것을 떠올렸다. 계속해서 사소한 것들을 실천해 보니 세상은 작은 행동으로 큰 결과를 불러올 때도 있다고 생각했다.

환경 문제에 모든 사람들이 관심을 갖고 직접 행동을 해 보는 것은 아니다. 나는 어렸을 때 환경에 대해 잘 모르고 환경 오염에 관심이 없었다. 그래서 심각성을 인지하지 못 하고 일회용품을 많이 사용하고 쓰레기 무단투기를 한 적이 있다. 이런 나의 행동을 돌아보며 다양한 환경 문제가 일어나는 이유에 대하여 알아보면, 우선 계속되는 많은 사람들의 일회용품 사용, 환경을 생각하지 않고 무단투기를 하는 행동 등 노력하면 바뀔 수 있는 것들이 있다.

물, 공기, 토지 등 다양한 환경이 오염되고 파괴되어 가는 것에 대해 해결할 수 있는 방법으로는 많은 것들이 있다. 분리수거를 올바르게 하고 일회용품 사용을 줄이고 친환경적인 생활을 하는 것 등과 같이 말이다. 하지만 사실 사람들은 이러한 방법을 몰라서 환경오염에 관심을 갖지 않는 것은 아닐 것이다. 무단투기를 하지 않고 쓰레기통에 쓰레기를 넣는 것, 어려운 일이라 생각하지 않지만 다들 ′귀찮고 상관없겠지′라는 생각을 할 것이다. 환경이 오염된다고 해서 당장 큰 변화가 일어나지는 않기 때문이다. 환경은 한 순간에 바뀌고 파괴되는 것이 아닌 지속적으로 오염되어야 파괴되는 것이다. 따라서 현재 연령이 높은 사람들과 환경오염과 상관 없는 사람들은 환경 오염의 심각성을 느끼지 못할 수 있다.

우리는 이러한 환경오염의 문제를 어떻게 생각하면 좋을까. 우선 나의 생각을 말해 보자면 환경오염에 대해 상관 없다고 생각하는 사람들은 책임감이 부족하다고 생각된다. 그들이 그렇게 행동하는 것은 환경은 당장 파괴되는 것이 아니라 서서히 진행되는 것이라 생각하기 때문인 것 같다. 하지만 우리가 사는 세상은 미래가 존재한다. 그렇기 때문에 지금 당장만 생각하지 않고 미래를 생각해야 한다고 생각한다. 자신들이 피해 보는 것이 없다고, 내 일은 아니라고 생각하는 것이 아닌 미래를 살아가는 사람들을 생각해야 할 것 같다. 어둠의 그림자는 점점 우리를 향해 다가오고 있다.

김가은

7월 18일

학생들은 학부모로부터 가정교육을 제대로 받아 학교도, 교사도, 교실도 행복하게 살아났으면 좋겠다.

우리는 한계에 도달했다. 한국에서의 학부모의 지나친 관심과 과도한 교육에 관한 개입이 이젠 정말 극한에 다다랐다. 이로 인한 교사들의 극심한 피해는 상상할 수도 없을 정도이다. 최근 뉴스에는 교육과 관련한 다양한 이야기로 가득 채워지고 있다. 7월 18일 서울의 한 서초구 초등학교에서 1학년 담임과 학교폭력 업무를 담당하던 20대 초임 교사가 학생들과 함께했던 공간에서 스스로 목숨을 끊었다. 내가 이 뉴스를 처음 봤을 때 안타까운 마음에 말을 잇기 힘들 정도였다. 나도 학교를 다니고 있기에 측은한 마음이 하루 동안 머물렀었다. 7월 18일 이후 또 의정부의 한 초등학교에서 교사 2인도 스스로 목숨을 끊었고 유명 웹툰 작가인 주호민 특수 교사 갑질 사건, 왕의 DNA로 알려진 교육부 사무관 갑질 사건, 용인의 한 고등학교 사망 사건까지 현재까지 정말 많은 교사의 피해들이 잇달아 밝혀지고 있다. 이러한 일들이 왜 우리나라에서 일어나는 걸까?

난 그 이유를 한국의 교육 체계의 책임이라고 생각한다. 우선 한국에서는 교사에게 학업을 지도하고 가르쳐 주는 것 뿐만 아니라 '제 2의 부모의 역할'까지 하길 원한다. 한국의 학부모들은 교사들이 학생의 지도를 넘어서 훈육까지 해 주길 원한다.

미국의 교육제도와 한국의 교육제도를 비교해 보자. 미국의 교육제도에서는 만약 학생이 엎드려 자는 것처럼 교사가 수업하는 데에 방해되는 행동을 한 경우에, 생활지도 교사에게로 보낸다. 그 후에는 수업에서 배제되어 학생이 안정될 시간을 갖고 학부모를 부른다. 이 때 학부모가 바쁘거나 일이 있다는 이유로 학교에 못 오게 되면 학교에서 학부모를 방임으로 고발한다. 이와 같이 미국에서 교권의 힘은 한국보다 무시무시하게 크다. 미국의 예시처럼 한국의 교육체계가 바뀌게 된다면 아마 한국의 학생들은 이전 보다 자기주도적으로 스스로 할 수 있는 힘이 생기지 않을까?

또 한국에서 교사가 학생과 학부모에게 정신과 치료나 특수 교육을 받도록 추천한다면 학부모는 자신의 아이가 그럴 일이 없다며 거절하고 도리어 교사에게 화를 내는 경우가 다반사다. 이러한 학부모의 그릇된 생각들이 학생의 앞길을 막으며 미래에도 악영향을 끼칠 수 있다. 하지만 미국의 경우에서는 교장으로부터 의학적 진료를 청구 받았을 때 따르지 않으면 앞과 같이 고발당한다고 한다. 난 이렇게 우리나라에서도 교사들이 강한 교권을 가지게 되어 학생들의 인성교육에도 더 도움이 되게 만들어졌으면 하는 바람이다.

우리는 평범하게 지나갔던 하루하루에 젊은 인재를 잃었다. 교사들은 자신의 동료를, 선배를, 후배를 잃었다. 작년에도 교권 침해로 논란이 있었던 일이 있었지만 해결책이 없었다. 이렇게 무고한 생명이 희생되어 바뀌는 사회는 이젠 없었으면 좋겠다. 또 앞으로도 정말 소중한 생명들이 교권 피해로 희생되는 일은 없었으면 좋겠다. 앞서 말했던 미국의 교육체계를 한국에 조금씩 조금씩 적용하고 교권을 개혁하면 세상은 지금보다 나아지지 않을까?

지금 당신이 이 글을 읽고 있는 이 사소한 순간에도 교권을 침해당하고 있는 교사들이 있을 수 있다. 주변의 관심을 가지고 존중하는 마음으로 교사를 대해 한국 사회에서의 존귀한 젊은 빛을 잃지 않았으면 하는 바람이다. 학생들은 학부모로부터 가정교육을 제대로 받아 학교도, 교사도, 교실도 행복하게 살아났으면 좋겠다. 또 교사는 학생 교육에 있어 가장 중요한 주체로써 그만한 가치와 존중을 받았으면 하는 바람이다. 7월 18일, 젊은 인재를 잃었던 그날을 추모하며.

새벽 효

귀찮음과 환경오염의 굴레

이제, 지금부터라도 경각심을 갖지 않으면 우린 지금까지 편리했던 생활에 대한 값을 치르게 될 것이다.

요즘 많은 사람들이 출퇴근할 때 커피를 사곤 한다. 여기서도 생각보다 많은 플라스틱이 나온다는 것을 알고 있는가? 음료가 담긴 플라스틱 컵, 빨대가 모이고 모여서 대량의 플라스틱이 된다. 그리고 저녁이 되면 배달음식을 시켜 먹곤 한다. 음식이 담긴 용기, 봉투 등 우리는 하루에 대량의 플라스틱을 쓰고 있다. 물론 텀블러로 대체하는 등 많은 대안이 있지만, 우리는 귀찮다는 이유 하나만으로 지구를 망치고 있는 셈이다.

태평양의 쓰레기섬은 플라스틱 과소비와 낭비로 인해 생겨났고, 바다의 사막화가 진행되고 있을 뿐만 아니라 어업자원 감소, 수질오염이라는 심각한 문제를 겪고 있다. 또 온갖 육지, 해양에 살고 있는 동물들은 어떠한가? 바다생물 중에서도 대표적으로 고래, 거북이, 상어는 해양 플라스틱 폐기물을 먹고 죽어가고 있으며, 새들은 플라스틱 조각들은 먹이로 착각해서 섭취해 죽는 경우가 더러 있다고 한다. 이 모든 것이 많은 사람들의 작은 행동들로 이루어진 것이다. 하지만 우리가 간과하고 있는 사실이 있다. 이런 식으로 계속 조금씩 과소비를 하다 보면 결국 우리한테 해가 된다는 것이다. 플라스틱이 쌓이고 쌓이면 독성 화학물질을 배출해 암, 호르몬 불균형과 같은 심각한 문제를 초래할 수 있다.

이런 문제를 방지하기 위해선 지금이라도 우리의 사소한 행동들을 바꿔야 할 필요가 있다. 인터넷에서 버려진 플라스틱을 재활용하는 비율이 20% 정도라는 기사를 봤다. 그 기사를 봤을 때 오늘날 플라스틱을 재활용하자는 캠페인이나 연설을 하는 사람은 엄청나게 많지만 결국 바뀌는 건 없다는 생각이 들었다. 이렇게 많은 사람들이 나서서 자신의 최선의 방법을 많은 사람들에게 전하고 있지만, 사람들은 귀찮음과 환경을 맞바꿔도 된다는 식이다.

환경 오염을 해결하려면, 먼저 귀찮음을 이겨야 한다고 생각한다. 나는 많은 사람들에게 사소한 순간들을 같이 바꾸어 나가보자고 말하고 싶다. 지금은 그냥 흘러가는 사소한 순간들이겠지만, 많은 사람들과 많은 순간들이 쌓이고 쌓이다 보면 결국은 환경을 바꿀 수 있을 거라 생각한다.

생각보다 환경을 바꿀 수 있는 방법은 멀리 있지 않다. 편의점이나 마트 갈 때 에코백 들고 가기, 음료 살 때 텀블러 들고 가기, 배달시키지 않고 집에서 만들어 먹기 등이 있다. 심지어 우리가 많이 이용하는 스타벅스에서는 텀블러를 들고 가서 담아달라고 하면 할인을 해 주기도 했다. 일석이조인 셈. 우리가 조금만 노력하면 지킬 수 있는 것들이 많다. 꼭 사람들 앞에서 거창하게 연설을 하지 않아도, 캠페인을 참여하라며 길거리를 돌아다니지 않아도 우리는 우리 주변에 있는 방법들로 충분히 우리 지구를 지킬 수 있다.

이 글을 읽고 있는 지금도 우리조차 모르게 우리 옆의 플라스틱을 낭비하고 있을 수 있다. 이 글을 읽고 앞으론 조금 더 경각심을 가지고 행동할 필요가 있다. 이제, 지금부터라도 경각심을 갖지 않으면 우린 지금까지 편리했던 생활에 대한 값을 치르게 될 것이다.

잘생긴강아지

멸종 위기 인간

우리 세대의 일이 아니라고 방관할 일이 아니다. 우리 세대의 일이니 더더욱 방관할 일이 아니다.

나는 인간의 멸종을 두려워하는 사람이다. 이 세상에 인간이라는 종이 멸종하는 날이 오지 않길 바란다. 오래 전부터 사람들은 이미 기후 온난화에 대해서 알고 있었다. 학교에서도 배웠고 다양한 매체에서도 다루었다. 기후 온난화를 대비하려는 노력에 무엇이 있는지, 기후 온난화를 왜 대비해야 하는지 알지만 소수의 사람들을 제외하고는 그 다음 기후위기를 극복하기 위한 행동까지 이끌어내지 못했다. 기후 온난화가 심각하구나 생각을 하곤, 일을 하고 공부를 하고 각자의 삶을 살아가다가는 곧 잊어버렸다.

기후 온난화의 심각성을 잊어왔던 내가 처음으로 기후에 대해 심각하게 생각하게 된 계기는 2학년 때 한 선생님의 수업이다. 먼저 기후 위기의 심각성을 깨달은 선생님의 수업이 내가 기후 위기에 자각하는 기회가 된 것이다. 기후 위기가 우리에게 닥친 이유가 무엇인지, 최근 일어난 다양한 기후 위기 사례들을 보고 나니 내가 당장 무언가 해야만 한다는 생각이 들었다. 하지만 조그만 개인의 행동은 아무런 도움도 되지 않을 것이라는 망설임도 있었다. 그래서 기후 파업에 참여하기로 했다. 그레타 툰베리가 기후 변화에 적극적으로 대응하지 않는 어른들에게 항의하고자 금요일마다 등교를 거부하면서 함께 시작한 단체 'Fridays For Future(FFF)'와 함께 연대하고 있는 단체, '청소년 기후 행동'의 기후 파업이었다.

이 단체에서 진행하는 기후 파업은 다수가 모여서 진행하는 파업이니 개인의 행동보다 더 큰 목소리를 낼 수 있을 것이라고 생각했다. 수업을 듣고 나처럼 기후 위기를 인지한 친구들과 선생님과 함께 기후 파업에 참여하기로 했다. 비가 와서 행진은 취소되었지만 내 또래 학생들이 기후 위기에 대해 느끼는 점을 발언한 것을 듣고 공감되고 와닿았고 한편으론 안타깝기도 했다. 곧 닥칠 미래를 어떻게든 막고자 어른들에게 호소하는 것 같았다. 발언이 끝나고 다 같이 노래를 불렀다. 현장의 모든 사람들과 목소리 맞춰 노래 부르니 기후 위기는 오지 않을 것만 같았다. 열성적으로 참여해 큰 추억이 된 시간이었다.

바로 다음 날, 광화문 쪽에서 진행된 기후 정의 행진에 참여했다. 한 명이라도 더 참여해야 더 많은 사람들이 우리의 간절한 외침을 들어줄 것 같았다. 기후 파업보다 훨씬 다양한 연령대, 직종의 사람들과 함께 외치니 사뭇 다른 느낌이었다. 행진에 직접적으로 참여하고 다양한 구호들을 몇만 명의 사람들과 함께 외치니 하나의 목소리처럼 느껴졌다.

그 후 거의 1년의 시간이 지나고 나는 이번 여름에 친구와 함께 여름 동안 에어컨을 켜지 않기로 약속했다. 우리 둘 모두 환경에 관심 있었기 때문에 결심할 수 있었다. 친구는 이미 작년 여름 동안 에어컨을 켜지 않는 것에 성공한 경험이 있었다. 그 친구의 이야기를 듣고, 또 1학기에 에어컨과 관련한 국어책 본문을 읽고 나도 한 번 도전해 보기로 했다.

평소 여름에도 우리 집은 에어컨을 자주 켜지 않았기 때문에 나는 성공할 수 있을 것이라는 믿음이 있었다. 여름 방학이 되고 나는 제법 이 약속을 잘 지켰다. 에어컨 없이 여름을 나려고 했던 나는 무조건 창문을 활짝 열고 선풍기를 켜고 얼음 넣은 물과 함께 생활했다. 그런데도 한 달가량 잘 지켜 나갔던 내 도전은 8월 첫째 주에 실패하고 말았다. 8월의 더위는 사람을 무기력하게 만들었다. 가장 더운 한낮에 집에 있다 보면 멍해지고 속이 울렁거렸다. 에어컨을 틀지 않고서는 더 이상 여름 속에서 생활할 수 없을 것만 같았다. 지구의 여름은 점점 더 더워질 거라고 한다. 에어컨 없이는 여름을 지낼 수 없는 내가 이 지구에서 계속 생존해 갈 수 있을까?

우리는 인류의 멸종을 막을 수 있는 지성이 있는 생명체다. 멸종을 앞두고서도 아무것도 하지 않는 것은 분명 이상한 일이다. 우리 세대의 일이 아니라고 방관할 일이 아니다. 우리 세대의 일이니 더더욱 방관할 일이 아니다. 내가 참여했던 파업이나 행진이 부담스럽다면 항상 알고 있는 작은 행동도 괜찮다. 지금은 더 많은 사람의 행동이 필요한 시점이다.

익명1

외모

| 외모를 사람을 평가하는 하나의 기준으로 삼으면 괜찮지 않을까?

우리는 매일 새로운 사람과 마주한다. 그 사람을 마주하는 순간 우리는 인식하지 못하지만 첫인상으로 사람을 평가하게 된다. 첫인상은 그 사람을 보고 0.3초 안에 결정된다고 한다. 첫인상을 평가할 때 표정 말투 옷 체격 등 다양한 요인이 있지만 대부분 사람들은 첫인상을 판단할 때 외모를 보고 판단한다. 그 짧은 순간의 첫인상으로 한 사람과의 관계가 달라지기도 한다.

나도 그 짧은 순간의 첫인상으로 여러 사람들과의 관계가 달라지는 시기가 있다. 모든 사람들이 학교를 다니며 한 번쯤 경험해 봤을 새학기 시작날인 3월 2일이다. 새학기가 시작 되는 날에는 반에 처음 들어가면 모르는 친구들이 많다. 이럴 때 나는 예쁘고 주위에 친구들이 많은 친구에게 눈길이 간다. 그러다 그렇지 않은 친구를 보면 어떤 성격을 가졌는지는 알 수 없지만 대부분 '아 저 아이랑은 별로 못 친해질 것 같은데...' 생각하고 편견이 하나씩 만들어지기 시작한다. 그래서 그 친구와 친해지려고 노력도 하지 않거나 하나의 벽을 사이에 둔 것처럼 선입견을 가지고 다가갔던 적이 많다. 내가 나도 모르게 이런 생각을 하게 되는 것을 보고 '다른 사람과 다를 거 없이 외모로만 사람을 평가하는 것은 아닐까?' 하고 나 자신에게 실망하곤 한다. 왜냐하면 많은 어른들이 '외모로 사람을 평가하면 안 된다. 외모는 그 사람의 아주 작은 부분만을 보여줄 수 있다.'는 말을 항상 했기 때문에 나 또한 그러한 인식을 가지게 된 것이다.

이렇게 나뿐만 아니라 이 글을 읽는 대부분의 사람들, 외모로 사람을 평가하면 안 된다고 말했던 그 어른들도 외모로 사람을 평가해 봤거나 지금까지도 사람을 외모로 평가하고 있을 수도 있다. 하지만 외모지상주의에 의해 첫인상을 평가한다고 하면 대부분의 사람들은 좋은 시선을 보내지 않는다. 왜 그러는걸까?

지상주의란 그 명사가 가리키는 것을 가장 으뜸으로 삼는 주의이다. 한마디로 무언가에 대해 정확히 알지 못하지만 과도하게 집착하는 강박증에 불과하다는 것이다. 그렇기 때문에 외모지상주의는 외모에 대해 지나치게 집착하는 것뿐이다. 그렇기 때문에 대부분의 사람들도 외모지상주의의 의미를 정확히 알지는 못 했겠지만 외모만으로 사람을 판단한다고 하면 안 좋은 시선으로 바라봤을 것이다.

그렇다면 사람을 평가할 때 외모를 전혀 제외하고 판단해야 할까? 외모지상주의는 오직 외모만으로 사람의 전체를 판단하는 것이다. 그렇다면 외모로만 사람을 평가하지 않거나 사람의 일부에 대해서만 추측해 보는 것은 어떨까? 외모를 사람을 부분적으로 평가하는 기준으로만 생각한다면 괜찮지 않을까?

홍예나

반려동물
출입가능

철창 속에 갇힌 자유

개체 수 조절과 종 보존에 있어서 최상위 포식자인 인간의 개입이 일정 부분 필요하다고 생각하지만, 우리는 그 선을 넘은 지 오래다. 동물들은 자연의 일부이고 우리 또한 그중 하나. 이제는 동물과 공존하며 살아가야 한다고 생각한다.

소중한 고양이와의 추억

사람들이 차가운 것이 매력인 고양이를 좋아해 줬으면 좋겠다.

나는 고양이를 키운다. 올해로 9살이 된 우리 집고양이는 달이다. 좋은 귀가 접힌 모습이 특징인 스코티시 폴드다. 장화 신은 고양이랑 같은 종이다. 달이가 처음 우리 집에 온 해는 내가 초등학교에 들어가던 겨울이었다. 그때 나는 가족끼리 고양에 놀러 갔었는데 고양에 가서 갑자기 고양이를 키우고 싶어진 것인지 우리 가족은 우연히 애완동물 가게에 들어가 달이를 데려오게 되었다. 그 시절에는 동물보호 같은 게 잘 알려지지 않아 애완동물 가게에 아무 생각 없이 갔지만, 크면서 엄마 얼굴도 모르고 애완동물 공장에서 태어난 달이가 불쌍하게 느껴졌다.

우리 집에 달이가 온 첫날, 달이는 낯을 가려 우리를 피하고 숨어있기만 했다. 그때 나는 어린 마음에 고양이가 자꾸 숨기만 해서 괜히 데려왔다는 나쁜 말을 해 버렸다. 지금 다시 생각해도 달이에게 너무 미안해서 눈물이 날 것 같다. 시간이 지나면서 우리는 사료도 사고 장난감도 사고 화장실도 사고 이곳저곳 고양이를 위한 공간을 만들었다. 그러자 점차 달이는 우리에게 마음을 열기 시작했고 애교도 부리기 시작했다.

물론 동거 9년 차인 지금은 애교는 커녕 나한테 오지도 않는다. 오직 밥 줄 때만 빼고. 옛날엔 애교도 부리고 귀여웠는데 - 물론 지금도 귀엽지만 - 지금은 완전 아저씨다. 늘 나른한 표정인 건 아마 너무 내가 귀찮게 해서 그런 거 같다. 그래도 잘 때는 나를 재워주는 것 마냥 옆에 와서 누워서 내가 잠들 때까지 기다려 준다. 근데 아침에 일어나면 엄마 침대에 가 있다. 달이는 엄마를 제일 좋아한다. 엄마는 계속 집에 있으니까 아무래도 고양이와 함께 하는 시간이 가장 길어서 그런 모양이다.

오늘 아침에는 고양이에게 닭가슴살을 먹여줬다. 달이에게 닭가슴살을 치킨이라고 가르치기로 했다. 근데 이상하게도 평소에는 깔끔하게 남김 없이 싹싹 긁어 먹는 닭가슴살을 남겼다. 이틀 연속 먹으니 질렸나 보다. 우리 집 고양이의 화장실 청소 당번은 나다. 신기하게도 달이는 내가 화장실을 청소해 줄 때마다 감시하듯이 옆에 와서 식빵을 구우며 나를 보고 있다. 화장실을 청소해 주는 나에게 감사함을 조금이라도 느끼면 좋겠다. 아무것도 모르는 바보 고양이는 밥만 좋아한다.

얼마 전에 우리 집 에어컨이 고장이 났다. 불행히도 A/S가 될 때까지는 일주일이 걸려 우리 집은 폭염 속에서 일주일을 버텨야 했다. 걱정되는 것은 원래 시베리아 쪽에 사는 고양이 종인 달이었다. 엄마는 더워 죽을 지도 모르니 털을 깎아주자고 했다. 그래서 쿠팡 로켓배송으로 동물용 바리깡을 주문했다. 하루 만에 와서 다행이다. 쿠팡 만세!

우리 가족의 달이 털 밀기 작전은 이러했다. 엄마는 고양이를 잡고 나는 츄르라는 진정제를 고양이에게 공급한다. 고양이가 츄르에 관심이 쏠려 있을 때 아빠가 조심히 등쪽의 털은 밀어버리고 동생은 영상을 찍는다. 나는 츄르에 정신이 팔려 자기가 알몸이 되어가는 것도 모르는 달이가 안타까웠다. 인간으로 치면 햄버거를 먹고 있는데 머리털이 다 밀린 거나 마찬가지이다. 나는 고양이가 털이 밀리면 수치심 때문에 스트레스를 받는다는 글을 읽은 적이 있어서 혹시 스트레스를 받아서 성격이 더 더러운 고양이가 되지 않을까 걱정했다. 하지만 달이는 몇 시간 동안 자기 털이 다 밀렸다는 것을 눈치채지 못했다. 아마 바보인 듯 하다.

또 우리 집 고양이에 대해 가장 충격적이고 웃긴 기억이 있다. 달이가 한 5살 때의 일이다. 아침에 밥을 먹고 있는데 뭐가 고마웠는지 밖에서 매미를 물어서 엄마 앞에다가 놔뒀다. 정말 입맛 떨어지는 사건이었다. 입에 매미를 물어 매미 날개가 고양이 수염 마냥 나와 있었다. 지금 다시 생각해도 웃기고 귀엽다. 가족들에게 뭐라도 주려고 사냥해 왔을 생각 하니까 정말 귀엽다.

달이는 나에게 정말 소중한 고양이이다. 고양이를 키우면서 동물에 대해 더 생각하게 된 것 같다. 나랑 우리 고양이와의 추억은 아주 많아서 다 담지는 못했지만, 이 글을 읽고 사람들이 차가운 것이 매력인 고양이를 좋아해 줬으면 좋겠다.

박박박

유기견 1.

또 정말 주변에 이러한 상황에 놓인 분들에게도 이러한 조언을 전해줄 것이라 다짐했다.

예전부터 우리 아파트 주변을 떠돌아다니는 유기견 한 마리가 있었다. 하교하거나 잠깐 밖에 외출할 때 자주 보았었는데, 어느새부터인가 아예 보이지 않기 시작했다. 엄마는 예전 주인이 다시 데려간 것 같다는 소문이 있다고 하셨다. 나는 이 부분에 대해 ′그럴 거면 왜 내쫓은 걸까?′라는 깊은 의문이 들었다. 그때부터 이 의문에 점차 살이 붙으며 ′왜 유기견은 생기는 걸까?′라는 의심으로 번지기 시작했다.

그날 이후 나는 인터넷에 유기견 관련 검색어를 많이 쳐 보았는데, 거기서 반려견과 유기견들의 비율이 비슷한 것을 나타내는 사진을 보았다. 나는 이에 많은 생각과 감정을 느꼈다. 처음에는 적잖이 충격을 받았고, 점차 전에 보았던 유기견을 생각하며 조금 화가 나면서 불쌍하게 느껴졌다. 이렇게 유기견이 자꾸 늘어가면 조금만 더 있으면 유기견의 비율이 반려견의 비율보다 훨씬 앞서갈 것이란 생각 또한 들었다.

그래서 유기견이 자꾸 생기는 이유는 무엇일까. 보통 소설이나 웹툰 등에서 묘사되는 이유로는, 감당하지 못해서, 아니면 그냥 버리거나 더 이상 예뻐 보이지 않아서, 겁나서, 가족이 강아지 알레르기가 있거나 혹은 아주 싫어해서 등등 또 다른 모종의 이유가 많다.

내가 생각하기에 유기견이 자꾸 늘어나는 것은 책임감의 부족과 생활 여건의 변화 때문이다. 강아지에 대한 책임감은 처음부터 끝까지 쭉 내가 가지고 있어야 하는 것이다. 강아지를 키우기 위해서는 내가 이 강아지를 잘 키울 거란 확신과 책임감, 끈기, 내 주변 환경과 여건 등등 꽤 많은 조건과 절차가 필요하다.

그중 생활 여건은 내가 강아지를 키우기에 주변 환경이 괜찮은가, 또 같이 사는 동거인이 있으면, 그 동거인이 강아지에 대한 트라우마가 있거나 무서워하거나, 싫어하지는 않는가, 아니면 동물 털 알레르기가 있는가 등등의 생활 여건이다.

나는 이에 이러한 상황을 보고, 찾고, 쓰면서 강아지를 키우고 싶거나, 혹은 키우는 사람들이 정말 이 수필을 꼭 보았으면 좋겠다고 느꼈다. 또 정말 주변에 이러한 상황에 놓인 분들에게도 이러한 조언을 전해줄 것이라 다짐했다.

딸기라떼

유기견 2.

여러분들은 유기견을 본 적이 있으신가요? 저는 최근에 떠돌이 개 2마리를 본 적이 있습니다. 연간 10만 마리에 가까운 유기견이 발생하고 있다고 합니다.

그렇다면 유기견이 생기는 이유는 뭘까요? 배변, 짖음, 무는 행동, 질병들이 이유에 속하는데, 이런 이유들은 보면 보통 개의 입장에서 봤을 땐 지극히 정상적인 행동입니다. 사람들의 입장에서만 문제가 되는 것뿐이지 개의 입장에서는 정상적인 행동입니다.

대부분의 사람들을 개의 존재 이유를 가진 생명체로 보지 않고 자신을 위한 장난감, 즉 유희의 수단으로만 생각합니다. 이렇기 때문에 위와 같은 문제가 발생하면 개의 입장에서는 이해하려고 하지 않고 자기의 입장에서만 생각하여 저런 행동은 잘못된 행동이라고 스스로 규정하며, 훈육이라는 명목하에 개를 혼내고 다그치고 심지어 육체적 폭력을 행사하는 경우도 적지 않습니다. 이런 과정에도 개선되지 않으면 결국 파양해 버리는 경우가 많다고 합니다.

잡종 개나 짖고, 물고, 배변을 못 가리는 등 문제가 있는 개들은 파양도 쉽지 않기 때문에 그냥 유기를 선택하는 경우가 많습니다. 자라고 나면 귀여운 외모가 사라지는 것이 유기의 가장 중요한 원인 중 하나입니다. 유기되는 나이는 보통 1살 전후거나 10살 이상인 노견인 경우가 많은데, 요즘은 1살 정도의 어린 나이에 버려진 유기견들이 과반수를 차지하고 있다고 합니다.

강아지의 배변 문제는 어린 개를 유기하는 주된 이유 중 하나입니다. 데려 오면 알아서 똥오줌을 가릴 것으로 생각하지만, 배변 후 모래에 파묻는 본능을 가지도록 진화한 고양이와 달리, 개는 일부 품종을 제외하면 배변을 잘 가리지 못한다고 합니다. 그 이유는 개는 배변을 여기저기 싸며 영역 표시를 하는 방향으로 진화했기 때문입니다.

배변 문제와 더불어 주된 문제는 짖는 문제입니다. 애완동물 가게에서 막 들어온 2개월 미만의 어린 강아지는 애완동물 가게 주인이 말하는 것 보다 실제로는 더 어려서, 아직 성대가 발달하지 않아 거의 짖지를 못합니다. 하지만 개 주인들은 이런 강아지들을 보고 이 강아지가 원래 조용조용하고 잘 짖지 않는 성격이라 착각하게 되는 경우가 많습니다. 많은 개 주인은 개를 데려올 때 이 귀여운 강아지가 크고 나서도 천사 같을 것이라 믿는 것 같은데, 이것은 아직 성대가 자라지 않아 짖지 못하는 거뿐이지 성장하면서 짖음의 정도는 크게 발전하게 됩니다. 또 다른 이유에는 가족을 무는 공격성, 집안의 가구와 물건을 물어뜯는 것들이 있습니다.

그렇다면 만약 길거리에서 유기견이 보인다면 어떻게 해야 할까요? 보통 많은 사람은 그냥 보고 지나가는데 원래는 신고를 먼저 해야 합니다. 유기견을 발견했을 때, 무작정 집으로 데리고 오면 안 됩니다. 자칫하면 처벌을 받을 수도 있으며, 유기견이 아닌 실종견일 확률도 있습니다. 유기견 발견 시 관할 시 군, 구청의 유기 동물 담당 부서에 신고해야 합니다..

오늘날 유기견들이 점점 늘어나고 있는데 앞으로 유기견을 보신다면 위의 방법처럼 행동해 주시고, 강아지들이 아무리 물고 짖고 배변을 못 가려도 유기는 하지 맙시다. 주변에 강아지를 유기하시는 분들을 보시면 이 글을 기억하시고 꼭 그 유기를 막아주세요. 글을 읽어주셔서 감사합니다.

곽윤진

철창 속에 갇힌 자유

인간은 인간, 동물은 동물일 뿐 최상위 포식자고 그들을 조종할 수 있을 지언정 그들의 삶을 인간이 결정할 수는 없다.

동물원, 이 세 글자의 나열을 보고 당신은 어떤 생각이 드는가? 어렸을 적 추억? 어린이라면 누구나 꿈꾸고 가 봤을 법한 동물원, 나 또한 동물원을 가본 적 있다. 수많은 날들 중 하나였던 주말이었다. 나는 동물원에 가서 동화책에서만 보던 풍성하고 날카로운 갈기를 휘날리는 사자, 목을 쭉 뻗고 나뭇잎을 우적우적 씹어먹고 있는 기린도 보고, 내 손으로 원숭이와 토끼 등에게 먹이를 직접 주기도 하였다. 동물이 맞는지 의심이 될 정도로 물 위를 포물선을 그리며 날아다니는 돌고래의 묘기는 뛰어났고 재미있었다. 화려함과 재미에 가려져 인간도 아닌 그저 동물일 뿐인 돌고래가 어떻게 그렇게 뛰어난 묘기를 선보일 수 있었지를 나는 알 수 없었다.

내가 그저 재미있게 보았던 돌고래쇼를 운영하는 주체는 동물원이다. 동물원은 돌고래쇼 운영을 포함해 동물 관람 등의 프로그램을 운영한다. 그런데 어쩌다 동물들은 동물원이라는 공간에 갇혀 하루 종일 생활하는 모습을 인간들로부터 감시당하고 인간의 재미를 위해 훈련을 받아 묘기를 부리게 된 것일까? 이렇게 인간의 재미를 위해 동물들의 희생을 당연시 여기는 게 옳은 것일까?

물론 동물원이 마냥 나쁘다고 생각하지는 않는다. 동물원은 교육적, 연구적, 인도적 측면에서 분명 가치가 있다. 하지만 사육사로부터 학대를 당해 살이라고는 사라진 지 오래고 방치되어 털이 서로 엉겨 붙고 그 털은 곧 빠져 결국 몸 곳곳에 털이 없는 동물들을 보고, 아이들은 무엇을 배우고 느낄 수 있을까? 동물원은 결국 동물을 상업화하여 나열한 전시장 그 이상도 이하도 아니다. 정말 아이들의 교육을 위한다면 동물들을 가둬놓고 길들이는 것이 아닌, 평소와 다르지 않는 그들의 일상에 우리가 교육이라는 순수한 목적을 가지고 피해를 주지 않는 선에서 바람처럼 왔다가 사라져야 하지 않을까?

돼지와 소는 맛있게 먹으면서 동물원 운영은 비윤리적 행위라고 주장하는 것이 모순적이라고 느껴질 수 있다. 그러나 나는 그 목적에 따라 윤리적인지 비윤리적인지가 판단된다고 생각한다. 돼지와 소는 사람의 생명 유지에 있어서 필수불가결한 요소이다. 하지만 동물원은 그렇지 않다. 동물원은 애초에 서구 귀족들의 소유욕과 과시욕에서 시작되었다. 그저 사람들의 소유욕과 과시욕이라는 욕심만으로 동물이 이용되는 것이다.

물론 인간의 필요에 의해 가축들이 비윤리적으로 몸도 제대로 가눌 수 없는 곳에서 불편하게 잠을 취하며 급격하게 살을 찌우면서 사육되고, 존엄한 생명을 가진 생명체가 아닌 인간의 필요에 의한 도구로써 도축된다면 그것 또한 절대 옳지 않다. 하지만 이러한 과정을 거치는 동물들만 있는 것이 아니다. 동물도 우리와 별반 다를 바가 없는 생명이라는 인식이 높아지고 있고 실제로 동물들이 서식하는 지역에서 소, 양 등이 방목된다.

동물원 폐지를 반대하는 사람들은 동물원의 동물들 대다수가 다시 자연으로 돌아가기 어렵다고 말한다. 그러나 태어날 때부터 죽을 때까지 차디찬 콘크리트 바닥 위에서 철창과 유리창으로 세상으로부터 철저히 분리시켜 자유를 억압한 채 그저 생명을 유지시킬 바에는, 원래 살아왔고 살아가야 했던 자연과 자유를 만끽하며 생을 마감하는 것이 오히려 동물들을 위한 결정이다. 우리가 그들이 살아가야 하는 환경을 보호하는 것 또한 확장된 동물복지라고 생각한다. 인간은 인간, 동물은 동물일 뿐 최상위 포식자고 그들을 조종할 수 있을지언정 그들의 삶을 인간이 결정할 수는 없다.

멸종 위기종 번식과 관리를 위해 동물원이 필요하다고 하지만 결국 수많은 멸종 위기 동물들 중 대다수의 동물들을 멸종 위기로 몰아넣은 것 또한 인간이다. 동물들은 단지 인간만의 이익을 위해 점점 살아갈 밀림과 숲들을 잃어가고 있고, 그들의 서식지를 인간에게 빼앗기고 있다. 개체 수 조절과 종 보존에 있어서 최상위 포식자인 인간의 개입이 일정 부분 필요하다고 생각하지만, 우리는 그 선을 넘은 지 오래다. 동물들은 자연의 일부이고 우리 또한 그러하다. 이제는 동물과 공존하며 살아가야 한다고 생각한다.

영길이 언니

책임감

| 반려동물을 입양할 때는 많은 걸 준비해야 하고 또 많이 알아봐야 한다.

초등학생 시절, 나는 가족과 놀러 다니는 것을 좋아하는 아이였다. 주말에 가족들과 함께 동대문 시장에 갔을 때였다. 이것저것 구경을 한 뒤 시간이 늦어 집에 가려는데, 우리 차 앞에 있던 청계천 애완동물 거리가 눈에 들어왔다. 동물을 좋아하는 우리 가족은 이곳을 그냥 지나칠 수 없었다. 청계천 애완동물 거리에는 햄스터, 토끼, 물고기, 거북이, 앵무새 등 많은 애완동물들이 있었다. 그곳에는 오색 청해라고 불리우는 다섯 가지 색의 깃털을 가진 중형 앵무새도 한 마리 있었다. 나와 오빠는 그 앵무새가 마음에 너무 들어 약속이라도 한 듯 한참 동안 그 앵무새만 뚫어져라 바라보았다. 이미 우리 집에는 먼저 가족이 된 진돗개 '똘이'가 있었지만 오빠와 나는 어린 마음에 아빠에게 앵무새를 입양하자고 했다. 결국 아빠는 우리의 성원에 못 이겨 허락을 해 주셨고 그 앵무새는 무사히 우리 집에 올 수 있었다. 이름은 봄에 데려와 '봄이'로 지었다.

봄이는 우리 가족 중에 나를 제일 잘 따랐다. 아침에 일어나면 밥을 주고 똥을 닦아주고 매일 놀아주었다. 가끔씩 같이 밖에 나가 산책도 함께 했다. 나는 봄이와 함께 하는 일상이 너무나도 행복했다. 하지만 내가 중학교에 올라가고, 1학년 1학기가 끝나가던 때, 가족들과 함께 미국으로 1년 반 동안 유학을 가게 되었다. 문제는 내가 키우는 강아지 똘이와 앵무새 봄이었다. 똘이는 미국에서 같이 생활할 수 없어 강아지 호텔에 맡겼다. 봄이도 끝까지 데려갈 방법을 찾아봤지만 공항 절차가 너무 복잡하여 안타깝지만 한국에 남기기로 결정하였다.

네이버 카페 중에는 '앵사모', 앵무새를 사랑하는 사람들의 모임이라는 카페가 있다. 이곳에서는 종종 장기 해외여행자를 위해 개인간의 앵무새 돌봄을 연결해 주기도 한다. 우리는 어려서부터 앵무새를 많이 키워봤다는 한 대학생에게 봄이를 믿고 맡긴 채 미국으로 떠났다.

하지만 얼마가지 않아 봄이를 데려갔던 그 대학생은 돌봄 비용으로 더 많은 돈을 요구해 왔다. 돈을 더 줄 생각이 없다면 차라리 앵무새를 자신에게 분양 보내라고 말하는 그에게 아빠는 어쩔 수 없이 내 소중한 앵무새를 분양 보냈다. 나는 다시는 봄이를 보지 못한다는 것이 생각만 해도 슬펐다. 하지만 지금껏 봄이를 잘 돌봐주었고, 관련 경험도 많다고 말하는 그가 봄이를 더 행복하게 키워줄 수 있을 것 같다는 생각에 봄이를 보내주기로 했다.

나는 미국에서도 봄이 생각에 수시로 앵사모에 들어가 글을 확인하곤 했다. 그러던 어느 날, 미국에 간지 막 1년이 되던 해, 나는 오색 청해 앵무새 분양 글을 보게 되었다. 심장이 떨어지는 것만 같았다. 이름은 봄이, 봄이와 완전히 똑같이 생긴 생김새, 성별은 암컷, 개인기까지도 똑같았다. 나는 글을 천천히 읽고 캡쳐를 한 뒤 아빠에게 말씀드렸다. 우리 가족은 당황스러운 와중에도 침착함을 유지하려 애썼고, 기존과 다른 번호로 봄이를 입양하겠다는 연락을 남겼다. 하지만 그 사람은 며칠이 지나도 묵묵부답이었다. 우리는 마지막 기회라고 생각하며 아무것도 모르는 척, 아빠 번호로 봄이의 안부를 물어봤다. 다행히도 며칠 뒤 그 사람에게 봄이가 잘 지내고 있다는 연락을 받을 수 있었다. 아빠는 이 기회를 놓치지 않고 한국에 도착하면 봄이를 다시 받을 수 있겠냐 물었고, 우리 몰래 분양 시도까지 했던 그는 흔쾌히 알았다는 대답을 내놓았다. 나는 봄이를 다시 볼 수 있어 너무 행복했다.

나는 한국에 가자마자 봄이를 받겠다고 연락을 했다. 늘 불길한 예감은 틀리질 않는다. 그는 잠수를 타버렸다. 나와 오빠는 노발대발하여 신고를 하자고 말했지만, 아빠는 우리가 지금 봄이를 키울 환경이 되지 않는다며 그냥 내버려두자고 하셨다. 나는 봄이와 끝까지 함께 해 주지 못해 미안하고 또 보고 싶은 마음 뿐이다.

이를 통해 나는 반려동물을 입양할 때 정말 신중하게 생각하고 끝까지 책임을 져야한다는 것을 깨닫게 되었다. 반려동물을 입양할 때는 많은 것을 준비해야 하고 또 많이 알아봐야 한다는 것도.

봄이

그리움의 공식